家家可以做 人人容易学
1000
10元家常菜1000样
豉椒鳕鱼

麻辣鸡肉

家家可以做 人人容易学

1000

10元家常菜1000样

鱼香茄子

酸辣香炒河蚬

麻婆豆腐

家家可以做 人人容易学
1000
10元家常菜1000样

红椒鱿鱼丝

可能损害人体健康的258种混食

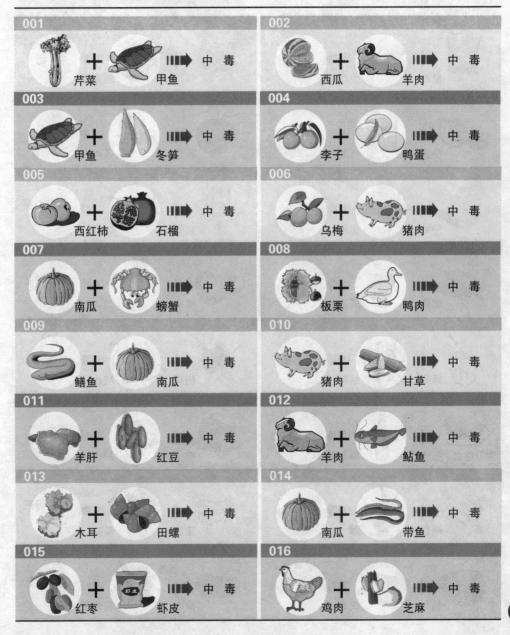

易中毒、致死的混食

001

芹菜 + 甲鱼 → 中毒

002

西瓜 + 羊肉 → 中毒

003

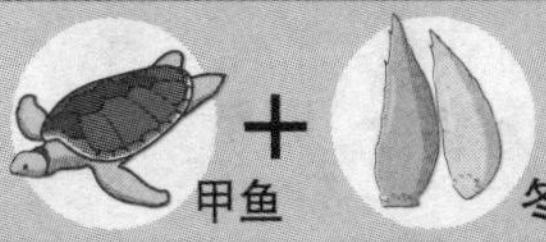

甲鱼 + 冬笋 → 中毒

004

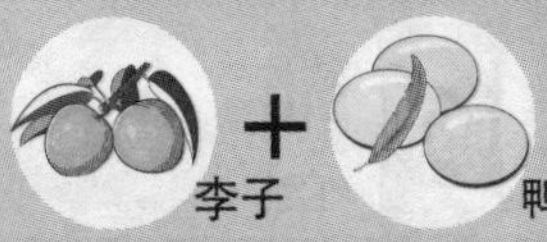

李子 + 鸭蛋 → 中毒

005

西红柿 + 石榴 → 中毒

006

乌梅 + 猪肉 → 中毒

007

南瓜 + 螃蟹 → 中毒

008

板栗 + 鸭肉 → 中毒

009

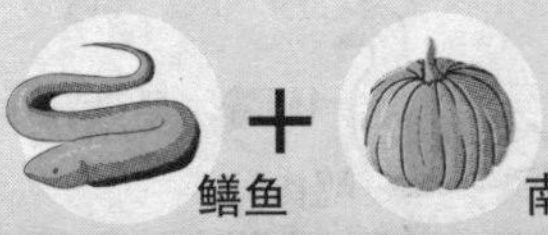

鳝鱼 + 南瓜 → 中毒

010

猪肉 + 甘草 → 中毒

011

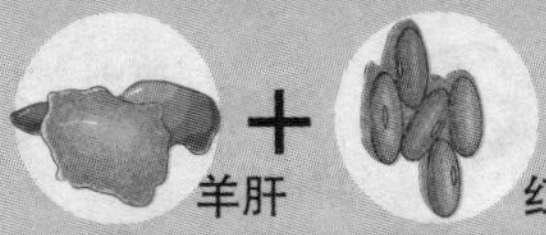

羊肝 + 红豆 → 中毒

012

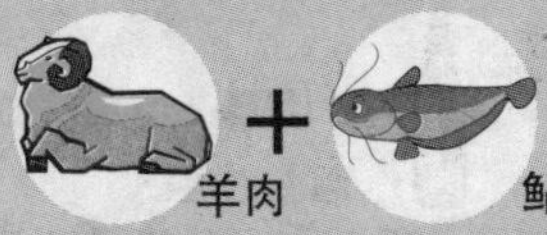

羊肉 + 鲇鱼 → 中毒

013

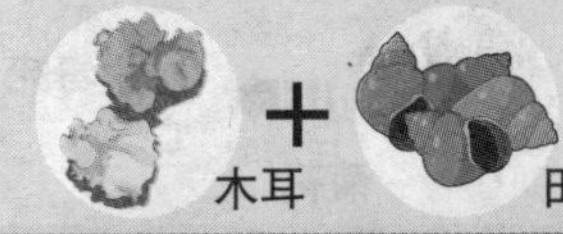

木耳 + 田螺 → 中毒

014

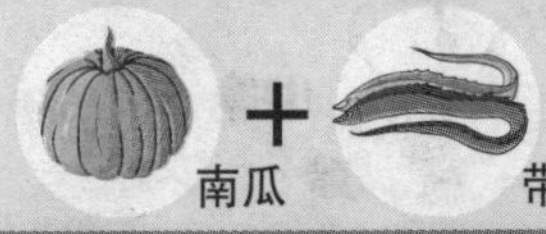

南瓜 + 带鱼 → 中毒

015

红枣 + 虾皮 → 中毒

016

鸡肉 + 芝麻 → 中毒

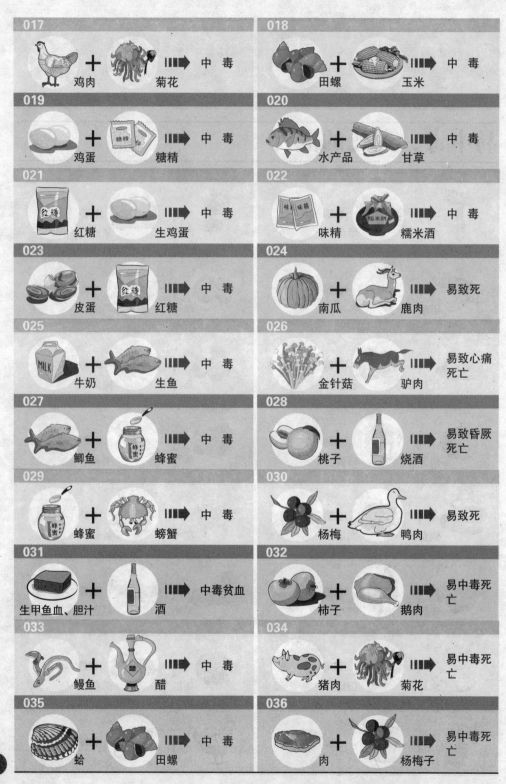

017 鸡肉 + 菊花 → 中毒

018 田螺 + 玉米 → 中毒

019 鸡蛋 + 糖精 → 中毒

020 水产品 + 甘草 → 中毒

021 红糖 + 生鸡蛋 → 中毒

022 味精 + 糯米酒 → 中毒

023 皮蛋 + 红糖 → 中毒

024 南瓜 + 鹿肉 → 易致死

025 牛奶 + 生鱼 → 中毒

026 金针菇 + 驴肉 → 易致心痛死亡

027 鲫鱼 + 蜂蜜 → 中毒

028 桃子 + 烧酒 → 易致昏厥死亡

029 蜂蜜 + 螃蟹 → 中毒

030 杨梅 + 鸭肉 → 易致死

031 生甲鱼血、胆汁 + 酒 → 中毒贫血

032 柿子 + 鹅肉 → 易中毒死亡

033 鳗鱼 + 醋 → 中毒

034 猪肉 + 菊花 → 易中毒死亡

035 蛤 + 田螺 → 中毒

036 肉 + 杨梅子 → 易中毒死亡

037

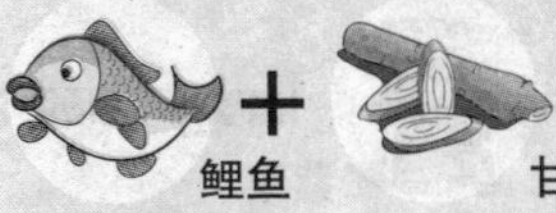

鲤鱼 + 甘草 → 易中毒死亡

038

葱 + 蜂蜜 → 易腹泻致死

易导致头痛、头昏、恶心的混食

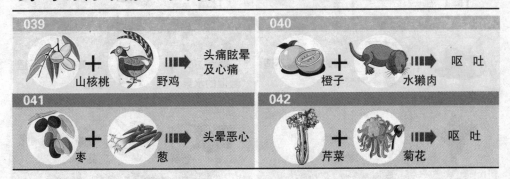

039

山核桃 + 野鸡 → 头痛眩晕及心痛

040

橙子 + 水獭肉 → 呕 吐

041

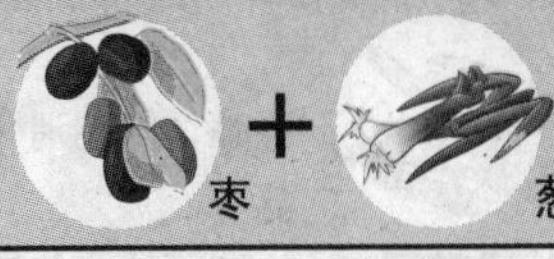

枣 + 葱 → 头晕恶心

042

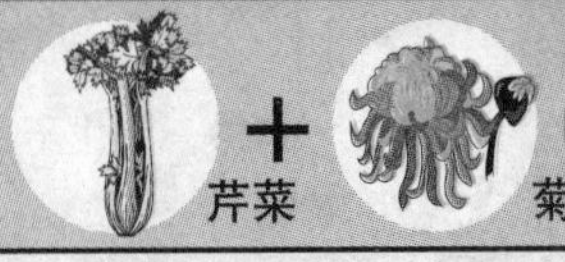

芹菜 + 菊花 → 呕 吐

易气滞、生痰的混食

043

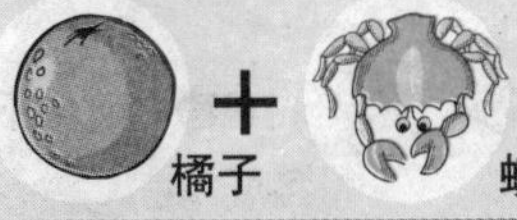

橘子 + 螃蟹 → 气滞生痰

044

猪肉 + 鲫鱼、虾 → 气 滞

045

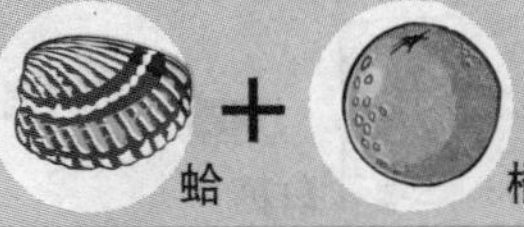

蛤 + 橘子 → 气滞生痰

046

鸽肉 + 猪肉 → 气 滞

047

枇杷 + 小麦 → 生 痰

048

猪血 + 黄豆 → 气 滞

损伤肠胃、影响消化的混食

049

茄子 + 黑鱼 → 损肠胃

050

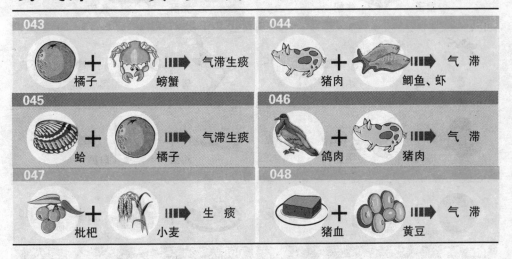

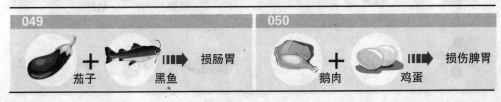

鹅肉 + 鸡蛋 → 损伤脾胃

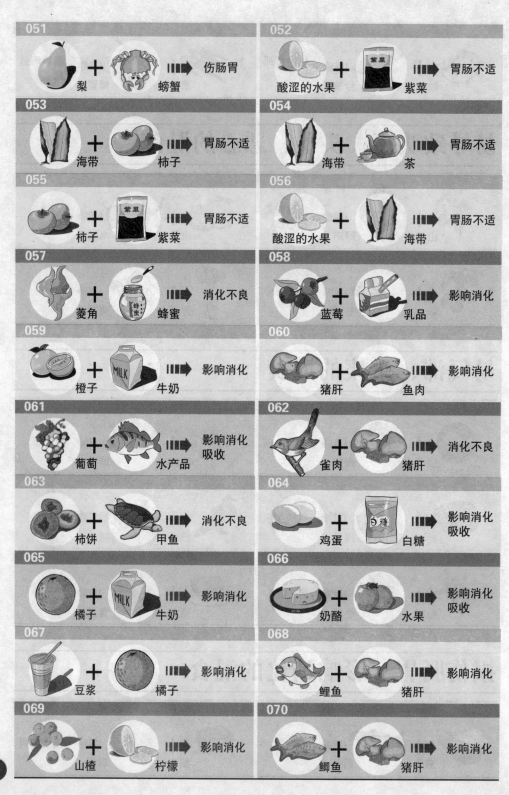

编号	食物		结果
051	梨	螃蟹	伤肠胃
052	酸涩的水果	紫菜	胃肠不适
053	海带	柿子	胃肠不适
054	海带	茶	胃肠不适
055	柿子	紫菜	胃肠不适
056	酸涩的水果	海带	胃肠不适
057	菱角	蜂蜜	消化不良
058	蓝莓	乳品	影响消化
059	橙子	牛奶	影响消化
060	猪肝	鱼肉	影响消化
061	葡萄	水产品	影响消化吸收
062	雀肉	猪肝	消化不良
063	柿饼	甲鱼	消化不良
064	鸡蛋	白糖	影响消化吸收
065	橘子	牛奶	影响消化
066	奶酪	水果	影响消化吸收
067	豆浆	橘子	影响消化
068	鲤鱼	猪肝	影响消化
069	山楂	柠檬	影响消化
070	鲫鱼	猪肝	影响消化

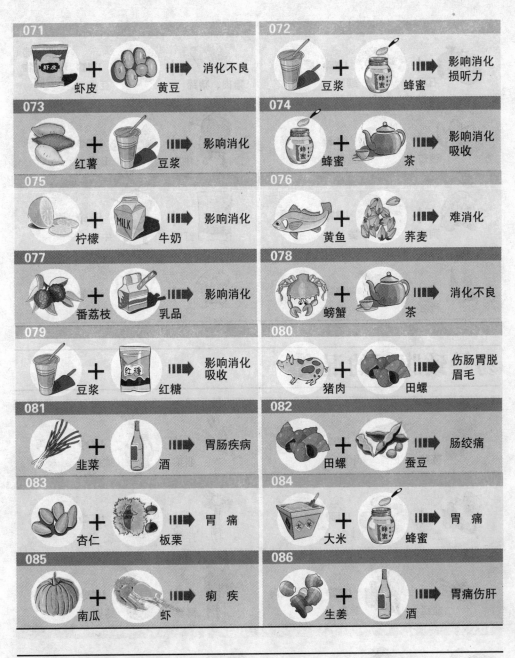

- 071 虾皮 + 黄豆 → 消化不良
- 072 豆浆 + 蜂蜜 → 影响消化 损听力
- 073 红薯 + 豆浆 → 影响消化
- 074 蜂蜜 + 茶 → 影响消化 吸收
- 075 柠檬 + 牛奶 → 影响消化
- 076 黄鱼 + 荞麦 → 难消化
- 077 番荔枝 + 乳品 → 影响消化
- 078 螃蟹 + 茶 → 消化不良
- 079 豆浆 + 红糖 → 影响消化 吸收
- 080 猪肉 + 田螺 → 伤肠胃脱 眉毛
- 081 韭菜 + 酒 → 胃肠疾病
- 082 田螺 + 蚕豆 → 肠绞痛
- 083 杏仁 + 板栗 → 胃 痛
- 084 大米 + 蜂蜜 → 胃 痛
- 085 南瓜 + 虾 → 痢 疾
- 086 生姜 + 酒 → 胃痛伤肝

易导致腹痛、腹胀的混食

- 087 茄子 + 螃蟹 → 腹 痛
- 088 板栗 + 牛肉 → 腹胀呕吐

089 石榴 + 螃蟹 → 腹痛

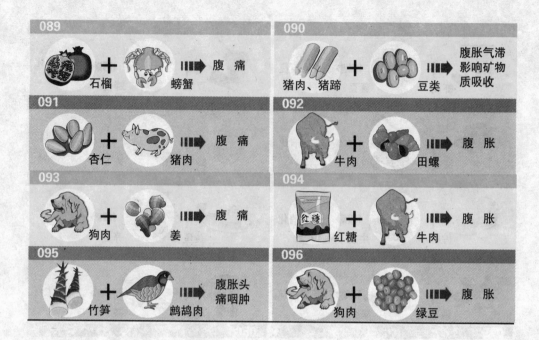

090 猪肉、猪蹄 + 豆类 → 腹胀气滞影响矿物质吸收

091 杏仁 + 猪肉 → 腹痛

092 牛肉 + 田螺 → 腹胀

093 狗肉 + 姜 → 腹痛

094 红糖 + 牛肉 → 腹胀

095 竹笋 + 鹌鹑肉 → 腹胀头痛咽肿

096 狗肉 + 绿豆 → 腹胀

易导致腹泻的混食

097 苋菜 + 甲鱼 → 腹泻

098 韭菜 + 蜂蜜 → 腹泻

099 菠菜 + 鳝鱼 → 腹泻

100 芹菜 + 蛤 → 腹泻

101 韭菜 + 菠菜 → 滑肠腹泻

102 莴笋 + 蜂蜜 → 腹泻

103 西红柿 + 螃蟹 → 腹泻

104 田螺 + 香瓜 → 腹痛腹泻

105 冰棒 + 西红柿 → 腹泻

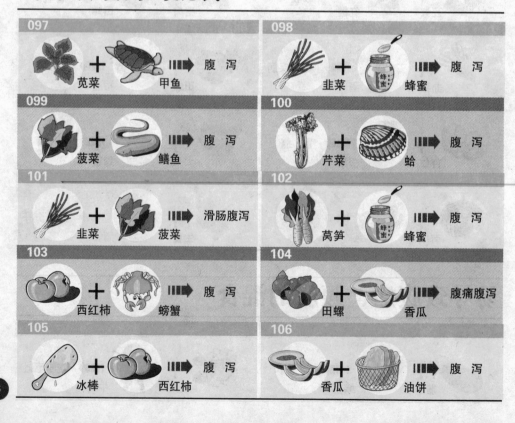

106 香瓜 + 油饼 → 腹泻

107

兔肉 + 鸭肉 → 腹泻

108

田螺 + 冰水 → 腹泻

109

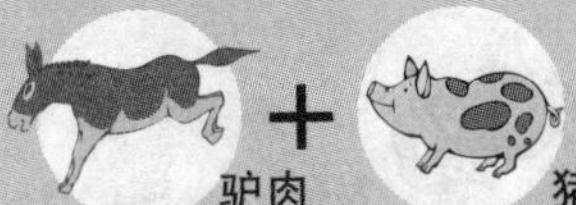

驴肉 + 猪肉 → 腹泻

110

面 + 田螺 → 腹泻

111

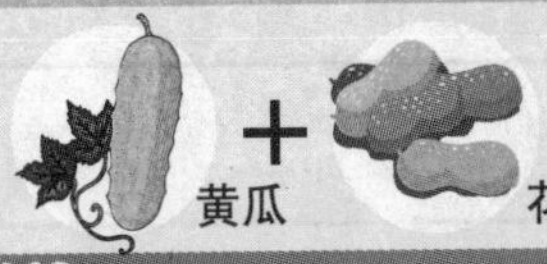

黄瓜 + 花生 → 腹泻

112

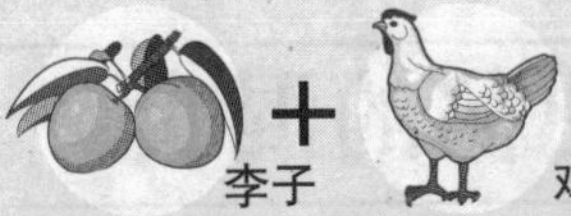

李子 + 鸡肉 → 腹泻

113

梨 + 热水 → 腹泻

114

橘子 + 兔肉 → 腹泻

115

油腻食品 + 梨 → 腹泻

116

猕猴桃 + 乳品 → 腹痛腹泻

117

葡萄 + 水 → 腹泻

118

花生 + 螃蟹 → 中毒腹泻

119

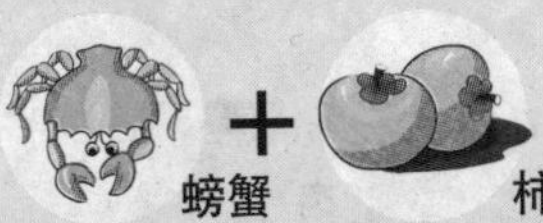

螃蟹 + 柿子 → 寒凉腹泻

120

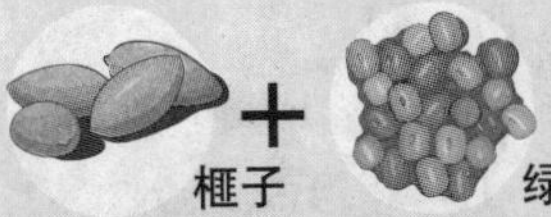

榧子 + 绿豆 → 腹泻

121

柿子 + 章鱼 → 上吐下泻

122

猪肉 + 驴肉 → 腹泻

123

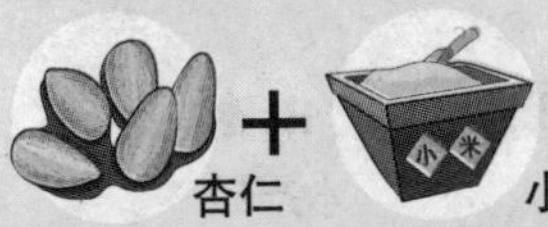

杏仁 + 小米 → 上吐下泻

124

兔肉 + 鸡蛋 → 腹泻

125

香瓜 + 螃蟹 → 腹泻

126

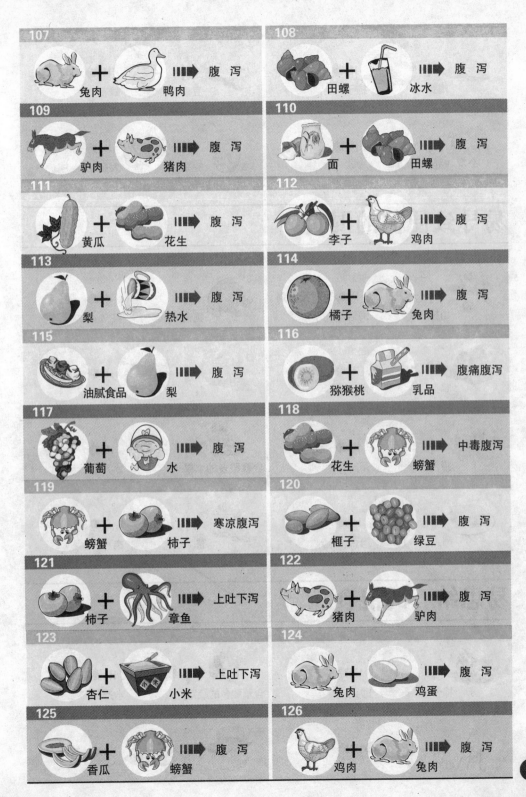

鸡肉 + 兔肉 → 腹泻

127

鸡蛋 + 柿子 → 腹泻生结石

128

豆腐 + 蜂蜜 → 腹泻

129

螃蟹 + 冷饮 → 腹泻

130

蜂蜜 + 大蒜 → 腹泻

易导致便秘的混食

131

山楂 + 海鲜 → 便秘腹痛

132

狗肉 + 茶 → 便秘

133

苹果 + 水产品 → 便秘

134

茶 + 驴肉 → 便秘

135

猪肉 + 茶 → 便秘

136

含鞣酸多的水果 + 水产品 → 便秘

137
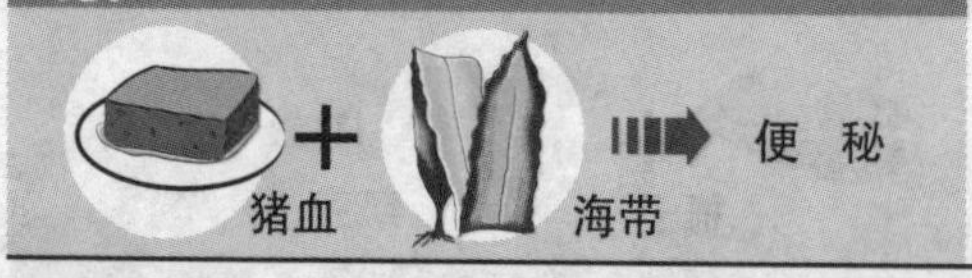
猪血 + 海带 → 便秘

138
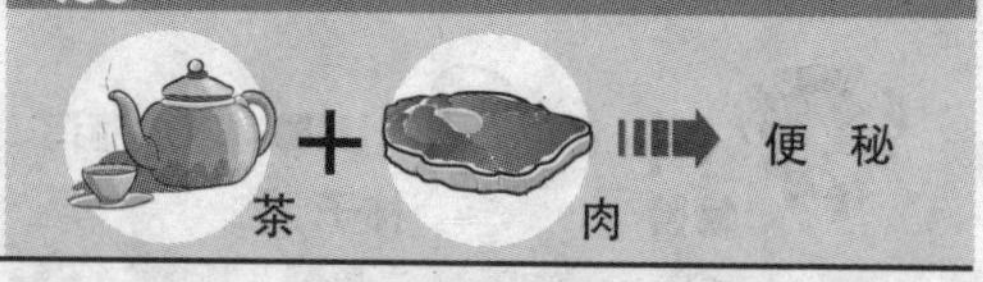
茶 + 肉 → 便秘

易患结石的混食

139

柿子 + 酸菜 → 胃石症

140

含草酸多的蔬菜 + 水产品 → 结石

141

茭白 + 豆腐 → 结石

142
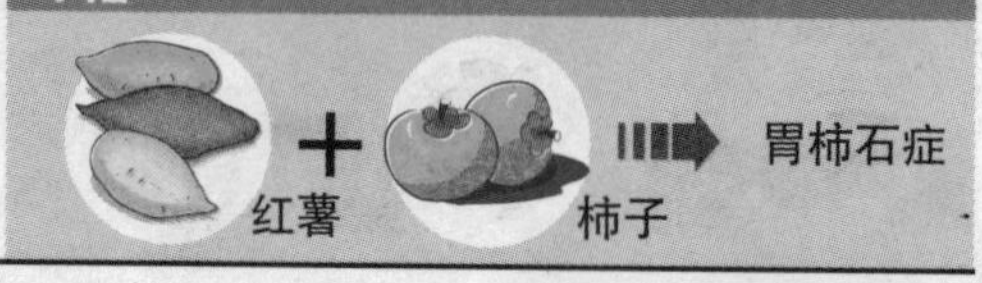
红薯 + 柿子 → 胃柿石症

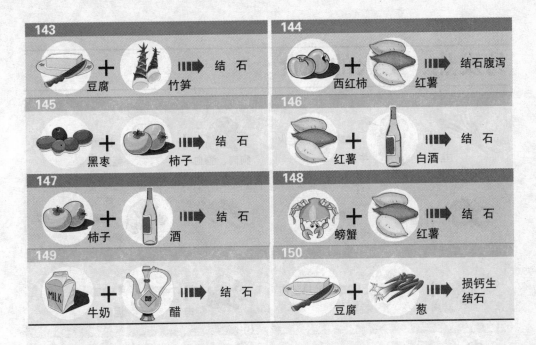

143 豆腐 + 竹笋 → 结石

144 西红柿 + 红薯 → 结石腹泻

145 黑枣 + 柿子 → 结石

146 红薯 + 白酒 → 结石

147 柿子 + 酒 → 结石

148 螃蟹 + 红薯 → 结石

149 牛奶 + 醋 → 结石

150 豆腐 + 葱 → 损钙生结石

易导致心痛、胸闷的混食

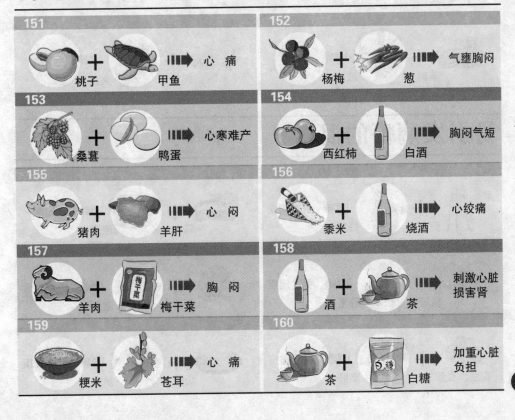

151 桃子 + 甲鱼 → 心痛

152 杨梅 + 葱 → 气壅胸闷

153 桑葚 + 鸭蛋 → 心寒难产

154 西红柿 + 白酒 → 胸闷气短

155 猪肉 + 羊肝 → 心闷

156 黍米 + 烧酒 → 心绞痛

157 羊肉 + 梅干菜 → 胸闷

158 酒 + 茶 → 刺激心脏损害肾

159 粳米 + 苍耳 → 心痛

160 茶 + 白糖 → 加重心脏负担

易发热、上火的混食

161

韭菜 + 牛肉 → 发热上火

162

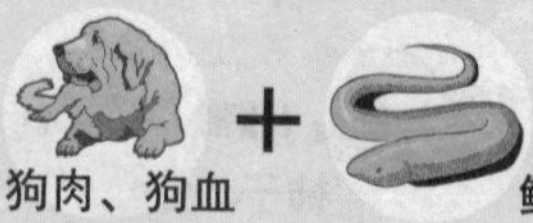

狗肉、狗血 + 鳝鱼 → 助热动风

163

李子 + 青鱼 → 助湿生热

164

葱 + 狗肉 → 助热生火

165

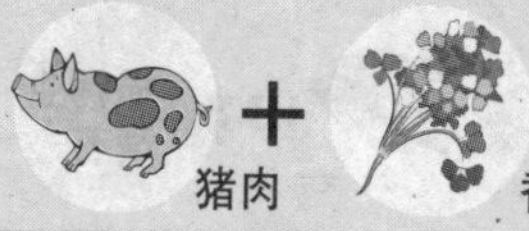

猪肉 + 香菜 → 助热生痰

166

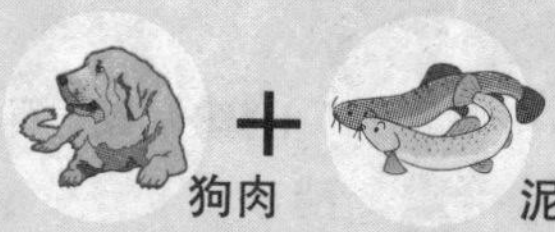

狗肉 + 泥鳅 → 上 火

167

牛肉 + 白酒 → 牙龈上火发炎

168

鸡肉 + 芥末 → 上 火

169

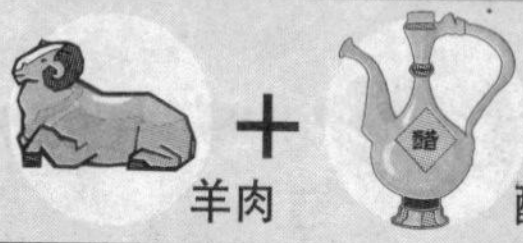

羊肉 + 醋 → 内热火攻心

170

鲫鱼 + 大蒜 → 生 热

易引发痼疾的混食

171

茭白 + 蜂蜜 → 引发痼疾

172

马肉 + 粳米 → 发痼疾

173

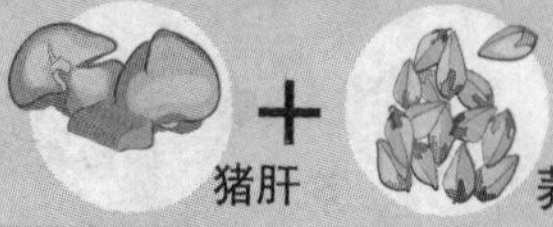

猪肝 + 荞麦 → 引发痼疾

174

狗肉 + 鲤鱼 → 引发痼疾

175

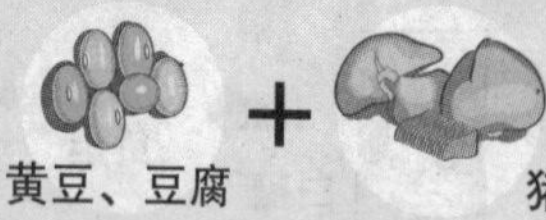

黄豆、豆腐 + 猪肝 → 引发痼疾

176

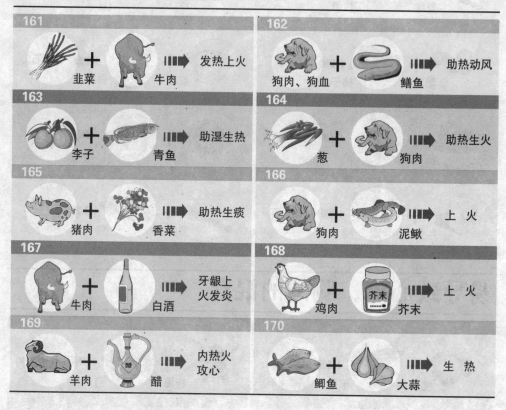

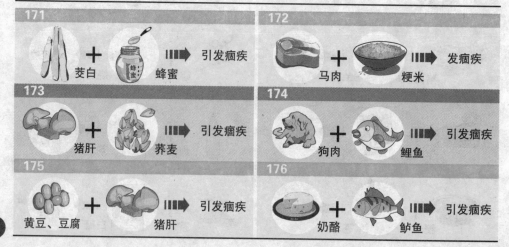

奶酪 + 鲈鱼 → 引发痼疾

易伤身的混食

177

猪肉 + 甲鱼 ➡ 寒凉伤身

178

鸡蛋 + 甲鱼 ➡ 寒凉伤身

179

甲鱼 + 兔肉 ➡ 寒凉伤身

180

甲鱼 + 鸭蛋 ➡ 寒凉伤身

伤毛发的混食

181

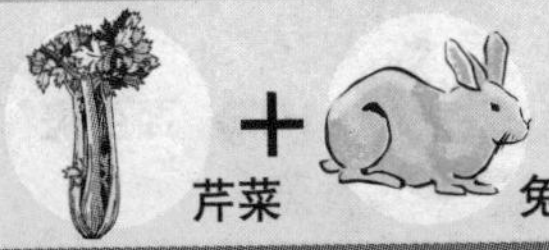

芹菜 + 兔肉 ➡ 伤头发

182

红枣 + 鳝鱼 ➡ 脱　发

183

莼菜 + 醋 ➡ 损毛发

184

猪肉 + 荞麦 ➡ 脱　发

伤脏腑的混食

185

菱角 + 猪肉 ➡ 肝　疼

186

鲤鱼 + 红豆 ➡ 尿频伤肾

187

牛奶 + 酒 ➡ 脂肪肝

188

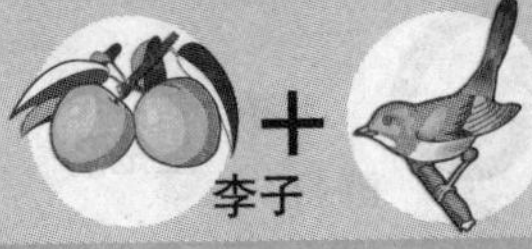

李子 + 雀肉 ➡ 损五脏

189

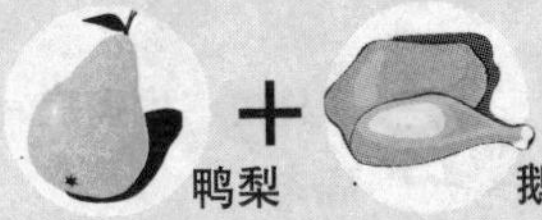

鸭梨 + 鹅肉 ➡ 伤肾脏

190

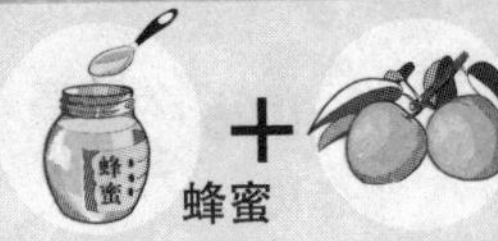

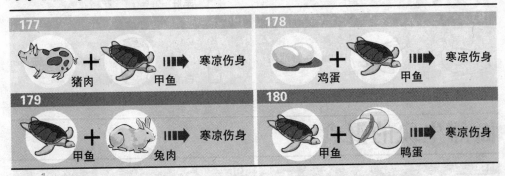

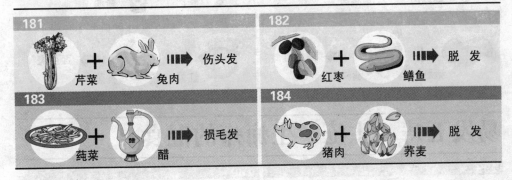

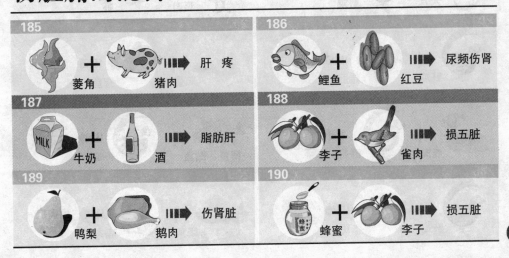

蜂蜜 + 李子 ➡ 损五脏

191

枣 + 海鲜 → 腰腹疼痛

192

羊肝 + 花椒 → 伤五脏

193

鸭肉 + 甲鱼 → 水肿泄泻

194

白酒 + 碳酸饮料 → 伤五脏

面部生斑的混食

195

鹌鹑肉 + 猪肉 → 面生斑

196

雀肉 + 酱油 → 面生斑

197

猪肝 + 鹌鹑肉 → 面生斑

198

红薯 + 香蕉 → 面生斑

易发五痔、生疮、生痈疖的混食

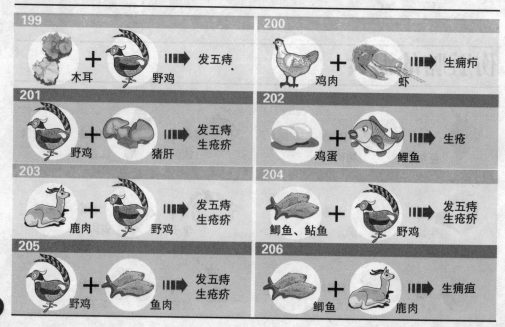

199

木耳 + 野鸡 → 发五痔

200

鸡肉 + 虾 → 生痈疖

201

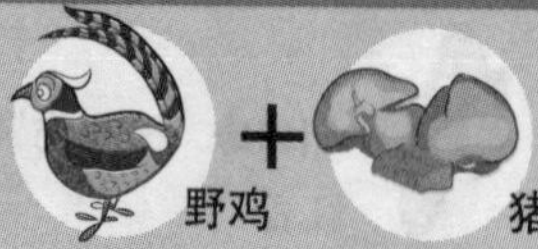

野鸡 + 猪肝 → 发五痔 生疮疥

202

鸡蛋 + 鲤鱼 → 生疮

203

鹿肉 + 野鸡 → 发五痔 生疮疥

204

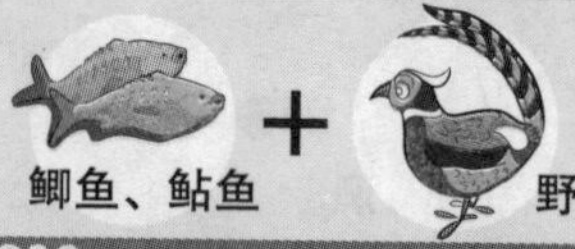

鲫鱼、鲇鱼 + 野鸡 → 发五痔 生疮疥

205

野鸡 + 鱼肉 → 发五痔 生疮疥

206

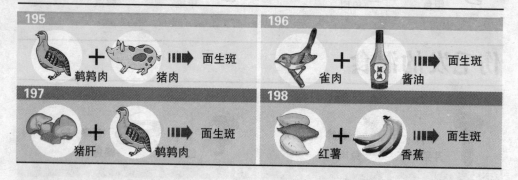

鲫鱼 + 鹿肉 → 生痈疽

207

鸡肉 + 甲鱼 → 生痈疖

208

菌类 + 鹌鹑肉 → 长痔疮

易导致其他疾患的混食

209

萝卜 + 橘子 → 甲状腺肿

210

鲤鱼 + 绿豆 → 生风动疾

211

柿子 + 萝卜 → 甲状腺肿

212

芒果 + 大蒜 → 皮肤发黄

213

南瓜 + 羊肉 → 易生黄疸和脚气

214

核桃 + 酒 → 咯 血

215

白果 + 鳗鱼 → 患软风

216

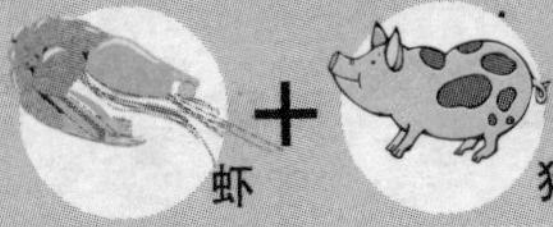

虾 + 猪肉 → 损 精

217

马肉 + 生姜 → 咳 嗽

218

蜗牛 + 螃蟹 → 荨麻疹

219

猪脑髓 + 酒、盐 → 影响男性性功能

220

冬瓜 + 鲫鱼 → 脱 水

破坏维生素吸收的混食

221

竹笋 + 羊肝 → 破坏维生素A

222

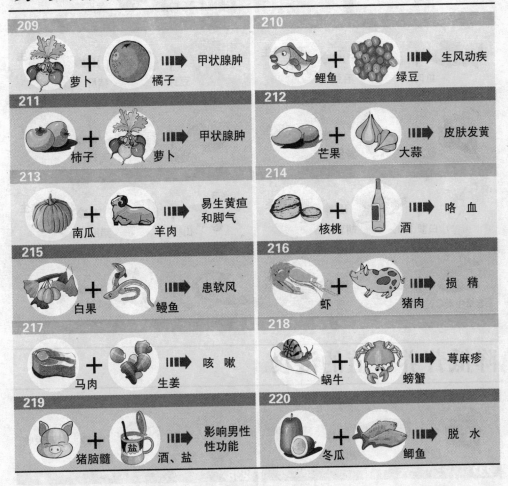

芹菜 + 黄瓜 → 破坏维生素C

223

224

225

226

227

228
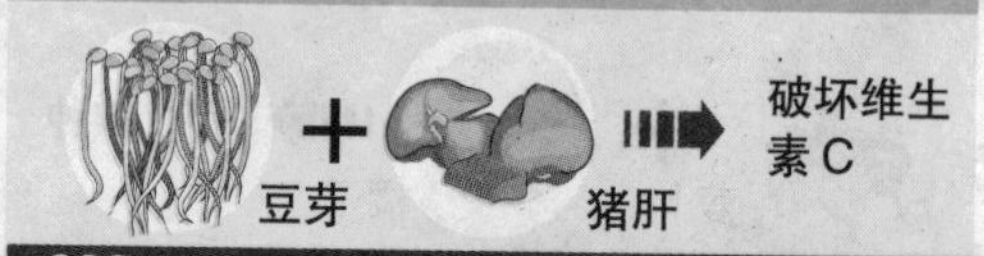

229

230

231

232
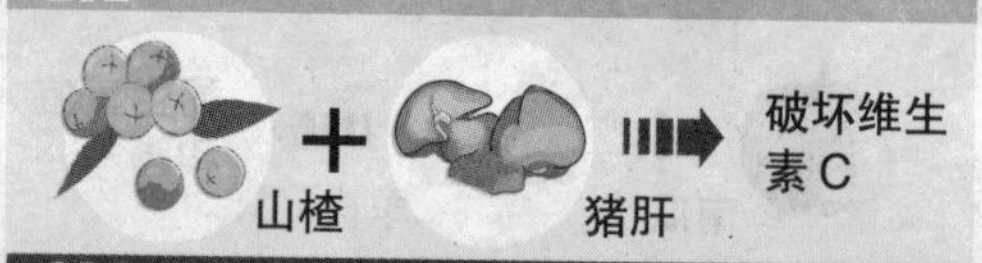

233
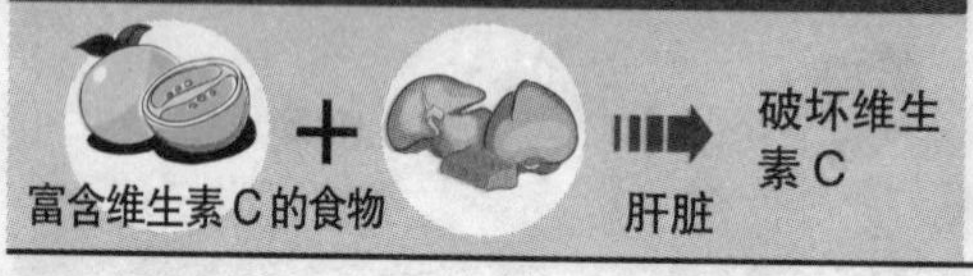

234

降低营养价值的混食

235

236

237

238

239

240

241

牛奶 + 菜花 → 影响钙吸收

242

豆浆 + 鸡蛋 → 影响蛋白质消化吸收

243

巧克力 + 牛奶 → 阻碍钙吸收

244

鸡蛋 + 茶 → 影响蛋白质吸收

245

酸奶 + 黄豆 → 影响钙吸收

246

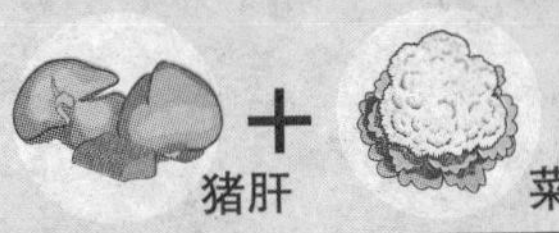

猪肝 + 菜花 → 影响矿物质吸收

降低食疗功效的食物混食

247

冬瓜 + 滋补药 → 降低滋补效果

248

山楂 + 人参 → 降低滋补性

249

红豆 + 盐 → 降低食疗功效

250

萝卜 + 人参 → 功效相反

251

猪肉 + 牛肉 → 功效相反

252

羊肉 + 豆瓣酱 → 功效相反

253

羊肉 + 荞麦 → 功效相反

254

鸡肉 + 大蒜 → 功效相反

255

鸡肉 + 鲤鱼 → 功效相反

256

野鸭 + 木耳 → 功效相反

257

甲鱼 + 芥末 → 功效相反

258

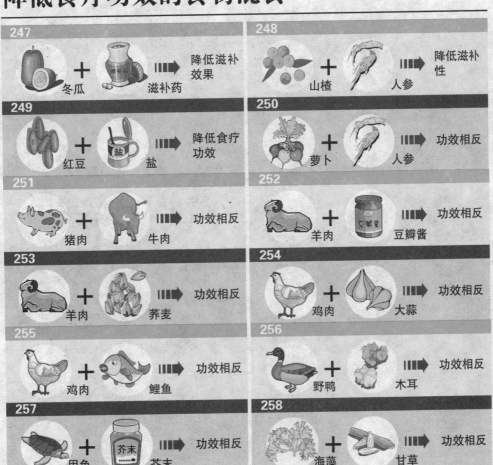

海藻 + 甘草 → 功效相反

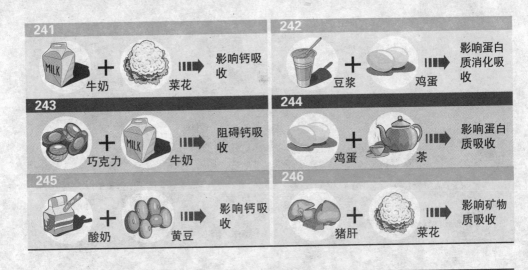

家家可以做 人人容易学

1000

家常香辣1000样

中国烹饪协会美食营养专业委员会 著

北京出版社出版集团
北 京 出 版 社

目录 CONTENTS

可能损害人体健康的258种混食

吃香的，喝辣的

一、提味之神——辣椒好营养

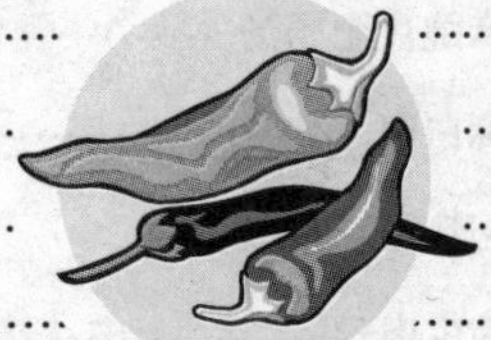

二、东西南北中——无辣不痛快

三、辣椒好，一餐无它不得饱

麻辣菜

猪肉

目录 CONTENTS

豆制品

蔬菜

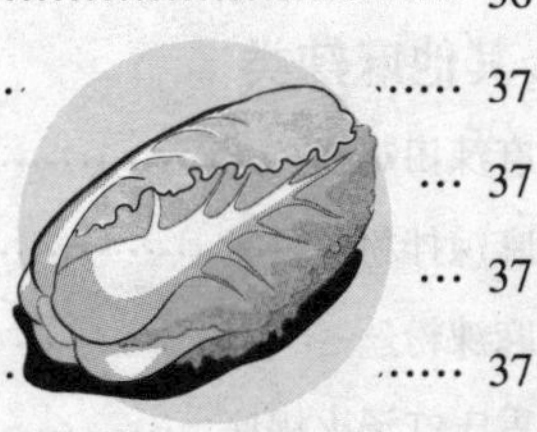

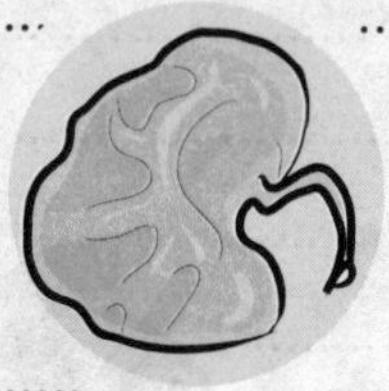

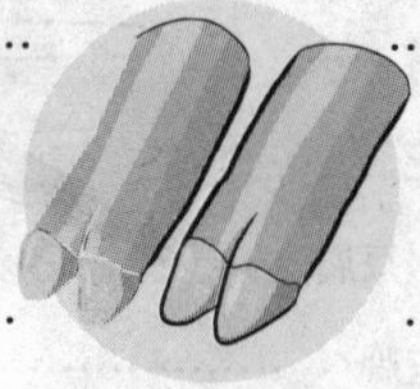

目录 contents

牛肉

羊肉

兔肉

禽肉、蛋

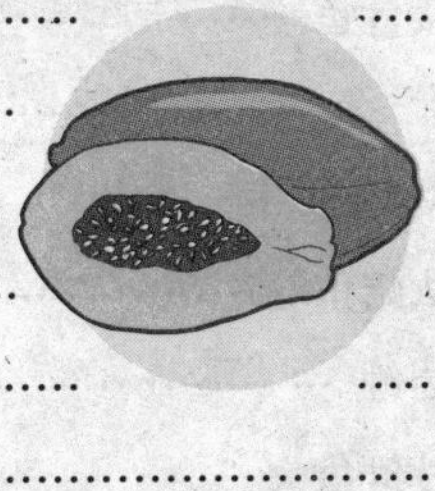

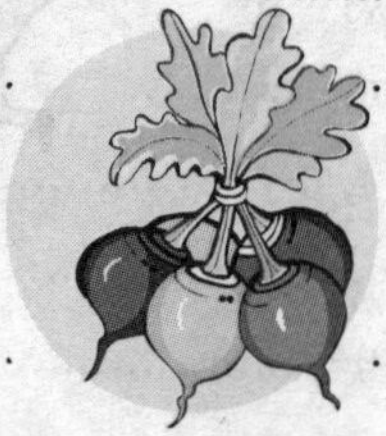

水产

豆制品

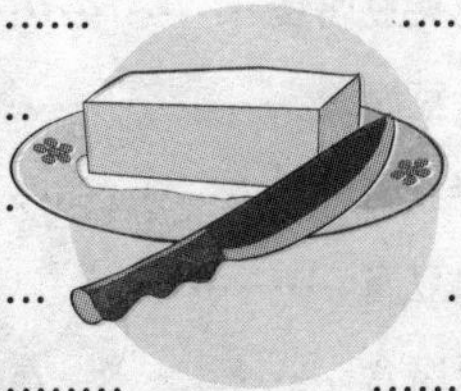

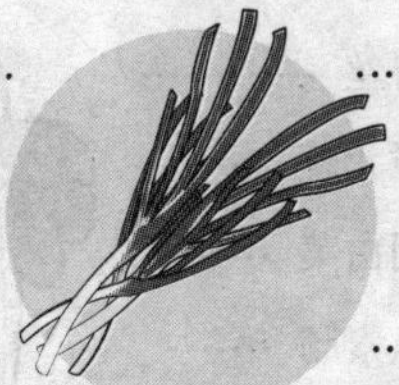

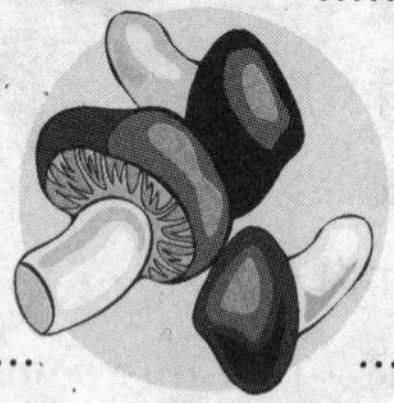

蔬菜

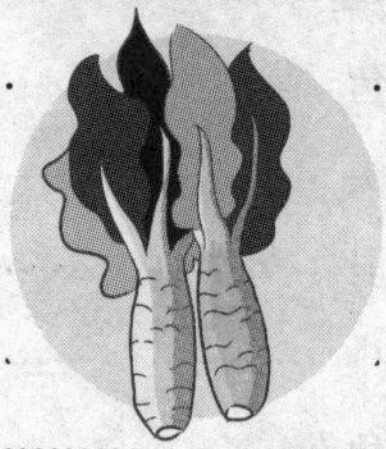

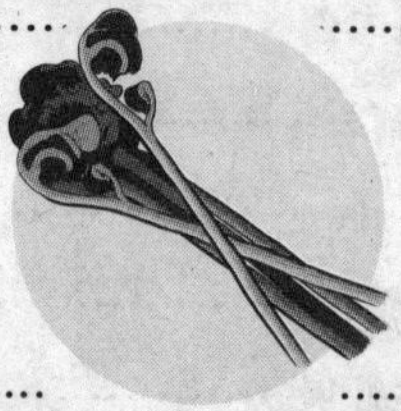

其他香辣类

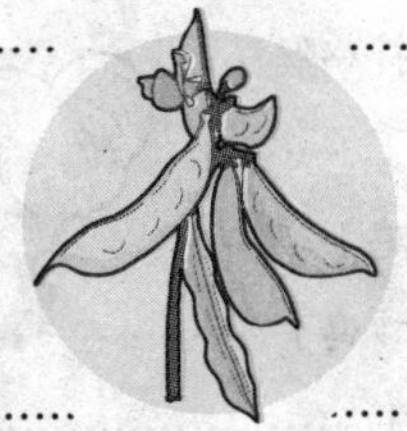

酸辣菜

猪肉

牛蹄筋

水产

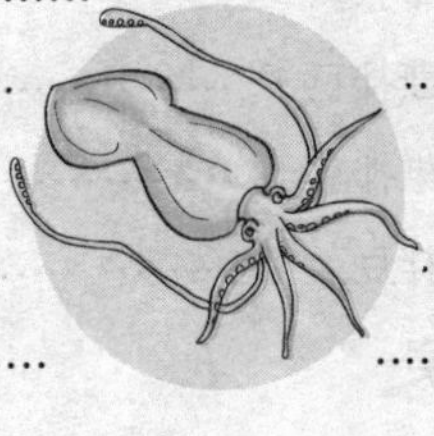

豆制品

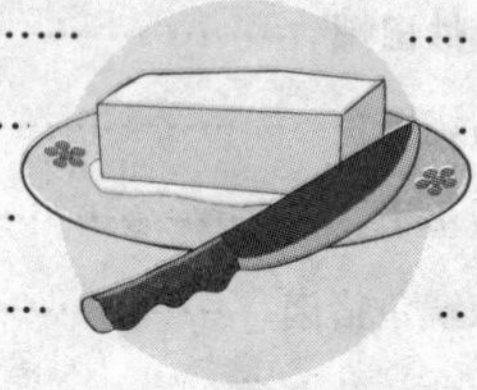

蔬菜

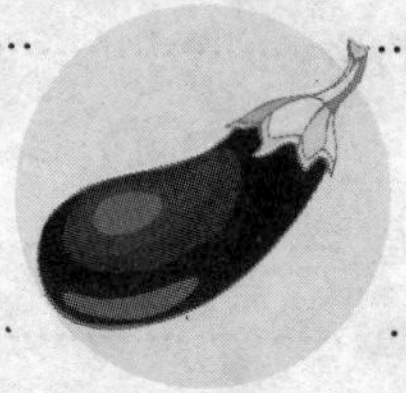

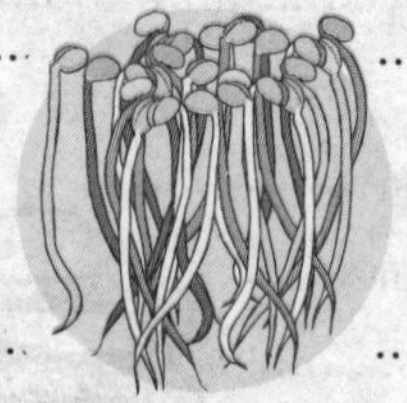

其他甜辣

呛辣菜

猪肉

牛肉

禽肉

水产

蔬菜

其他呛辣

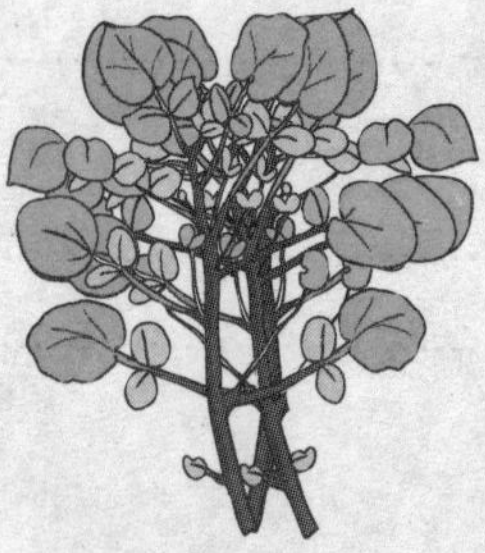

吃香的，喝辣的

在我国，自古就有“吃香的，喝辣的”这一说法。全国各地，吃辣一族阵容强大：四川人“辣不怕”，湖南人“怕不辣”，江西人“不怕辣”，云南人“辣得全”，海南人“辣得怪”……

吃香的，喝辣的

一、提味之神——辣椒好营养

辣椒原产南美洲圭亚那的卡晏岛，所以也称为“卡晏辣椒”。

1584年，辣椒传入美国，以后又在西班牙、匈牙利、土耳其、印度等国种植。

明朝末年(1640)，辣椒被引入中国，因为它来自于外国，所以又称“海椒”，俗称“番椒”、“辣茄”。

辣椒属茄科一年生植物，含有辣椒素和维生素A、B、C，以及蛋白质、胡萝卜素、铁、磷、钙、糖等成分，营养价值很高，堪称“蔬菜之冠”。

研究证实，每公斤辣椒中含维生素C约1050毫克，比茄子多35倍，比番茄多9倍，比大白菜多3倍，比白萝卜多2倍。辣椒所含的辣椒素和番茄中所含的茄红素都属于类黄酮素，可以帮助消脂，其中的抗氧化物质，能够帮助人体提高免疫力。

俗话说：“三个辣椒，顶件棉袄”。辣椒中“辣”的来源是一种植物性化学物质——辣椒素(capsaicin)，辣椒素对人体具有刺激作用，一旦和舌头及嘴里的神经末梢接触，神经就迅速把“烧灼”信息传给大脑，大脑便让身体处于戒备状态，使心跳和脉搏加快，皮肤血管扩张，从而使人感到“发热”。此时，大脑还指挥胃液和唾液的分泌，使胃肠蠕动加快，有利于消化，增进食欲。

辣椒，很多人越吃越想吃。为什么会这样呢？据心理学家分析，吃辣椒后，“烧灼”信息使大脑把身体作为“受伤”对待，从而促进身体释放出一种自体止痛剂。这种自体止痛剂就像少量麻醉剂，能起到一种轻微的提振作用，使人产生精神快感，专家称此为“辣椒微醉”。这也许是人们对辣椒越吃越爱吃的主要原因。

辣椒减肥成时尚

日本流行天后宇田多光公开吃辣椒减肥的方法后，辣椒在日本开始受到女性青睐。

许多体态发胖的女性和担心发胖的少女除了餐餐不离辣椒外，还常把一小瓶辣椒粉或胡椒粉同化妆盒、香粉袋一起装在手包里随身携带。这种新时尚还带来了更多的商机，不少饮料公司以辣椒为原料制作出了新型的辣味饮料。

医学专家通过研究得出结论，辣椒在进入人体时会刺激交感神经，促进脂肪快速地燃烧和消耗。

日本京都大学、金泽大学的研究也同样证实，辣椒能够促进脂肪的新陈代谢，防止体内脂肪积存。食用辣椒后，人体产生热呼呼的感觉，就是体内脂肪“燃烧”的结果。人体消耗了多余的脂肪，就可控制体重，从而达到减肥的目的。

辣椒美容好补品

辣椒还是一种美容佳品。

日本研究者发现，在某些以辣食为主的地区，当地女性不但少有暗疮问题，皮肤也大多光滑细腻。

辣椒中的辣椒素极为辛辣，若将辣椒素涂在皮肤上，会扩张微血管，促进血液循环，使皮肤发红、发热。能刺激唾液分泌，促进胃壁蠕动，通过强心活血改善面部血液循环，扩张面部皮肤血管，使皮肤滑润、容光焕发。

辣椒可用于保健

美国夏威夷大学曾有研究证实，辣椒、胡萝卜等蔬菜中的胡萝卜素可能在预防癌症上有重要作用。

许多喜欢吃辣椒的国家，如东南亚各国及印度等地国民患癌症的几率一般都比西方国家少。专家推测，辛辣的食物含有较多抗氧化物质，可预防癌症及其他慢性疾病。

辣椒为什么有这么神奇呢？

因为它还存有一种叫辣椒红素(capsanthin)的成分。这是类胡萝卜素的一种，是目前热门的抗氧化剂。器官在癌变时，细胞间交换信息的系统会发生故障，这类抗氧化剂能刺激细胞间传达信息的基因，因此在预防癌症方面具有重要的作用。

辣椒可治咳嗽感冒

辣椒其实早已被用于治疗咳嗽、感冒、鼻窦炎和支气管炎。

辣的食物可以加速血液循环，帮助发汗，从而对感冒产生的不适感有缓解作用。

辣椒中的辣椒素能清除鼻塞。辣椒素与药房出售的一些感冒药、咳嗽药成分很相似，而且完全没有副作用。

四川、湖南人几乎每餐都有辣椒，每一道菜都是辣的。他们有一个习惯，如果感冒了身体不适，就在吃饭时多吃辣椒，直吃得汗流浃背、涕泪交下，然后周身轻松舒适。

辣椒可治胃病

据《中药大辞典》载，辣椒的辛辣成分主要为辣椒素，内服可作为健胃剂，有促进食欲、改善消化的作用。

现代医学研究表明，适量食用辣椒可以健胃，并非某些人想像的那样会引起或加重胃病。

胃病应忌吃刺激性食物，但胃寒和胃弱需要热性的刺激食品，辣椒即是不二选择，可用辣椒浸酒或将辣椒作为配菜内服，功效显著。

近来国内外科学家还发现，干红椒对胃、十二指肠黏膜有明显的保护作用。红辣椒能预防溃疡的发生。因为辣椒素能刺激消化液的分泌，以防止造成溃疡的酸液和酒精伤害胃部。

事实上，四川、湖南人吃辣椒是闻名全国的，但这两省的胃病发生率反而比其他省市低。

辣椒可治湿痹

风湿病，分为风痹、寒痹、湿痹、行痹四种证候。

这四种证候中，寒痹和湿痹两种可以用辣椒治疗。方法是用辣椒浸酒喝，不能饮酒的，用辣椒来做菜。这些方法，都有着显著的功效。

辣椒可抗老化

专家认为，在饮食中长期摄取红辣椒，能强化人体抗老化的能力。

这是由于红辣椒营养成分非常丰富，除了含有丰富的胡萝卜素外，一根红辣椒还大约含有5000个国际单位的维生素A，为人体每天需求量的百分之百，此外也含有超过100毫克的维生素C。这些丰富的抗氧化剂,能中和体内的有害氧分子自由基,从而具有保护身体的功效。

辣椒可缓解疼痛

自古以来辣椒就常被用来解除疼痛。

通过辣椒素的止痛原理,墨西哥国立自治大学的加西亚教授发明了一种药膏,是由辣椒籽和辣椒果实薄膜中的提取物制成的,涂在皮肤上可以起到止痛作用,如今辣椒膏已经被用来舒解带状疱疹、三叉神经痛等疼痛。

人的皮肤上分布着神经末梢敏感点,它们能感受到冷热、压力和疼痛。除了这些敏感点外,还有一种可以传导疼痛的特殊物质——P物质。最近科学研究证明,辣椒素可以刺激和耗尽神经传导P物质。

在疼痛处敷用这种药膏几分钟后,神经末梢敏感点受到干扰,传导疼痛的P物质也受到抑制。因此,神经纤维向中枢神经系统传导疼痛受阻,疼痛即消失。

这种药膏每天敷用三四次,疼痛便可不再复发。

如果是关节炎,长期敷用后,关节可活动自如。

吃辣椒可抗辐射

《农业及食物化学期刊》的最新研究成果表明,常吃辣椒,可抗辐射。红辣椒、黑胡椒、咖喱、姜黄素等香辛料还可以当成抗辐射的保护剂,保护细胞的DNA不受射线的破坏,尤其是伽玛射线的伤害。

印度的研究人员对各种各样的香辛料进行了比较,发现在红辣椒、黑胡椒、咖喱、姜黄素等香辛料当中,红辣椒预防辐射的功效最为显著。

其他功效

此外,红辣椒也有淡化血液的功效。德国研究人员发现,辣椒会增加血液凝结的时间,从而阻止血块的形成。

辣椒可用以降低低密度脂蛋白胆固醇。因辣椒所含胡萝卜素同时也是强力抗氧化剂,可阻止低密度脂蛋白胆固醇被氧化。低密度脂蛋白胆固醇一旦被氧化,就会变成有害物质阻塞动脉。

研究也显示,摄取含胡萝卜素食物越多的人,越不易患心脏病。

换言之,辣椒能预防心脏病和中风。适当吃些辣椒,对于居处在潮湿地方的人预防风湿病和治疗冻伤也有好处。

二、东西南北中——无辣不痛快

辣椒分类

辣椒有几千个品种,仅四川的干红椒就有一百多种。辣椒按形状分,大致可分为樱桃椒、圆锥椒、簇生椒、牛角椒、灯笼椒、尖形椒、鸡心椒、羊角椒及柿子椒等,辣味各异;按颜色分,有黄、青、粉红、大红,也有同生在一株上而颜色各异的五色椒;依辣味有无程度,可分为“甜椒”和“辣椒”两类。

一般来说,辣椒个体越大越不辣,如硕大的灯笼椒、鱼鳔椒、柿子椒等,其浆果肉厚,质嫩味甜,专供鲜食之用;个体小的如朝天椒、牛角椒、七星椒等，其状有的长细似角、有的短小如笔头、有的簇结朝天，辣味浓烈，可使嗜辣者过足辣瘾。

下面介绍几种食材中常见的辣椒：

1.**朝天椒**。这种椒又名簇椒，属于簇生椒类。它的外形很小，呈红棕色，果实尖端朝上，细如小指，所以又称指天椒。果实呈圆锥形，长3~5厘米，每簇有3~6个果。朝天椒除了可以鲜食外，老熟以后的果实，辛香爽口，去腥提味，常常可以加工成辣椒酱、辣椒干、辣椒粉、红油等调味品，还可以制药疗疾。

2.**彩椒**。彩椒的品种很多，属杂交品种，味甜质脆，是近年来兴起的高档特色蔬菜之一。

红椒：成熟时为红色，果肉厚，果皮光滑。一般的果实高11厘米、宽9厘米、平均单果重150克左右。

青椒：果肉厚，皮光滑。一般果实高10厘米、宽8厘米、平均单果重150克左右。

黄椒：橘黄色，果实为四心室，果肉厚，皮光滑，甜脆清香，生熟都可以食用。一般果实平均高10厘米、宽10厘米、平均单果重200克。

紫椒：紫色品种，成熟后果实即转为紫色。这一品种的出现扩大了甜椒的颜色范围。果实甜脆，清香，生熟皆可食用。果实高9厘米，宽8厘米，平均单果重150克。

白椒：蜡白色方形甜椒，果实甜脆，生熟皆可食用，熟透时颜色会从蜡白色转为亮黄色，此颜色极引人注目，是现有甜椒颜色的新发展。果实表面光滑，果形高9.5厘米，宽9厘米，平均单果重150克。

3.**黄帝椒**。世界上只有我国海南南部生长。椒色金黄，状似灯笼，因而有些地方也称它"黄灯笼"。黄帝椒的辣度达15万辣度单位，位于世界辣椒之首位，是真正的"辣椒之王"。黄帝椒较其他辣椒品种营养更为丰富，特别是钙、铁、胡萝卜素、纤维素、蛋白质的含量远远高于其他辣椒。可帮助人体消化、增进食欲，还有壮胃健脾、减肥、促进血液循环等功效。

4.**干红椒**。干红椒又称为干海椒，是由新鲜的尖头辣椒的熟果晒干而成的，主要产于云南、四川、湖南、贵州、山东、陕西、甘肃等地，品种有朝天椒、线形椒、羊角椒等，成品一般色泽紫红，油亮干脆，辣中带有香味。传统中国菜的"宫保"料理，必须要使用干红椒来制作，例如：宫保鸡丁。

辣椒制调味品

用辣椒制成的调味品种类也很多，这里简略介绍几种。

1.**泡辣椒**。泡辣椒又称为鱼辣子。制作时，采用的辣椒都是新鲜品，且以色泽明亮者为佳。四川民间有这样一种制作泡辣椒的传统方法：把整洁的活鲫鱼连同鲜红辣椒、盐、红糖、花椒、老姜和适量冷开水一同装入坛内，浸泡数天即可。这种辣椒多用于炒、烧、蒸、拌等烹调技法，是鱼香味菜肴的重要调味品。

2.**辣椒酱**。将切碎的辣椒末加上盐、糖、醋等调味即成。或蘸、或炒、或调味，使用很方便。

3.**豆瓣酱**。用蚕豆、辣椒制成，添加其他香料如花椒、姜、蒜等，又称"蚕豆酱"、"豆酱"，炒菜或拌凉菜时经常使用。

4.**麻辣酱**。用花椒、辣椒制成。"麻"出自于植物油爆香的花椒，辣来自于辣椒的干炒。麻辣酱在炒菜、煮汤、做火锅时常作为调味品，拌面时也是一道既简单又能刺激食欲的美食。

5.**豆豉辣椒**。用豆豉与辣椒制成。多用来作为餐桌上的调味品，有侧重于香味的，有侧重于咸味的，有侧重于辣味的。

6.**蒜蓉辣酱**。用蒜头、辣椒制成。无论是炒菜也好，蘸酱也好，调味也好，都可以用到，是嗜辣者必备的调味料。

7.**红油**。用植物油将辣椒的辣味榨出来，过滤后取油制成。亮红色的红油多用来调味，分量少，辣味强。

8.**辣椒粉**。把辣椒晒干，磨成粉状。辣椒粉辣味强烈，可作调味或添味之用。

9.**香辣酱**。这种酱香辣浓郁，适合于各种火锅。它是用蒜蓉、姜末、青红鲜尖椒末、野山椒末、泡椒末、牛肉末、花生酱、孜然、豆豉末、百籽粉、鸡精、蘑菇精、料酒等原料制成的，呈红色酱状，略带孜然味。

10.**XO酱**。用火腿、干贝、海米、鲍鱼等名贵食料，加上辣椒、蒜、蚝油、糖等调味料制成的香辣十足的顶级酱料，做蘸酱或调味都能让鲜、香、辣度更适口。

其他香辛调料

花椒

花椒是重要的调味佳品和香料，是木本油料树种之一——芸香料花椒树的果实。花椒是中国特有的香料，因而有“中国调料”之称。花椒位列调料“十三香”之首，为职业厨师和家庭主妇所青睐，尤以川菜中使用最广。花椒树因为子实累累，花椒又香气浓郁，因此古时人们就视花椒为多子多福的象征，并用它祭祀祖先、迎神、驱疫、避邪。花椒有大红袍、大红椒、小红椒、白沙椒、豆椒等不同品种。

花椒具有去腥味、去异味、增香味的作用。花椒含梏醇、柠檬烯等多种挥发油和芳香物质，除了有很好的除膻解腥作用外，还有许多药用功效。花椒能开胃、健脾、理气、止泻、驱除蛔虫，还能治风湿、关节炎、呕吐、腹泻、感冒、牙痛。花椒对多种细菌有明显抑制作用，还能局部麻醉止痛、促进性机能抗衰老、增强内分泌腺的机能。据李时珍《本草纲目》记载：“花椒坚齿、乌发、明目，久服，好颜色，耐老、增年、健神。”由此可见，花椒含有较丰富的营养，可增强体质，延年益寿。

胡椒

胡椒原产于印度西岸，又名古月、黑川、白川。它的种子含有挥发油、胡椒碱、粗脂肪、粗蛋白等，是人们喜爱的调味品。胡椒后流传到东南亚一带，我国也有种植，但为数不多。

胡椒适宜生长于高温和湿润地区，繁殖多以茶树或咖啡树为母体，生长期可维持30年以上。在东南亚，依照果实的成熟和烘焙程度，胡椒有红、白、青、黑四色。

在中国菜中，白胡椒和黑胡椒使用得较多。黑胡椒与白胡椒同是一棵树上的果实，只是每年秋冬至次春，椒果呈暗绿色时采摘，晒干后即为黑胡椒。而果实变红时采摘，用水浸数日，擦去果肉晒干即成为白胡椒。白胡椒以药用价值为主，可散寒、健胃，调味次之。黑胡椒味道比白胡椒更为浓郁，具有香中带辣，美味醒胃的效果。

胡椒的主要成分是胡椒碱，也含有一定量的芳香油、粗蛋白、淀粉及可溶性氮，具有祛腥、解油腻、助消化的作用，其芳香气味能令人胃口大开，增进食欲。胡椒性温热，善于温中散寒，对胃寒所致的胃腹冷痛、肠鸣腹泻都有很好的缓解作用，并可促使发汗，治疗风寒感冒。有胡椒的菜肴不易变质，说明胡椒还有防腐抑菌的作用，而且它可以解鱼虾肉毒。感冒时，每隔4个小时嚼烂一些胡椒，能抑制感冒加重。

芥末

芥末，又称芥子末或芥辣粉，是将芥菜的成熟种子碾磨成粉的一种辣味调料。它原产于我国，历史悠久，从周代起就已经在宫廷中食用，随后传入民间。

芥末含芥子碱、芥子酶、芥子酚以及脂肪、蛋白质、多种维生素等人体必需的营养成分。芥末粉辣味十分独特,润湿之后有一种特殊的香气喷出,这种具有催泪性的强烈刺激性辣味,对味觉、嗅觉均有刺激作用,可刺激唾液和胃液的分泌,故能增强人的食欲。芥末呛鼻的主要原因是含有异硫氰酸盐,该成分不但可以预防蛀牙,而且在预防癌症、防止血管凝块硬化、辅助治疗气喘等方面也有一定疗效。芥末还具有很高的解毒功能,尤其能解鱼虾等海鲜所含的毒素,所以生食三文鱼等生鲜食品时,常常会配上芥末蘸食。此外,芥末还能预防高血脂、高血压、心脏病,对减少血液黏稠度也有不错的功效。

一般意义上所提到的芥末调味品都是芥末粉和芥末油,是芥菜子制成,以含油量多、辣味大的为佳,用以拌菜,是开胃通窍的上品。人们经常接触到的芥末酱,是一种乳化型辛辣调味品,以芥菜子为原料加工而成,具有辛辣解腻,使菜肴味浓爽口等作用。

姜

姜是一种极为重要的调味品,同时也可作为蔬菜单独食用,而且还是一味重要的中药材。它可将自身的辛辣味和特殊的芳香渗入到菜肴中,使之鲜美可口。姜和辣椒、大蒜合称为“三辣”。

嫩姜能改善食欲,增加饭量,所以俗话说:“饭不香,就吃姜。”姜还是治疗恶心、呕吐的传统中药,有“呕家圣药”之誉。姜还具有解毒杀菌、促进血行、驱散寒邪的作用。着凉、感冒时不妨服些姜汤,能起到很好的治疗作用。

人体在进行正常新陈代谢时会产生一种有害物质——氧自由基,它可导致机体癌变和衰老。姜中的姜辣素进入体内后,能产生一种抗氧化酶,这种物质有很强的对付氧自由基的本领,比维生素E还要强得多。所以,吃姜能抗衰老,老年人常吃姜可除“老年斑”。

葱

常见的葱称为青葱,原产于中国的北方地区,是典型的东方香料。

葱中含有相当量的维生素C,有舒张小血管、促进血液循环的作用。经常吃葱的人,即便脂多体胖,胆固醇也不增高,而且体质强壮。葱含有微量元素硒,可降低胃液内的亚硝酸盐含量,对预防胃癌及多种癌症有一定作用。葱含有带刺激性气味的挥发油和辣素,能去除腥膻等油腻厚味菜肴中的异味,产生特殊香气,并有较强的杀菌作用,葱可以刺激消化液的分泌,增进食欲,还可起到发汗、祛痰、利尿作用,是治疗感冒的中药之一。

葱类蔬菜中还有一种洋葱。洋葱原产于伊朗,是一种集营养、医疗和保健于一身的特色蔬菜。洋葱营养价值极高,其肥大的鳞茎中含糖8.5%、干物质9.2%,每100克含维生素A5毫克、维生素C9.3毫克、钙40毫克、磷50毫克、铁8毫克和18种氨基酸,是不可多得的保健食品。

洋葱有平肝、润肠的功能。据测定,洋葱含有二烯丙基、二硫化物以及前列腺素A和氨基酸等物质,这些物质均有较强的舒张血管和心脏冠状动脉的能力,又能促进钠盐的排泄,有使血压下降和预防血栓形成的功效。洋葱中也含有微量元素硒,食用后,癌症发生率就会大大下降。另外,洋葱还具有降血糖的作用。

蒜

蒜是全世界都使用的香辛料,它刺鼻的味道是蒜素作用的结果。

大蒜在中国和意大利等国一直是民间常用良药。据埃及象形文字记载,修建金字塔的工人曾用大蒜来维护身体健康。古希腊运动员在比赛前要食用生蒜,士兵在打仗前也要吃大蒜。大蒜还曾是罗马帝国预防疾病的秘密武器。在中世纪，人们用大蒜治疗瘟疫。

大量科学研究显示，蒜素对防治高血压、糖尿病、腹泻、心脏病以及消灭癌细胞均有效。大蒜不但能防止体重增加，而且能减轻体重。营养师指出，蒜内含有抗血凝固的物质，能减少血块凝固和胆固醇的积聚，使动脉硬化几率自然降低。与辣椒一样，吃蒜有助促进血液循环。血液运行无阻碍，心脏自然正常运作，高血压人士不妨多吃。中国及夏威夷等地的研究人员均指出，长期食用大蒜，能减少胃癌的形成；亦有研究显示，不食用大蒜的人较食用大蒜的人易罹患胃癌和结肠癌。

蒜头主要为碳水化合物，不含胆固醇，同时脂肪含量极低。蒜头含丰富的维生素A、B、C及矿物质，含锰及维生素B_6尤其多。此外，蒜头亦含多种含硫物质，如蒜素等。一般人所厌恶的大蒜臭味，主要来源就是蒜素。

山葵

山葵，又名山嵛菜，属十字花科多年生宿根草本植物，原产于日本，生长在海拔两千米左右的低温环境中，是一种经济价值很高的蔬菜兼药用植物，营养丰富，常用于配制绿芥末。

山葵富含多种营养成分，具辛辣味，食用口感好。山葵所含特殊成分能增进食欲、预防蛀牙、消除口臭，有极强的防腐杀菌作用，还具有发汗、利尿、解毒、清血的功效。山葵是日式料理的必备之物，其根茎是生鱼片、寿司、海鲜的重要调味品，叶片、叶柄、花芽可作新鲜蔬菜直接食用。在崇尚"营养、保健、绿色、安全"饮食理念的当今时代，其保健功能备受重视，日渐风靡全球。

三、辣椒好，一餐无它不得饱

我国云南、贵州、湖南、湖北、四川、江西、山西等地嗜食辣椒成癖，形成庞大的辣椒带和吃辣一族，盛赞辣椒好，一餐无辣不得饱。云南人吃辣，可谓辣得既全又透：除了红辣椒外，还要加大蒜蓉、芥末、花椒、香菜、姜丝等助辣，那种独特的辣味，颇具少数民族风味。海南人吃辣，更是新奇独特：比如他们在吃西瓜时，喜欢在瓜瓤上撒上一点盐，涂上一些红辣椒粉，硬把一块西瓜吃出了甜、咸、辣、脆等滋味，被人们称为"海南一大怪"。

嗜辣菜系

中国的八大菜系川菜、鲁菜、苏菜、粤菜、闽菜、浙菜、湘菜、徽菜中，川菜和湘菜以辣闻名。

四川省位于长江中上游，古称"天府之国"。川菜的烹饪技艺历史悠久，源远流长。川菜讲究色、香、味、形，兼有南北之长，尤在"味"上功夫颇深，以味的多、广、厚著称。川菜常用的味别有咸鲜、咸甜、红油、麻辣、椒盐、怪味、姜汁、蒜泥、糊辣、酸辣、糖醋、香糟、芥末、麻酱、鱼香、豆瓣、家常等二十多种。在辣椒的使用上，可因料而异，因时、因人制宜，巧妙配合。调配多变，适应性强，为川菜特有风格。

湘菜即湖南菜，其特点是：油重色浓，讲求实惠，在口味上注重酸辣、香鲜、软嫩。在制法上以煨、炖、腊、蒸、炒诸法见称。著名代表菜有：走油豆豉扣肉、麻辣子鸡等。洞庭湖区的菜以烹制河鲜、家禽和家畜见长，多用炖、烧、腊的制法，特点是芡大油厚，咸辣香软。代表菜有洞庭金龟、叉烧桂鱼、蝴蝶飘海、冰糖湘莲等。湘西菜擅长制作山珍及野味、各种腌肉等，口味侧重咸香酸辣，常以柴炭作为燃料，有浓厚的山乡风味，“红烧酸辣”、“板栗烧菜心”、“湘西酸肉”、“炒血鸭”等，皆为驰名的湘西佳肴。

赣菜起源于江西省南昌市和临川市，色彩美观，口味清新、鲜辣而著称。烹调方法擅长炒、糟、煎、煨，尤以“糟”最具特色。著名菜肴品种有“佛跳墙”、“醉糟鸡”、“酸辣烂鱿鱼”、“烧片糟鸡”、“太极明虾”、“清蒸咖喱鱼”、“荔枝肉”等。

滇黔菜系以云南、贵州两省为主，因与西藏和四川毗邻，以及与缅甸、老挝接壤，少数民族较多，其烹调特色受各少数民族的影响颇深。滇黔菜系的选料广，风味多，以烹制山珍、水鲜见长。其特点是口感鲜嫩、清香回甜，偏酸辣微麻，讲究本味和原汁原味。滇黔菜系的代表菜有汽锅鸡、酸汤鱼、过桥米线、金钱云腿、椰香泡椒煎牛柳、红烧鸡棕菌、芫爆松茸菌、狗肉锅等。

辣的味型

综合嗜辣地区的菜型及风味，辣菜可分为以下风味：

麻辣味型。用盐、豆瓣、干红椒、花椒、干辣椒粉、豆豉、酱油等调制，特点是麻辣咸鲜，使食者舌头发麻，血脉畅通。代表菜有麻婆豆腐、麻辣牛肉丝、麻辣黄瓜、麻辣鸡丁、特味麻辣鱼、麻辣田鸡腿等。

香辣味型。一般用盐、酱油、糖、醋、泡辣椒、姜、葱、蒜调制，特点是咸辣酸甜，具有独特的鱼香味，广受食者青睐。代表菜有鱼香肉丝、鱼香炒蛋、香辣炒蟹等。

酸辣味型。一般以盐、酱油、醋、胡椒粉、味精、香油为调料，特点是酸辣咸鲜，醋香味浓，开胃适口，令人食欲大开。代表菜有酸辣鸡条、酸辣鱼块、酸辣扁豆、酸辣茄子、酸辣鱿鱼笋菇卷、酸辣腰花等。

甜辣味型。一般以盐、白糖、醋、胡椒粉、味精调制，特点是咸鲜酸甜，白糖醋味浓，入喉甘甜，辣味后劲足。代表菜有甜辣脆皮鱼、甜辣鱼唇、红油杂拌、荷包青椒等。

呛辣味型。一般用盐、酱油、姜末、芥末、香油、味精调制，特点是咸鲜清淡，姜汁、芥末或者蒜蓉味浓，食之顶上冒烟，涕泪交流，通气开窍。代表菜有芥末鸭掌、芥末肚丝、芥末鸡脯、芥末扇贝、蒜蓉鱿鱼等。

麻辣菜

麻辣菜是辣菜中最脍炙人口的一种基本菜型，麻来自于花椒油、干花椒；辣来自于郫县豆瓣酱、辣子酱、麻辣酱、干辣椒、干辣椒粉等。用料的多少与不同，会产生丰富的口感变化。

麻辣菜的特点是麻辣咸鲜，使食者舌头发麻，血脉畅通，不仅能增进食欲，还有除湿、驱寒、增暖、健胃等多重功效。

麻辣菜

猪肉

麻辣拌肚丝

【食材】猪肚750克。

【调料】香油15克，盐5克，味精3克，红油15克，花椒粉5克。

【做法】1.将猪肚冲洗干净，放进开水锅中煮熟，撇去浮油，捞出晾凉，切10厘米长的丝，放在盘中。

2.将香油、盐、味精、红油、花椒粉调匀，浇在肚丝上即可。

麻辣拌肘花

【食材】猪肘300克，菜心20克。

【调料】熟红油30克，花椒粉15克，生抽酱油18克，醋6克，白糖3克，香油5克，料酒20克，五香粉8克，姜末25克，葱白20克，盐10克。

【做法】1.将猪肘去除残毛，刮干净，皮向菜墩，用刀在肘内侧剞成3厘米长的十字刀，用料酒、盐、五香粉、姜末、葱白拌匀，腌渍入味，盛碗，入蒸笼内，用旺火蒸。

2.鲜菜心择洗干净，入沸水锅加少许盐汆断生，捞出后围盘边摆放一圈，扣入蒸过的肘子。

3.取碗放入熟红油、花椒粉、生抽酱油、醋、白糖、香油，兑成味碟，浇在切成片的猪肘子上即成。

麻辣脆肚丝

【食材】净猪肚头300克。

【调料】红油30克，花椒粉5克，盐5克，味精3克，葱油8克，姜油6克，食用白碱3

大蒜巧治关节炎 大蒜是具有中药药性的药食类植物的鳞茎，其性味辛、温，有散寒温通之功。古文献记载，大蒜能“除风湿，破冷气”，现代药理研究也发现，大蒜对关节炎有抑制作用，但大蒜对关节炎的治疗作用是针对风寒湿气，而不适用于湿热类的关节炎。

厨房小窍门

克，葱白丝50克，醋3克。

【做法】1.将净猪肚头洗净，切成粗丝，用食用白碱拌匀，腌5分钟，放入沸水中氽后捞出，用凉开水漂去碱味，晾凉，沥干。

2.碗中放入盐、味精、葱油、姜油、花椒粉、红油、醋、葱白丝、肚丝拌匀，入盘即成。

麻辣耳丝

【食材】生猪耳朵200克，绿豆芽100克。

【调料】红油30克，花椒粉6克，味精3克，白糖5克，葱白20克，盐6克，香油20克，熟芝麻10克，白酱油10克。

【做法】1.将猪耳朵去除残毛，入清水锅中煮熟捞出，取纱布将猪耳朵放平包好，用菜墩压平晾凉，取出切成细丝装盘；绿豆芽择洗干净，放入沸水锅氽一下捞出，晾凉，装耳丝盘中；葱白洗净，切成细丝，放绿豆芽上。

2.将红油、花椒粉、味精、白糖、盐、白酱油、熟芝麻、香油兑好味汁，淋入盘中即成。

麻辣猪肝

【食材】猪肝200克，炸花生米75克。

【调料】植物油75克，花椒6克，干辣椒8克，盐3克，料酒13克，味精3克，酱油、湿淀粉各20克，葱、姜、蒜、白糖各8克，汤适量，醋少许。

【做法】1.猪肝、葱、姜、蒜切成片；干辣椒切段。将猪肝片用盐和料酒拌匀，用湿淀粉浆好再拌些油。

2.用料酒、湿淀粉、葱片、姜片、蒜片、白糖、酱油、味精和汤兑成汁。

3.炒锅烧热注油，油热后先下干辣椒、花椒，炸至黑紫色，再下猪肝片，待熟透即迅速注汁入锅，汁开后稍翻炒，滴醋，加入炸花生米即成。

炒麻辣猪肚

【食材】猪肚200克，玉兰片50克，黄瓜25克。

【调料】红辣椒5克，盐20克，白糖15克，郫县豆瓣酱100克，姜末、葱末若干，鸡精10克，浓花椒水5克，醋10克，干辣椒50克，植物油60克。

【做法】1.将猪肚洗净煮七八成熟捞出，切片；玉兰片洗净片成薄片；黄瓜洗净切片；红辣椒洗净切丝。

Tips

鲜橘皮巧治冻疮 冬季好发冻疮，用鲜橘皮来治疗，既简便效果又好。鲜橘皮性味辛、苦且温，辛能发散，苦能除燥湿，温能通脉，另外还有消炎、抗溃疡的作用。使用方法是：取鲜橘皮适量，加入锅中煮沸后，趁热将患处放在蒸气上熏蒸，待药汁稍凉后，再将患处置于药液中浸泡30分钟，每天1~2次，一般10天左右便可以治愈。

厨房小窍门

2.坐锅点火，待油七成热时，倒入姜末、葱末、干辣椒煸出香味，加入猪肚、盐、白糖、郫县豆瓣酱、玉兰片、黄瓜片、红辣椒丝、醋、花椒水翻炒，再加鸡精即可出锅。

麻辣扒猪脸

【食材】生猪脸肉150克。

【调料】桂皮3克，酱油25克，白糖15克，白芷3克，料酒15克，盐10克，大料3克，味精3克，葱10克，蒜10克，姜10克，花椒10克，干辣椒20克。

【做法】1.将猪脸刮去绒毛等杂物，用清水洗刷干净，放入沸水锅中煮10分钟，取出再用水洗净。

2.将酱油、白糖、料酒、大料、桂皮、白芷、盐、味精、葱、姜、蒜、花椒、干辣椒等调料放入焖罐中，加汤烧开，撇去浮沫。

3.将猪脸放入焖罐内，置火上烧沸后，再用慢火扒制，熟透捞出，皮面朝上摆入盆中。

4.用勺取焖罐中适量的原汤汁浇在扒好的猪脸上即成。

麻辣脑花

【食材】猪脑花500克。

【调料】郫县豆瓣酱30克，花椒粉8克，咖喱粉3克，葱白30克，五香粉3克，生抽酱油30克，高汤400克，湿淀粉25克，味精5克，盐5克，大蒜20克，植物油200克。

【做法】1.猪脑花撕去血筋，洗净，放入沸水锅氽去血水，用清水漂洗后捞出沥干。

2.郫县豆瓣酱用刀剁成蓉；葱白洗净，切成3厘米长的段；大蒜剁成蓉。

3.锅置火上，放植物油烧至五成热，下郫县豆瓣酱蓉、大蒜蓉，炒出香味时加高汤，倒入猪脑花，放所有调味料入味，湿淀粉勾芡，放味精，起锅入盘，撒上花椒粉即成。

椒麻豌豆肥肠汤

【食材】猪肥肠500克，干豌豆250克。

【调料】花椒粒10克，姜6克，葱10克，盐10克，红油30克，味精5克，胡椒粉少许。

【做法】1.将猪大肠切除肠头圈口，用盐在大肠内外反复揉洗，然后在清水中清洗干净。再加研细的明矾(或醋)反复搓洗一次，再冲洗干净。将洗净的肥肠放在沸水锅内煮约15分钟捞出。

2.干豌豆用温热水泡12小时(水至少要淹过豌豆3厘米)，泡涨后淘洗1次，沥干水。

3.把煮过的肥肠切成几段，下沸水锅中加葱、姜、花椒粒、胡椒粉用旺火烧开，加入红油和盐，然后改用小火炖七成烂时，捞出肥肠，切成1厘米长的节，再同豌豆一起下锅，继续炖至肠烂、汤白、豌豆裂口即成。吃时在碗内放葱花、味精即可。

椒麻白肉

【食材】猪瘦肉500克。

【调料】盐10克，味精5克，红油30克，花椒10克，葱15克，肉汤15克。

【做法】1.猪瘦肉洗净，放开水锅中煮熟，稍凉后，片成薄片装盘。

2.将花椒、葱用刀剁成细末，放入盐、味精、红油、肉汤等调料调匀，浇在肉片上，拌匀即可。

Tips

分离蛋黄和蛋清的方法 需要用鸡蛋清时，可用针在蛋壳的两端各扎一个孔，蛋清会从孔中流出来，而蛋黄仍留在蛋壳里。如果把蛋壳打成两瓣，下面放一个容器接着，把蛋黄在两瓣蛋壳里互相倒2~3次，蛋清和蛋黄即可分开。

厨房小窍门

牛　肉

麻辣牛肉丝

【食材】鲜牛肉300克。

【调料】植物油100克，辣椒粉23克，花椒粉8克，花椒20粒，姜块、姜末各8克，葱段8克，白糖、料酒各10克，酱油45克，盐5克，熟芝麻15克，味精15克，红油10克，香油15克。

【做法】1.将牛肉去筋，切成约50克重的块，放入清水锅内烧开，撇尽浮沫，加入花椒粒、拍破的姜块和切好的葱段，微火煮至断生捞起，晾凉后切成粗丝。

2.炒锅下植物油烧至六成热，放入牛肉丝，煸干水分铲起。

3.锅留底油烧热，下辣椒粉、姜末，微火炒出红色后加适量肉汤，放入牛肉丝，加盐、酱油、白糖、料酒，烧开后改用微火慢煨。

4.汤汁收浓时加味精、红油、香油调匀，起锅装入盘内，撒花椒粉、熟芝麻，拌匀晾凉即成。

Tips

大蒜“创可贴” 如果皮肤不慎擦伤，出现小伤口，又一时找不到药物，可以用大蒜内膜暂时充当“创可贴”，方法是：把大蒜瓣的内膜（即蒜皮最里面一层的薄膜）贴在伤口上，能防止感染，并且伤口会很快愈合。大蒜及其表皮具有较好的杀菌作用，覆盖在皮肤的小创面上，既能隔绝空气中的细菌，还能抑制细菌生长，可以有效防止感染。但是，此方法只适用于小伤口，如果伤口较深，还是应该先用生理盐水冲洗，然后进行包扎处理。

厨房小窍门

麻辣牛筋

【食材】水发牛筋250克，西芹100克。

【调料】麻辣酱20克，郫县豆瓣酱20克，高汤300克，鱼露5克，特鲜酱油10克，盐5克，鸡精3克，白糖4克，花椒油10克，葱白段20克，蒜蓉20克，湿淀粉25克，料酒10克，姜片10克，植物油200克。

【做法】1.水发牛筋撕去油边，切成3厘米长的段，放沸水锅内，加姜片、葱白段、料酒各适量，牛筋熟后捞出，漂入清水中备用。

2.郫县豆瓣酱用刀剁成蓉；西芹去叶、蒂洗净，切成一字条。

3.锅置火上，放入植物油烧至六成热时，下入郫县豆瓣酱、麻辣酱、姜片、蒜蓉炒香，加高汤、牛筋段、盐、鱼露、白糖、葱白段，烧8分钟，下西芹条、特鲜酱油、鸡精，菜烧熟后勾湿淀粉，再淋入花椒油，起锅入盘即成。

麻辣毛肚卷

【食材】牛毛肚150克，竹笋50克，熟火腿50克。

【调料】泡红椒50克，红油30克，鲜花椒油6克，味精4克，生抽酱油8克，醋3克，盐2克，葱白末10克，香油20克。

【做法】1.将牛毛肚洗净，放入沸水锅氽至断生，捞出晾凉，铺平，切成长条片。

2.将泡红椒、熟火腿、竹笋分别切成粗丝，竹笋入沸水氽烫后捞出晾凉。

3.取一片毛肚，放上泡红椒丝、熟火腿丝、竹笋各适量，卷成卷，逐一做完，摆入盘中。

4.取碗放盐、生抽酱油、醋、葱白末、香油、味精、红油、鲜花椒油兑成味汁，淋于盘中即成。

麻辣牛杂汤

【食材】牛杂(肠、肚、心、肺)300克。

【调料】干辣椒粉20克，盐15克，郫县豆瓣酱30克，鲜牛骨头汤1500克，香菜20克，鸡精4克，胡椒粉5克，葱白段25克，鲜味汁20克，花椒粒15克，花椒油5克，姜20克，植物油50克。

【做法】1.将牛杂分别洗净，并放入沸水锅氽去异味，捞出晾凉，再用刀切成片；香菜洗净，切成1厘米长的段。

2.豆瓣酱用刀剁成蓉；姜洗净，切成米粒大小。

3.炒锅置火上，放植物油烧至四成热时，下豆瓣酱蓉、姜末、花椒炒香，加鲜牛骨头汤，放入牛杂和所有调味料烧开，倒在沙锅内加盖炖熟，放鸡精调味，再撒上香菜段即成。

水煮牛腰柳肉

【食材】牛腰柳肉200克，莴笋尖100克，蒜苗100克，芹菜100克。

【调料】花椒粉6克，盐4克，酱油10克，肉汤500克，姜末5克，料酒5克，蒜末5克，湿淀粉50克，豆瓣酱100克，味精2克，干辣椒30克，植物油150克。

【做法】1.将牛腰柳肉横筋切成片；蒜苗、芹菜切成段；莴笋尖切成片。

2.炒锅下油烧热，再下干辣椒炸至稍变色取出沥油，切成段待用。

3.炒锅下油烧热，下蒜苗、芹菜、莴笋尖炒

厨房用具禁忌(一) 1.忌铁锅煮绿豆：绿豆中含有单宁，它在高温条件下遇到铁会成黑色的单宁铁，使绿豆汤汁变黑，产生特殊气味，不但影响味道，而且对人体有害。2.忌用不锈钢或铁锅煎煮中药：中药中含有多种生物碱及各类生物化学物质，在加热条件下会与不锈钢或铁锅发生多种化学反应，致使药物失效，甚至产生一定毒性。

厨房小窍门

断生放盐，起锅装盘垫底。

4.炒锅置旺火上，下油烧至四成热，先放干辣椒段、豆瓣酱炒香，再加姜末、蒜末翻炒片刻，掺肉汤烧沸，打去粗渣，加盐、酱油烧匀。牛肉片用料酒、盐、湿淀粉、味精码匀抖散下锅，待牛肉熟透，汤汁浓稠后，起锅舀在菜上，把辣椒、花椒粉撒在上面，再淋上热植物油即成。

麻辣牛粒青豆

【食材】鲜牛肉150克，嫩青豆500克。

【调料】郫县豆瓣酱20克，料酒20克，盐5克，生抽酱油15克，姜末12克，葱白15克，味精2克，花椒油10克，红油20克，高汤300克，五香粉5克，植物油150克。

【做法】1.嫩青豆洗净，沥干水分；鲜牛肉洗净，去筋边，切成青豆大小的粒；豆瓣酱剁成蓉；姜洗净，切末；葱白洗净，切段。

2.锅置火上，放植物油烧至五成热，下豆瓣酱蓉、鲜牛肉粒煸炒出香味，加姜末、葱白段、盐炒匀，下生抽酱油、高汤、嫩青豆、料酒、五香粉烧开，改用小火烧，收干汤汁时淋花椒油和红油，放味精，炒匀入盘即成。

Tips

厨房用具禁忌(二) 3.忌用乌柏木或有异味的木料做菜板：乌柏木含有异味和有毒物质，用它做菜板不但污染菜肴，而且极易引起呕吐、头昏、腹痛等症状，因此，菜板的木料最好是白果木、皂角木、桦木和柳木等。4.忌用油漆或雕刻镂镂的竹筷：涂在筷子上的油漆含铅、苯等化学物质，对健康有害；雕刻的竹筷看似漂亮，但易藏污纳垢，滋生细菌，不易清洁。

厨房小窍门

麻辣牛肉片

【食材】净牛肉250克。

【调料】料酒5克，盐2克，酱油10克，花椒10克，干红椒10克，桂皮1克，香油20克，白糖5克，葱10克，姜10克，清汤250克，植物油500克。

【做法】1.将净牛肉切成长片，葱、姜切成段；牛肉片放在盆中，用葱、姜、料酒腌1小时。

2.将植物油注入锅中，烧至七成热时下牛肉片，炸熟，捞出沥油。

3.炒锅下香油，烧至七成热，下入干红椒炸焦，再放入葱段、姜段、桂皮、花椒略炸一下，随即下清汤、料酒、盐、白糖、酱油，再倒入炸好的牛肉片，在微火上将汁浓。待汁将干时，倒入盆中晾凉，将牛肉挑出码在圆盘内即成。

麻辣牛蹄

【食材】牛蹄500克。

【调料】红油35克，芥末油2克，花椒粉5克，香菜段20克，白糖5克，醋3克，味精2克，香油16克，油酥泡山椒茸10克。

【做法】1.将牛蹄刮洗干净，放入清水锅煮熟取出，去骨放入锅内煮沸捞出，晾凉，切成薄片，放入方瓷盘内。

2.将红油、芥末油、花椒粉、白糖、醋、味精、香油、油酥泡山椒兑成味汁浇在牛蹄片上，撒香菜段即成。

重庆毛肚火锅

【食材】牛毛肚250克，牛肝100克，牛腰100克，黄牛瘦肉（背柳肉）150克，蔬菜1000克。

【调料】大葱50克，青蒜苗50克，香油40克，味精4克，辣椒粉40克，姜末50克，花椒粉6克，盐10克，豆豉40克，醪糟汁100克，郫县豆瓣125克，料酒15克，熟牛油200克，牛肉汤2250克。

【做法】1.牛毛肚用清水洗净漂白，片成长薄片，用凉水漂净；肝、腰和瘦肉均片大片；葱和蒜苗均切成段。蔬菜（莲花白、芹菜、卷心菜、豌豆苗均可）用清水洗净，撕成长片，豆豉、郫县豆瓣剁碎。

2.炒锅置中火上，下牛油烧热，放入豆瓣炒酥，加入葱段、青蒜段、姜末、辣椒粉、盐、花椒粉炒香，再下牛肉汤烧沸，改旺火，放入料酒、豆豉、醪糟汁，烧沸出味，撇尽浮沫，即为火锅卤汁。将香油和味精调成味碟。

3.将牛毛肚、牛肝、牛腰、黄牛瘦肉的切片及蔬菜涮入锅中，然后配以火锅味碟食用。

羊 肉

麻辣酱羊肉

【食材】精羊肉400克。

【调料】酱萝卜干100克，辣椒酱30克，豆瓣酱20克，花椒粉10克，大蒜30克，冰糖5克，盐3克，生抽酱油10克，高汤500克，料酒50克，味精3克，香菜20克，咖喱粉5克，植物油180克。

【做法】1.将精羊肉洗净，切成一字条，入沸水中汆去血水捞出沥干；酱萝卜干切成小一字条；大蒜去蒂，洗净拍破。

2.炒锅置火上，放植物油烧至六成热时，下羊肉条煸炒呈褐色，加入大蒜、豆瓣酱、辣椒酱、花椒粉煸出香味，加高汤烧开，再放上咖喱粉、料酒、冰糖、生抽、酱油、盐，改用小火煨，下酱萝卜干，待汤汁浓稠放味精起锅入盘，撒上香菜即成。

麻辣羊肝花

【食材】羊肝300克。

厨房用具禁忌（三） 5.忌用各类花色瓷器盛作料：最好以玻璃器皿盛装作料。花色瓷器含铅、苯等物质，会粘附在长期存放的作料上，易致病、致癌，另外随着花色瓷器的老化和衰变，图案颜料内的氡也会对食品产生污染，对人体有害。

厨房小窍门

【调料】花椒10克，盐25克，酱油、蒜片各100克，大葱段50克，姜片5克，干辣椒10克，香菜15克，熟芝麻10克，植物油150克。

【做法】1.洗净羊肝切成3.5厘米的小块，在开水中煮六成熟捞出。

2.油入锅烧至六成热，加干辣椒、花椒、盐、姜片炸出香味捞出。将调料渣捣碎待用，大葱段切丝。

3.将羊肝块倒入炸调料的油锅内，加酱油和少量水，煮半小时后起锅。另勾芡汁，下调料渣将汤调好。

4.将羊肝块切成薄片入盘，浇汤汁，放葱丝、香菜、蒜片、熟芝麻即可。

麻辣羊肚丝

【食材】羊肚500克，冬笋100克，鲜红辣椒50克。

【调料】花椒粉15克，大蒜10克，料酒8克，盐15克，味精5克，醋8克，熟鸡油8克，猪油30克，湿淀粉8克，高汤50克。

【做法】1.羊肚用八成热开水烫一下，刮去黑皮洗净，冷水入锅，煮到七成烂，捞出后再洗净并切成5厘米长的丝。

2.将冬笋和鲜红辣椒(去蒂去籽)洗干净，都切成5厘米长的丝。

3.大蒜洗净切成丝。

4.将猪油烧沸，下肚丝煸炒出香味，烹料酒，然后加入冬笋丝、鲜红辣椒丝、花椒粉和盐，炒一下再放高汤、味精、大蒜丝，用湿淀粉调稀勾芡，滴醋、淋熟鸡油装盘即成。

羊肉胡辣汤

【食材】羊肉250克，面粉500克，粉皮200克，海带100克，炸豆腐100克，菠菜200克。

【调料】羊肉高汤100克，胡椒粉15克，辣椒粉15克，姜末20克，五香粉7.5克，盐6克，醋10克，香油5克。

【做法】1.羊肉切成丁；粉皮切段；海带切成丝；炸豆腐切成丝；菠菜拣去黄叶，切成段；鲜姜切成米粒状。

2.面粉放入盆内，用清水和成软面团，醒几分钟再搋上劲，然后兑入适量清水轻揉，至面水发时换上清水再洗，直到将面块中的粉汁全部洗出，将面筋拢在一起拿出，浸泡在清

除冰箱异味妙法 冰箱用久了，往往会有一种难闻的气味，一般多用电冰箱除味器除味。有一种更安全经济的除味法：把50克花茶装入纱布袋里，放入冰箱可除去异味。1个月以后，将茶叶取出放在阳光下曝晒，然后，再把茶叶装入纱布袋放入冰箱，这样可以反复使用多次，效果很好。

厨房小窍门

水盆内，并将粉汁沉淀备用。

3.锅内添水，兑入羊肉高汤，加入粉皮段、海带丝、炸豆腐丝和盐，烧沸，然后添些凉水使汤锅呈小开状，将面筋掂起，双手抖成大薄片，慢慢地在锅内涮成面筋穗。锅大开后，将沉淀的面粉汁搅成稀糊，勾入锅内，放入五香粉、胡椒粉、辣椒粉、姜丝搅匀，撒入羊肉丁、菠菜，汤开即成，食用时淋醋及香油。

禽肉、蛋

椒麻鸡

【食材】开膛嫩鸡350克。

【调料】花椒粒6克，小葱20克，姜10克，料酒10克，盐2克，酱油10克，香油10克，红油30克，味精2克，高汤500克。

【做法】1.嫩鸡去头、颈、翅、脚爪，洗净后入水氽一会，放沸高汤锅中，加姜、小葱、料酒煮熟，捞起放入凉开水内浸凉后，捞出擦干水分，去掉鸡骨，切成片(或条、丝、块)，装入盘中。

2.花椒去掉黑籽，剩余的小葱洗净切成花，混合后加少许盐剁成细末，盛入小碗内，加酱油、盐、香油、红油、味精、高汤少许调匀成椒麻味汁，淋于鸡片上即成。

麻辣火锅鸡

【食材】净鸡700克，莴笋100克。

【调料】盐20克，料酒50克，胡椒粉15克，植物油200克，泡野山椒60克，花椒10克，红汤300克。

【做法】1.将净鸡斩成条块放入盆中，加盐、料酒、胡椒粉入味，浸渍20分钟；莴笋去皮洗净，切成条。

2.锅中植物油烧到五成热时，下鸡块，至六成熟时起锅；将莴笋条入锅过油后捞起沥油，再放入火锅垫底，上面放鸡块，掺入花椒、火锅红汤适量，放泡野山椒至九成熟时，再掺入适量烧开的红汤，与原料同时入席即可食用。

麻辣青笋鸡

【食材】生笋鸡肉200克，青笋(冬笋、黄瓜亦可)100克。

Tips

如何防止冰箱内生霉菌 1.热的食物应冷却后再放入冰箱贮藏，尽量减少箱内潮气。2.防止菜汤、酱油等洒在冰箱内。3.电冰箱内污染物应擦干净。4.不要让熟肉制品直接接触电冰箱内胆。5.电冰箱暂时停用，应擦拭干净，不要把箱门关紧，应当留出一定缝隙，使冰箱内的潮气能够排出。

厨房小窍门

Tips

电冰箱如何快速除霜 没有自动除霜装置的电冰箱，可用下面方法快速除霜。首先断开电冰箱电源，把箱内食品取出。然后根据冷冻室大小，将一个或两个铝制饭盒装上开水放入冷冻室内。数分钟后，冷冻室壁上的霜层开始整块脱落(对尚未脱落的，可用手轻扳)。如果冷冻室顶部没有金属蒸发板，盛开水的饭盒应上盖，以免低温下的塑料内壁因骤然升温而变形。此法比停电自行升温化霜省时得多。

厨房小窍门

【调料】猪油60克，泡辣椒25克，酱油、料酒、花椒粉各20克，味精、盐各3克，白糖15克，湿淀粉20克，醋5克，葱、姜、蒜共50克，高汤少许。

【做法】1.笋鸡肉切成1厘米见方的丁，用少许盐、酱油、料酒、猪油拌匀，用湿淀粉浆好。

2.青笋切成丁，葱切成丝，姜和蒜均切成片，泡辣椒剁碎待用。再用高汤、葱丝、姜片、蒜片、料酒、酱油、白糖、湿淀粉、味精、花椒粉兑成芡汁。

3.用旺火把炒锅加热，放入猪油，油热后投入鸡丁，炒八成熟时放进泡辣椒，随之下青笋翻炒，接着把对好的芡汁也倒入炒锅中，汁开后下盐，再翻炒均匀，滴入醋即成。

麻辣鸡脖

【食材】鸡脖500克。

【调料】豆瓣20克，葱白40克，花椒粒及粉各10克，盐10克，料酒、生抽酱油各20克，糖3克，大料、香油各8克，味精5克，蒜末适量，姜20克，红油80克。

【做法】1.鸡脖洗净放入锅内，锅内加姜、葱白、花椒粒、大料，中火煮至刚熟时捞起盛于碗内，用料酒、生抽酱油腌十分钟。

2.炒锅下红油，放入豆瓣炒出香味，放入鸡脖，倒入原腌料汁，加少量糖和水，炖至汁将干时，加花椒粉、盐、味精、蒜末、香油，翻炒均匀即可。

麻辣鸡腿

【食材】仔鸡腿400克。

【调料】植物油200克，干海椒100克，干海椒粉10克，香油2克，孜然粉7克，盐4克，青花椒80克，料酒、生抽酱油各20克。

【做法】1.将洗净的仔鸡腿用料酒、酱油、盐腌好，把腌好的鸡腿下油锅炸熟，捞起沥油。

2.锅中留少许底油，下入干海椒、青花椒炒出香味，再将炸好的鸡腿倒入锅内，加干海椒粉、孜然粉再炒几分钟，最后加几滴香油，起锅装盘即可。

麻辣鸡肉

【食材】鸡腿肉200克。

【调料】花椒粉10克，姜、葱、辣椒末适量，白糖20克，盐5克，酱油40克，料酒10克，植物油35克。

【做法】1.将鸡腿肉切成块,加入料酒、酱油腌制3分钟。

2.坐锅点火,放入植物油,将腌好的鸡块倒入锅内划散,炸2~3分钟捞出。

3.坐锅点火,留底油烧热,将葱、姜煸炒出香味后,放入辣椒末、花椒粉、盐、白糖、鸡块翻炒均匀即可出锅。

花椒鸡丁

【食材】鸡腿肉400克。

【调料】白糖8克,干辣椒25克,料酒20克,花椒粒15克,味精1克,葱段10克,白糖色4克,姜10克,肉汤250克,盐4克,植物油500克。

【做法】1.将鸡腿肉斩成2厘米见方的丁,用盐2克,料酒、姜、葱段拌匀,码味10分钟;干辣椒切成段。

2.炒锅置旺火上,下植物油烧至七成热,放入鸡丁(姜葱不用),炸干水分。

3.锅内留底油,烧至四成热,然后下入干辣椒段、花椒粒,炸出香味,放鸡丁炒几下,掺肉汤,加白糖色、白糖、盐,用小火收到汁干亮油时,下味精炒匀,起锅晾凉即成。

宫保鸡丁

【食材】嫩公鸡脯肉250克。

【调料】花椒粉15克,姜片5克,油酥花生仁50克,蒜片5克,干辣椒30克,盐2.5克,酱油20克,味精2克,醋8克,料酒25克,白糖5克,湿淀粉35克,肉汤50克,葱末15克,植物油80克。

【做法】1.将鸡脯肉拍松,剖成0.3厘米见方的十字花纹,再切成2厘米见方的丁,放入碗内,加适量盐、酱油、湿淀粉、料酒拌匀;干辣椒去籽,切成2厘米长的段。

2.取碗放入盐、白糖、酱油、醋、料酒、味精、肉汤、湿淀粉,兑成味汁。

3.炒锅置旺火上,下植物油烧至六成热,放入干辣椒,待炸成棕红色时,下花椒粉、鸡丁炒散,再加入姜片、蒜片、葱末炒出香味,烹入味汁,加入油酥花生仁,翻炒均匀,起锅装盘即成。

麻辣仔鸡

【食材】仔鸡400克。

食品进出冰箱的法则 1.熟食品放入冰箱前须凉透。食品未充分凉透,突然进入低温环境中,其带入的热气能促使霉菌生长,导致整个冰箱内食品霉变。2.冰箱中取出的熟食必须回锅。冰箱内的温度只能抑制微生物的繁殖,而不能彻底杀灭它们。熟食如食前不彻底加热,食后就可能致病。3.食物解冻后不宜再进冰箱。反复冷冻会使食品组织和营养成分流失。

Tips

厨房小窍门

【调料】味精1克，干辣椒100克，香油5克，料酒15克，熟猪油1000克，花椒粉10克，青蒜末15克，醋10克，盐2克，湿淀粉25克，高汤30克，酱油20克。

【做法】1.鸡宰杀后，将鸡肉切成丁，加盐、酱油，抓拌匀，入料酒、湿淀粉用力抓匀；干辣椒洗净去蒂去籽，切成斜段。

2.用适量酱油、醋、味精、青蒜末、香油、高汤和湿淀粉兑成芡汁。

3.炒锅置旺火，放入猪油，烧热、有响声时放入鸡丁推散，迅速用漏勺捞起，待油温升至七成热时，再将鸡丁下锅，炸至呈金黄色，连油倒入漏勺沥干。

4.炒锅内留底油烧热，下入干辣椒、花椒粉，将炒锅离火煸炒几下，待辣椒成紫红色时上火，接着放入炸过的鸡丁合炒，倒入芡汁翻炒均匀，淋香油再炒几下即可。

麻辣血旺

【食材】活鸡500克。

【调料】鸡蛋清10克，木耳25克，盐20克，味精2克，水淀粉25克，香油5克，醋50克，蒜泥30克，辣椒油35克，酱油40克，花椒油10克，香菜10克，姜汁15克，白糖25克。

【做法】1.将鸡宰杀，鸡血控入盐开水中，拌匀，凝成鸡血旺，入锅烫熟。

2.用热水烫鸡煺毛，开膛掏出内脏，用清水洗净。

3.取鸡脯肉切片，放碗中，加鸡蛋清、盐、水淀粉拌匀上浆，放沸水锅中汆熟，待用。

4.将鸡肝、心、肠用盐水洗净，然后下锅中煮熟，捞出将肝、心切片，肠切段；木耳洗净，用沸水焯熟，晾凉；香菜洗净，切段。

5.将鸡血旺划成小块，放入碗中，然后依次将鸡肉片、肝、心、肠放在血旺上，再加入木耳、香菜。将盐、蒜泥、酱油、醋、辣椒油、花椒油、姜汁、白糖、味精、香油放入碗中兑成卤汁，倒在血旺上即可。

麻辣四件

【食材】鸡内脏（胗、肝、心、肠）300克，竹笋150克。

【调料】泡嫩子姜50克，鲜花椒12克，干辣椒30克，盐5克，醋2克，鲜味汁15克，花生酱10克，咖喱油5克，味精3克，湿淀粉50克，植物油80克。

【做法】1.将鸡内脏洗净，分别切成薄片，用湿淀粉拌匀，投入六成热的油锅内炸熟，倒入漏勺内沥去油。

2.竹笋洗净切成骨排片，入沸水汆后，捞出备用。泡嫩子姜切成同样的片。干辣椒去蒂。

3.将鸡内脏、竹笋、泡嫩子姜、盐、咖喱油、味精、鲜味汁、花生酱、醋拌匀装入盘中。

4.锅内放植物油，烧至六成热时下干辣椒、

Tips

正确洗锅 炒锅使用完后立即清洗正反面，且一定要烘干，而大多数人只洗表面不洗底层的习惯是非常错误的。锅的底层，常沾满倒菜时不慎回流的汤汁，若不清洗干净则会一直残留在底层，久而久之锅底会渐渐增厚，影响炒菜的火候，所以一定要正反面一起洗净，再放置炉上用火烘干，以彻底去除水气，方便下次使用。

厨房小窍门

鲜花椒炸香，捞出剁细，撒入盛鸡内脏的盘内即可。

麻辣黄鸭

【食材】去骨熟黄鸭肉300克。

【调料】红辣椒15克，盐50克，酱油100克，白糖10克，味精5克，湿淀粉100克，葱、姜末各少许，花椒粉30克，花椒油50克，植物油200克。

【做法】1.将鸭肉洗净切成块；将红辣椒去籽切成细丝。

2.锅内加适量植物油烧至七成热时，将鸭块放入油内氽一下，捞出沥油。

3.原锅留底油，放入红辣椒丝、葱末、姜末煸香，放入鸭块、花椒粉、白糖、酱油、盐和适量清水煸炒，加味精，用湿淀粉勾芡，淋花椒油出锅装盘。

麻辣铁雀

【食材】净麻雀500克。

【调料】味精5克，盐50克，料酒50克，姜末10克，植物油600克，白糖10克，花椒粉20克，醋10克，高汤适量，酱油10克，香油50克，葱花10克，红油80克。

【做法】1.将净麻雀下入八成热的植物油锅内，然后转用微火慢炸。炸至麻雀腿骨脆酥，用漏勺捞出控油。

2.用香油、葱花、姜末炝锅，下入红油、料酒、白糖、花椒粉、醋、酱油、高汤、盐，烧开后去浮油，放入麻雀，转文火烧至入味，再转旺火收干卤汁，淋上香油即可。

麻辣鸭舌

【食材】鸭舌300克，芦笋200克。

【调料】盐10克，麻辣香水料20克，香辣虾酱30克，花椒油12克，生抽酱油15克，白糖2克，姜末15克，蚝油12克，高汤300克，米汤25克，湿淀粉18克，五香粉3克，植物油200克。

【做法】1.将鸭舌烫去粗皮，去骨洗净；芦笋洗净，切成3厘米长的节。

2.锅置火上，放植物油烧至五成热时，下麻辣香水料、香辣虾酱、姜末炒香，加鸭舌煸匀，烹入高汤，再加所有调味料烧10分钟后，投入芦笋烧熟，用湿淀粉勾芡，起锅入盘即可。

麻辣皮蛋

【食材】皮蛋200克，青椒80克。

【调料】郫县豆瓣酱15克，料酒15克，白糖5克，辣椒粉10克，红油10克，醋15克，花椒适量，辣椒片少许，淀粉、香油、姜片、蒜片各适量。

【做法】1.皮蛋蒸熟后去壳切片，蘸淀粉入油锅略微炸一下，捞出备用。

2.青椒切菱形块，放入油锅中略过油，捞出备用。

3.锅中放入香油，将姜片、蒜片、辣椒片、花椒和郫县豆瓣酱一同下锅爆香，再放入皮蛋、青椒和调味料炒拌均匀，最后勾薄芡即可。

狗 肉

麻辣狗肉

【食材】狗肉300克，鸡肉200克，猪肉100克，青笋50克。

【调料】豆瓣38克，酱油8克，盐10克，白酒15克，料酒60克，干辣椒15克，胡椒粉10克，葱30克，花椒5克，味精10克，姜丝5克，陈皮5克，植物油适量。

【做法】1.狗肉去骨切成块，用清水泡 3~4 小时，捞出用料酒、胡椒粉腌渍；鸡肉、猪肉洗净切块，开水氽后用温水洗；青笋去皮，削成算盘珠形。

2.炒锅内下植物油烧六成热，下狗肉炸干水分，捞出与青笋拌匀，用纱布包成2包。在铝锅内先放竹筷垫底，然后放入鸡肉、猪肉，将包好的狗肉放在鸡肉、猪肉上面。

3.将姜丝、葱、花椒、陈皮用纱布包好放入锅内。

4.将油烧热，放豆瓣、干辣椒、花椒。出红色时，捞出豆瓣、花椒、辣椒渣，将红油倒入狗肉锅内，加酱油、盐、白酒、胡椒粉，烧至烂熟，开包将狗肉、青笋倒入碟内。

5.锅内部分原汤用旺火收浓，加味精，淋在狗肉上。

麻辣陈皮狗肉

【食材】净狗肉200克。

【调料】陈皮20克，麻辣酱30克，郫县豆瓣酱15克，花椒12克，冰糖3克，葱白20克，柱侯酱10克，姜末10克，盐5克，香菜段25克，老抽酱油12克，高汤600克，干青辣椒80克，鸡精3克，料酒25克，植物油180克。

【做法】1.将泡好的狗肉洗净，切成2厘米大小的块，用老抽酱油、料酒拌入味，投入八成热的油锅内炸紧皮，捞出备用。

巧手除铁锅油垢 炒菜的铁锅如果用的时间长了，锅内壁上会积存一些油垢，这些油垢很顽固，用普通的洗涤剂是很难清除掉的，这里教你一个妙招：可以将新鲜的梨皮放在锅里加水煮，水沸后再烧几分钟后熄火，然后用刷子刷洗，油垢很容易就清除了，既经济又简单。

厨房小窍门

2.陈皮洗净，切成末；郫县豆瓣酱剁成蓉；香菜、葱白分别洗净，切成2厘米长的段；干青辣椒洗净，泡软捞出，沥干水分。

3.锅内放植物油烧至五成热，下郫县豆瓣酱蓉、麻辣酱炒香，投入狗肉块、柱侯酱、姜末、花椒炒香，烹入高汤，加陈皮末、冰糖、葱白段、盐、料酒烧开，改用小火加热，下干青辣椒，放鸡精炒匀，起锅撒上香菜段即成。

兔　肉

麻辣兔丁

【食材】精兔肉200克，嫩玉米粒100克。

【调料】泡红椒50克，辣椒籽20克，鲜花椒8克，甜面酱15克，白糖7克，高汤25克，湿淀粉20克，淀粉25克，料酒20克，盐8克，醋6克，葱白15克，鸡精3克，鲜露10克，植物油250克。

【做法】1.精兔肉洗净，切成1厘米见方的丁，用料酒、盐、淀粉拌匀。

2.嫩玉米粒洗干净，入沸水锅中汆断生；泡红椒去籽、蒂，切成指甲大小；葱白切成段。

3.碗中放入辣椒籽、盐、鲜露、醋、料酒、高汤、鸡精、甜面酱、白糖、湿淀粉，兑成味汁。

4.锅置火上，放植物油烧至六成热，投入兔肉丁炒，下葱白段、泡红辣椒、嫩玉米粒、鲜花椒炒匀，倒入味汁收汤，起锅入盘即成。

涮麻辣兔肉

【食材】鲜兔肉800克，冬笋、豆腐、菠菜各500克。

【调料】花椒粒、料酒各10克，辣椒粉、陈醋各25克，酱汁、猪油各50克，酱油20克，葱末、姜末各15克，味精、胡椒粉各1克，盐适量，清水约750克。

【做法】1.鲜兔肉剔骨后片成薄片；豆腐切成片；菠菜择洗干净；冬笋洗净切成片。以上各料均放入盘中，置于火锅的四周。

2.炒锅置火上，放入猪油烧至六成热，将辣椒粉和花椒粒煸至发黄，倒入酱汁炒至香浓时，放入清水烧沸，加入笋片、料酒、陈醋、酱油、葱末、姜末和盐，倒入点燃的火锅中，烧沸，撒入胡椒粉和味精，便可涮兔肉片等食用。

Tips

巧手洗卤肉“锅焦”　卤肉不小心烧焦了，锅底结了一层厚厚的焦肉，洗不掉又很难刮掉，怎么办？其实只要在锅里注入三分之一的任何种类的醋，再加三分之二的水（总量须能盖过焦黑的部分），盖上盖，烧沸后继续煮五分钟，停火浸泡过夜。第二天，轻轻用汤匙一刮就可以把焦黑的底去除。

厨房小窍门

Tips

巧手去铝制炊具水垢 铝壶或铝锅使用一段时间后，会结有薄层水垢，使水开得慢、菜烹调得慢，下面的方法能帮助你轻松的将其去除：1. 烧水的壶中放1小匙小苏打，烧沸几分钟，水垢即除。2.煮上几次鸡蛋，也会收到理想的效果。

厨房小窍门

3.吃时，将兔肉片一点一点倒入火锅中，用筷子划散，一熟即可食用。菠菜和豆腐也同样食用。

兔肉火锅

【食材】鲜兔肉600克，鲜鱿鱼200克，鸡翅100克，青笋200克，鲜蘑菇100克，菠菜100克。

【调料】盐10克，葱白段30克，姜汁25克，料酒20克，莳萝籽粉10克，罗勒粉5克，猪油200克，油酥干红椒面30克，鲜花椒油10克，蒜蓉25克，盐8克，味精10克，小香葱末30克，鲜猪骨汤1800克。

【做法】1.将鲜兔肉、鲜鱿鱼分别洗净，切成薄片；鸡翅剁成长段；青笋切长条片；鲜蘑菇、菠菜分别择洗净。以上各料分别装入盘。

2.将油酥干红椒面、鲜花椒油、蒜蓉、盐、味精、小香葱末兑成味汁，每人一碟，供蘸食。

3.火锅内加高汤，放所有调味料烧开，撇去浮沫，桌四周摆放备好的原料和味碟，随烫涮蘸汁吃。

红油兔肉

【食材】兔肉500克。

【调料】大葱段20克，鲜姜片3片，香菜10克，花椒粉15克，大料粉10克，熟猪油1000克，酱油25克，盐3克，白糖25克，味精3克，湿淀粉25克，料酒30克，鸡清汤50克，红油80克。

【做法】1.将兔肉剁成4厘米的方块，放入凉水内浸泡30分钟，去其血污及土腥味。锅内加水烧开后，放入浸泡好的兔肉汆一下捞出，过凉后控净余水，再加入适量的盐、料酒抓拌均匀。

2.炒锅倒入熟猪油，烧至七成热，放入腌好的兔肉块，滑成深红色，倒在漏勺内漏去油。

3.锅内加适量红油烧熟，放花椒粉、大料粉、大葱段、鲜姜片煸炒，待有香味时加酱油、料酒，添鸡清汤，放入白糖、味精及滑好的兔肉，先用旺火烧开，撇净浮沫，再用小火慢烧兔肉至酥烂，汤快尽时用湿淀粉勾芡，淋入剩余红油出锅装盘，用香菜围边即可。

水 产

麻辣酥鲫鱼

【食材】鲜活鲫鱼200克。

【调料】花椒粉10克，红辣椒粉30克，青红辣椒50克，料酒25克，盐12克，红油10克，味精3克，姜末25克，葱白末30克，植物油1000克。

【做法】1.鲜活鲫鱼剖腹后，去鳞、鳃、内脏，洗净，剁成3厘米长的菱形块，用料酒、盐、姜末、葱白末、红辣椒粉拌匀，腌渍入味；青红辣椒去籽、蒂，切小米粒状。

2.锅内放植物油，烧至六七成热时，投鲫鱼块，炸至外皮硬脆后改用小火浸炸，至酥时捞出，趁热放入味精、花椒粉、青红辣椒粒、红油拌匀，入盘即成。

麻辣小黄鱼

【食材】小黄鱼300克。

【调料】料酒20克，盐8克，干辣椒粉10克，白酱油5克，胡椒粉2克，香油8克，红油20克，鲜花椒5克，十三香4克，泡红辣椒蓉20克，花椒油3克，味精3克，高汤50克，植物油1000克。

【做法】1.将小黄鱼洗净，放入盆中，加料酒、盐、胡椒粉、十三香拌匀。

2.锅置火上，放植物油烧至四成热时，下泡红辣椒蓉、鲜花椒炒香，倒入高汤、白酱油、干辣椒粉、香油烧沸，放味精即成麻辣味汁盛于碗内。

3.锅内放植物油烧至六成热时，下小黄鱼炸至外脆里嫩，熟透捞出沥油，待自然冷却后倒入麻辣味汁中浸泡一小时左右，取出装盘，淋上红油、花椒油即成。

麻辣水鱼

【食材】净水鱼300克，猪小肚100克。

【调料】老干妈香辣酱30克，干辣椒15克，鲜花椒15克，料酒30克，盐5克，鲜鸡汤450克，湿淀粉20克，蚝油10克，老抽15克，葱白段25克，姜块18克，十三香5克，鸡精3克，淀粉20克，植物油150克。

【做法】1.将水鱼洗净，切成3厘米见方的块，用老抽、淀粉拌匀，投入三成热的油锅里炸后，捞出沥油。猪小肚去油筋，内外洗净，投入沸水，加适量葱白段、姜块，氽后捞出，切成2厘米见方的块。

2.干辣椒切成2厘米长的段；剩余的姜切末。

3.炒锅置火上，放植物油烧热，下老干妈香辣酱、姜末、鲜花椒、干辣椒段炒香，倒入水鱼、猪小肚块炒匀，烹入鲜鸡汤、料酒、十三

巧手除菜刀铁锈 家里的菜刀经常使用，如保管不慎就会生锈，既影响菜肴的口感也不利健康。可以切一片葱头，用葱头使劲地摩擦刀面的铁锈，就可以将其除去，不过葱头除锈法需要用很大的力气。如果平时使用完后直接将菜刀浸在淘米水中，这样菜刀就不会生锈了。

香、蚝油、盐烧开，加盖焖至鱼软烂，勾湿淀粉，下葱白段、鸡精炒匀，入盘即成。

麻辣鱼片

【食材】鱼肉400克。

【调料】干辣椒粉15克，盐12克，红辣椒20克，花椒10克，葱白20克，湿淀粉20克，蒜10克，料酒30克，植物油800克。

【做法】1.鱼肉洗净，用刀切成6厘米长、0.3厘米厚的片，用盐、干辣椒粉、料酒、湿淀粉拌匀，腌入味。

2.红辣椒去蒂，切成1厘米长的段；蒜去蒂剁蓉；葱白洗净，切2厘米长的段。

3.锅置火上，放植物油烧至六成热时，投入鱼片炸熟，待其硬脆时捞出入盘。

4.锅放植物油50克，烧至五成热时，下花椒、红辣椒段、蒜蓉、葱白段炸香，浇在鱼片上即成。

麻辣咸鱼

【食材】青鱼450克。

【调料】盐50克，红辣椒25克，花椒粉10克，味精10克，大蒜10克，酱油10克，姜10克，植物油500克，料酒50克。

【做法】1.将青鱼洗净后切成3厘米见方的棋子块，加盐、料酒、拌匀后，放入带盖盆内压紧，48小时后取出备用。大蒜、姜、红辣椒切丝。

2.将腌过的鱼块洗去表面咸味，沥干水，植物油烧至六成热时放入鱼块，煎至金黄色，连油倒入漏勺内沥去油。

3.锅内放少许植物油，将切成丝的红辣椒丝、大蒜丝、姜丝放入锅内煸炒出香味后，放花椒粉、酱油、料酒、味精，迅速将煎好的鱼块下锅煸炒，使汤汁完全包在鱼块上，即可起锅装盘。

水煮鱼

【食材】鱼肉250克，青蒜150克，芹菜心100克。

【调料】干辣椒25克，豆瓣40克，植物油200克，酱油15克，味精1克，胡椒粉8克，花椒10克，姜片10克，蒜片15克，淀粉、盐、清汤、料酒、香油各适量。

【做法】1.将鱼肉去骨去刺，切成薄片，装入碗中，用酱油、料酒码味，用淀粉拌匀。

2.青蒜、芹菜心洗净，切成段。

Tips

除去顽固水锈 瓷制的水池使用时间长了，会残留有褐色的铁锈斑迹，想除去它不是件容易事，但也并非无计可施。把盐和醋调到在锅里搅拌，使盐溶化稀释在醋里，然后进行加热，然后用可吸水的海绵或抹布蘸饱液体，放到有锈迹的地方，大约20~30分钟后，再用粗糙的布蘸盐醋混合剂用力擦洗，就能除去顽固的锈迹了。

厨房小窍门

Tips

防止新壶生垢的妙法 在新水壶内放入洗净的山芋，大约放其容量的一半，然后加满水，将山芋煮熟，以后再用水壶烧水，就不会积水垢了。但要注意水壶煮山芋后，内壁不要擦洗，否则会失去除垢作用。对于已积满了水垢的旧水壶，用上述方法煮几次后，不仅原来的水垢会逐渐脱落，还能防止再积水垢。

厨房小窍门

3.炒锅下植物油烧热，下干辣椒、花椒，炸呈棕红色，捞出剁细成末状。

4.锅留底油下青蒜、芹菜心，炒至断生装盘。

5.锅再下油烧热，下豆瓣，炒出红色，加清汤稍煮，捞去豆瓣渣，将青蒜、芹菜心再放入汤锅中，加酱油、味精、料酒、胡椒粉、盐、姜片、蒜片，烧透入味，捞入深盘或荷叶碗内。

6.将鱼肉片倒入微开的原汤汁锅中，用筷子轻轻拨散，熟即倒在装配料的盘或碗中，撒上干辣椒末、花椒末，淋香油即成。

特味麻辣鱼

【食材】乌鱼300克。

【调料】姜片10克，蒜片20克，葱节30克，干辣椒10克，花椒10克，豆瓣25克，胡萝卜粒、西芹粒各50克，盐、酱油、料酒、味精、鸡精、陈皮、醋、干淀粉、高汤、植物油各适量，红油750克。

【做法】1.乌鱼宰杀后洗净切块，用盐、胡椒粉、料酒、干淀粉抓匀，再淋入少许植物油，装入盘中待用。

2.炒锅置火上，放入植物油烧热，下入姜片、蒜片、葱节爆香，再下入干辣椒、花椒、豆瓣。

3.炒出香味后，接着下入鱼头、鱼尾、鱼骨略炒，烹入料酒，倒入高汤，下陈皮、胡萝卜粒、西芹粒，调入酱油、鸡精、味精、醋，煮出味时，打去料渣，留下的汤汁盛入味碟中。

4.红油入锅烧至七八成热，倒入一不锈钢盆中，随浆好的鱼片及味碟上桌。

5.将鱼片迅速倒入热油中拨散，待鱼片烫熟发白后，将鱼片夹入味碟的蘸汁中稍浸，即可食用。

豆瓣鱼

【食材】活鱼400克，青、红辣椒50克。

【调料】葱、姜、蒜、盐各20克，白糖30克，花椒25克，鸡精7克，豆瓣酱100克，水淀粉100克，植物油适量。

【做法】1.将鱼宰杀洗净去五脏，抹上淀粉；青、红辣椒洗净切成菱形；葱切段；姜、蒜分别切片。

2.坐锅点火，倒植物油，待油热后放入鱼炸至两面金黄捞出。

3.再坐锅点火，再倒植物油，待油八成热时，放入葱段、姜片、蒜片、花椒、豆瓣酱、白糖、盐、鸡精，加适量开水，最后放鱼，煮4分钟，将鱼捞出，装入盘中，原汤中加入水淀粉调成汁，微开时浇在鱼上即可。

Tips

菜板清洗消毒有方（一） 1.洗烫消毒：先用硬刷子蘸清水将菜板表面和缝隙洗刷干净，然后再用100℃的开水冲洗一遍。2.醋消毒：切过鱼的菜板，只要洒上点醋，放在阳光下晒干，然后用清水冲刷，就不会有腥味。3.葱姜消毒：菜板用久了，会产生怪味，可取一段葱（或生姜）将菜板擦一遍，然后一边用热水冲，一边用刷子刷洗，怪味就能除去。

厨房小窍门

家常鳝鱼

【食材】鳝鱼片500克，蒜苗100克。

【调料】酱油8克，花椒粒10克，花椒粉5克，猪油50克，味精5克，料酒15克，大蒜15克，湿淀粉10克，盐5克，高汤200克，郫县豆瓣40克，泡辣椒25克，姜片、植物油、醋适量。

【做法】1.将泡辣椒、郫县豆瓣剁细；蒜苗切3厘米长的段。

2.炒锅置旺火上，下植物油烧至八成热时，下鳝鱼片、花椒粒爆炒；待鳝鱼片卷缩时，铲到锅边，依次加入猪油、郫县豆瓣、泡辣椒、大蒜和姜片同炒；炒至油呈红色时，加入高汤、料酒、味精、酱油和盐，改用中火烧5分钟，再用旺火，将蒜苗、醋下锅，用湿淀粉勾芡，推转，起锅入碟，撒上花椒粉即可。

麻辣鳝鱼卷

【食材】鳝鱼200克，竹笋50克，干豇豆200克。

【调料】泡甜椒50克，涪陵榨菜50克，花椒粒10克，红油20克，姜15克，生抽酱油12克，盐6克，胡椒粉2克，香油10克，鸡精3克。

【做法】1.鳝鱼去骨，切成7厘米长的段；泡甜椒、涪陵榨菜、竹笋分别切成粗丝；姜切末；干豇豆洗净，用温水泡软。

2.取鳝鱼片放平整，放入泡甜椒丝、涪陵榨菜、竹笋丝各一根，卷成鳝鱼卷，放入蒸碗内，加生抽酱油、胡椒粉、姜末、鸡精，上面放入干豇豆，入笼用旺火蒸，取出蒸碗翻扣于盘中。

3.锅内放入红油，烧至三成热时，下花椒粒炸香，倒入香油兑匀，浇在鳝鱼卷上即成。

干煸鳝背

【食材】鳝鱼500克。

【调料】醪糟汁20克，葱、姜、白糖各3克，蒜片、味精、泡辣椒各25克，酱油45克，郫县豆瓣酱10克，湿淀粉6克，花椒粉30克，植物油少许。

【做法】1.鳝鱼去骨后切成块。

2.炒锅下植物油烧热，放鳝鱼块煸干，加泡辣椒、郫县豆瓣酱、花椒粉、醪糟汁、白糖、味精、酱油等作料煮滚，再放些汤，慢慢收干后加葱、姜、蒜片，最后用湿淀粉一收即好。

麻辣泥鳅

【食材】鲜活泥鳅200克，魔芋豆腐300克。

【调料】麻辣香水鱼料50克，高汤500克，白糖5克，盐8克，生抽酱油18克，五香粉10克，葱白25克，鸡精5克，姜25克，花椒12克，蒜18克，鲜露6克，干辣椒粉10克，植物油250克。

【做法】1.将鲜活泥鳅放盆内，放少许盐，盖上盖焖5分钟后，将泥鳅剖腹，去内脏洗净。魔芋豆腐切成一字条，入沸水内汆后捞出备用。

2.葱白洗净，切成3厘米长的段，姜切粒，蒜剁成蓉。

3.炒锅置火上，放植物油烧至五成热时，

下麻辣香水鱼料、花椒、姜粒、蒜蓉炒香，下干辣椒粉炒匀，烹入高汤，加魔芋豆腐、泥鳅、鲜露、生抽酱油、白糖、盐、五香粉、葱白烧熟，放鸡精入盆即成。

麻辣脆皮虾

【食材】大虾300克，嫩芹菜20克。

【调料】干辣椒50克，香辣酱20克，淀粉30克，姜片15克，蒜片8克，葱白20克，盐6克，味精2克，料酒15克，白糖5克，花椒油10克，低筋面粉20克，香油15克，植物油1000克。

【做法】1.大虾去头、壳、尾，抽去沙线，洗净，用姜片、葱白、盐、料酒码入味；干辣椒去蒂，切成节；嫩芹菜洗净，切成片。

2.碗中放入低筋面粉、淀粉，加少许盐水调成糊，加入植物油待用。

3.锅置火上，放植物油烧至五成热，将码入味的大虾扑匀淀粉，然后放入面糊里裹匀，入油锅炸至外酥内熟时捞出。

4.锅内放植物油50克，下蒜片、姜片、葱白段、嫩芹菜片、干辣椒、香辣酱炒香，再下炸好的大虾、白糖炒匀，淋花椒油、香油、味精、盐炒匀，起锅入盘即成。

麻辣海瓜子

【食材】海瓜子250克。

【调料】鲜花椒15克，香辣酱30克，红油30克，姜25克，蒜20克，醪糟汁65克，盐10克，鸡精12克，胡椒粉2克，香油10克，花椒油3克，葱白段26克，开水30克，植物油180克。

【做法】1.海瓜子放置盐水中2~3小时让其吐尽泥沙，洗净备用。

2.姜切片，鲜花椒去籽、蒂，蒜剁成蓉。

3.锅置火上，放植物油烧六成热时，下香辣酱、姜片、鲜花椒、蒜蓉、盐、鸡精、胡椒粉炒香，倒入海瓜子炒匀，烹入醪糟汁、开水，用小火焖2~3分钟，待海瓜子开口，淋红油、香油、花椒油、葱白段翻炒均匀，起锅入盘中即成。

麻辣炒蟹

【食材】活肉蟹200克。

【调料】干辣椒段20克，花椒10克，姜片6克，

菜板清洗消毒有方（二） 4.阳光消毒：阳光中的紫外线有杀死细菌的作用，菜板不用时应放到太阳底下曝晒，这样不仅可以杀死细菌，而且可使菜板干燥，减少病菌繁殖。5.撒盐消毒：每次使用菜板后，都要用刀将残渣刮净，每隔6到7天在板面上撒一层盐，这样既可杀菌，又可防止菜板干裂。

厨房小窍门

蒜片5克，葱段10克，盐20克，胡椒粉5克，料酒12克，干淀粉50克，海鲜酱45克，水淀粉100克，鸡精8克，香油5克，花椒油30克，红油20克，植物油100克，高汤200克。

【做法】1.活肉蟹从腹脐处取壳，去净内脏及鳃叶，去除腿尖及壳沿，洗净后，将蟹斩成八块，加入适量盐、料酒拌匀。

2.锅置旺火上，下植物油烧至五成热油温，然后将蟹块斩口处粘裹上干淀粉，入油锅内浸炸至熟(蟹壳同时熟透)。

3.锅内另加植物油，烧至四成油温，投入干辣椒段、花椒炒香，掺入高汤，略烧片刻，再下姜片、葱段、蒜片、蟹，后放入盐、料酒、海鲜酱、鸡精烧2分钟后，用水淀粉勾薄芡，最后加入香油、花椒油、红油、胡椒粉翻匀即可装盘。

豆制品

麻婆豆腐

【食材】豆腐500克，肉末50克。

【调料】植物油100克，豆瓣辣酱35克，味精3.5克，骨头汤10克，红油15克，花椒粉15克，湿淀粉30克，葱2根，姜10克，蒜头2瓣。

【做法】1.豆腐切成1厘米见方的丁，装入容器内，放适量开水，浸泡十分钟左右，倒入漏勺沥水；葱、姜、蒜头洗净，均剁成细末。

2.锅置旺火上烧热，加适量植物油烧热，下肉末炒至转色，加入葱末、姜末、蒜末，炒出香气，放入豆瓣辣酱，炒出红油。

3.豆腐丁下锅，加入骨头汤、味精，烧开后用湿淀粉勾芡，淋入50克植物油。

4.转动锅子，用汤勺轻轻地推几下，淋入红油，撒上花椒粉，出锅，装入深汤盆，上席即可。

Tips

厨房清洁妙法(一) 烹饪时飞溅到墙壁上的油渍，若当时未能及时处理，时间一久，就会形成黄斑。此时，可以喷洒一些“浴厨万能清洁剂”在墙壁上，再贴上厨房纸巾，约过15分钟后，再进行擦拭的工作。或是直接将少量的地板清洁剂倒在抹布上，擦拭黄斑后再用清水冲洗即可。

厨房小窍门

麻辣豆鱼

【食材】油皮200克，绿豆芽500克。

【调料】红油30克，芝麻酱50克，葱15克，花椒粉10克，酱油50克，鸡蛋清20克，醋15克，干淀粉30克，白糖15克，植物油80克，味精2克。

【做法】1.绿豆芽择去根，开水烫熟晾凉；葱切成末；鸡蛋清兑干淀粉调成稀糊。

2.油皮平铺案上，抹上蛋糊，放上豆芽，卷成直径2.5厘米的扁形条。

3.用葱末、酱油、醋、白糖、芝麻酱、味精、花椒粉、红油兑成汁。

4.锅烧热，注入少量植物油，油沸时，将卷两面都煎成黄色，取出切成6厘米长的段，摆入盘中，浇上兑好的汁即可。

品味豆腐

【食材】豆腐500克，油酥花生仁30克，芽菜50克，榨菜20克。

【调料】盐10克，味精8克，红油10克，青椒15克，高汤100克，花椒粉12克，白糖10克，醋10克，姜末8克。

【做法】1.豆腐切成10厘米见方的块，装入罐中，高汤加盐、味精、花椒粉、醋、姜末调匀倒入罐中，上笼蒸入味。

2.将油酥花生仁压碎，芽菜、榨菜切碎，加入青椒、盐、味精、白糖等调味品制成调味料。

3.把蒸至入味的豆腐块放入玻璃盘中，调味料盛放于盘中心即成。

芋头豆腐

【食材】豆腐200克，芋头200克。

【调料】麻辣酱30克，泡红椒10克，花椒粉10克，葱白25克，盐5克，生抽酱油15克，湿淀粉25克，味精3克，香油10克，白糖2克，蚝油10克，料酒15克，五香粉8克，沙姜粉3克，高汤300克，植物油1000克。

【做法】1.将芋头刮洗干净，切成滚刀块，用盐、五香粉拌匀，入笼蒸熟。

2.豆腐切成片，投入八成热的油锅内炸至金黄色，捞出。

3.泡红辣椒去蒂，葱白洗净切节。

4.锅置火上，放植物油烧至五成熟，下麻辣酱、泡红椒炒出味，加高汤、料酒、盐、白糖、蚝油、生抽酱油，倒入芋头块、豆腐片、葱白节烧入味，下湿淀粉、花椒粉、沙姜粉翻炒均匀，加味精，淋香油，起锅入盘即成。

Tips

厨房清洁妙法（二） 煤气灶和抽油烟机台面常会累积油渍，不妨先将厨房纸巾用“浴厨万能清洁剂”喷湿，再覆盖在上面，过一段时间之后进行清理即可。而抽油烟机内的滤油网、风扇叶，则可浸泡在稀释后的清洁剂中，待油污浮起后，用牙刷刷洗或用布擦洗一下，就可以清洁干净了。

厨房小窍门

河水豆花

【食材】干黄豆750克。

【调料】芝麻酱50克，胆水50克，葱花30克，辣椒粉50克，香菜10克，花椒粉20克，豆豉35克，酱油150克，味精3克，盐7克，郫县豆瓣150克，香油10克，植物油1500克。

【做法】1.将干黄豆用清水浸泡4小时，打成浆，用纱布过滤去渣。滤出的豆浆倒入锅内煮沸后慢慢冲入胆水，边冲边用勺子轻轻搅动，待豆花凝成，改用微火保持沸而不腾，煮5分钟，然后用纱布铺其上，用筲箕略挤压，即成豆花。郫县豆瓣、豆豉剁细。

2.炒锅置火上，放植物油烧至四成热，下入剁细的郫县豆瓣、豆豉，炒香上色，投入辣椒粉、花椒粉、酱油炒匀起锅，入碗中，再放入芝麻酱、盐、味精、香油搅匀成调味汁。

3.将豆花舀入大汤碗内，按每人一小碟调味汁配上。上席前，小碟调料要撒上葱花和香菜。

麻辣沙锅豆腐

【食材】嫩豆腐500克，油菜心50克，鲜蘑菇50克。

【调料】植物油30克，小虾仁50克，浓鸡汤500克，料酒8克，盐8克，味精3克，醋5克，花椒20克，葱段10克，干辣椒25克。

【做法】1.嫩豆腐切3厘米见方的大方块，用开水焯一下捞出，控净水；油菜心根部用刀割十字口，洗净；鲜蘑菇撕成长条片；干辣椒切成小段。

2.炒锅放植物油30克，烧热后加入葱段、花椒、干辣椒段，炸出麻辣味，将油倒入碗内待用。

3.将浓鸡汤倒入炒锅，放入豆腐块、鲜蘑菇条、料酒、盐，用武火烧开、文火烧炖10分钟，再加入油菜心、小虾仁，烧开撇浮沫，最后加醋、味精和炸好的麻辣油即可。

Tips

厨房清洁妙法(三) 冰箱使用一段时间后，面板及内部都会沾上难以擦拭干净的污垢，想要冰箱面板看起来光亮无比，一般用于家具保养的“家具护理喷蜡”就可以使用。而门边较难处理的细缝处，可以用牙刷清洁；至于冰箱内部与层板，不妨用稀释的漂白水擦拭，既干净又可达到杀菌的目的。

厨房小窍门

金钩挂玉牌

【食材】豆腐750克，黄豆芽150克。

【调料】酱油5克，味精5克，花椒粉10克，葱花10克，辣椒粉25克，香油10克，盐10克，植物油150克。

【做法】1.把豆腐切成长片；辣椒粉盛入小碗。

2.将黄豆芽洗净，放沙锅内，用大火煮5分钟，加入豆腐片合煮，放少许盐，把豆腐片煮透，盛入汤碗备用。

3.锅中放植物油，烧至七成热，冲在辣椒粉上，烫熟，加入酱油、味精、花椒粉调成味汁。

4.将味汁按每人一碟分成几份，浇上香油，撒上葱花。

5.将豆腐、黄豆芽碗与小碟味汁一起上桌。食用时，用主料蘸味汁吃。

麻辣豆腐干

【食材】豆腐干300克。

【调料】植物油80克，红油30克，盐3克，白酱油10克，白糖3克，味精3克，花椒油5克。

【做法】1.将豆腐干用温热水洗净，切成丝。

2.锅内放植物油，烧至六成热时，投入豆腐干丝，炸至外表干爽，捞出晾凉。

3.碗中放入白糖、盐，加白酱油搅化，再放红油、味精、花椒油调匀，投入豆腐干丝拌匀，装入盘内即成。

麻辣冻豆腐

【食材】冻豆腐500克，猪五花肉100克，蒜苗75克。

【调料】植物油100克，郫县豆瓣15克，盐5克，干辣椒15克，花椒粉10克，豆豉10克，酱油8克，湿淀粉23克，味精5克，高汤400克。

【做法】1.将冻豆腐洗净，切成1.5厘米见方的块，在开水锅内煮一下，捞起沥干水分。

2.把猪五花肉剁成碎粒；蒜苗切成长1.5厘米的段；豆豉用刀剁细，干辣椒洗净切丝。

3.炒锅置中火上，下植物油，烧至五成热时下碎肉。

4.碎肉炒干水汽以后，下郫县豆瓣、豆豉，炒出香味，下干辣椒丝，炒出红油时放盐、酱油。

5.加高汤，下冻豆腐块，烧约3分钟下蒜苗，蒜苗一变色，撒入味精，再用湿淀粉勾芡，起锅装碟，菜面上撒花椒粉即成。

麻辣拌素肘子

【食材】素肘子400克。

【调料】花椒粉5克，鸡蛋20克，干细豆粉100克，盐5克，白糖5克，植物油1000克，甜面酱10克，红油25克。

【做法】1.素肘子切成2厘米见方的块，鸡蛋加盐、干细豆粉兑成蛋糊。

2.盐炒香，加花椒粉、甜面酱、白糖和红油等调成味碟。

3.炒锅烧热，注入植物油，烧至七成热，将素肘子块滚上蛋糊，逐一入锅炸至金黄酥时捞出装盘，带味碟入席。

巧手除排气扇油垢 1.拆下排气扇，用棉纱裹锯末，或直接用手抓锯末擦拭，油垢越厚越易擦掉，擦拭后用清水冲洗揩干，即可组装。2.拆下排气窗叶片，泡在温水中，滴上几滴洗涤剂，再加上50毫升食醋，浸15~20分钟后，用干净的抹布擦洗，即可将油垢擦洗干净。

蔬 菜

麻辣毛豆肉丁

【食材】毛豆500克，猪瘦肉100克。

【调料】植物油50克，白糖8克，酱油15克，四川豆瓣辣酱30克，味精、花椒粉、料酒各适量。

【做法】1.毛豆剥去豆荚待用；猪瘦肉洗净，切成0.3厘米见方的小丁。

2.炒锅放置火上，待锅烧热后，放入油20克，油热后投入猪瘦肉丁煸炒，烹入料酒和酱油，熟后盛出。

3.炒锅洗净，烧热后倒入植物油30克，待油热后，下四川豆瓣辣酱煸炒几下，再放毛豆炒匀，加白糖，料酒，炒至毛豆成熟，倒入猪瘦肉丁，加味精、花椒粉再翻炒几下，即可出锅。

麻辣脆豌豆

【食材】嫩豌豆350克，松仁50克，甜红辣椒50克。

【调料】花椒油12克，盐12克，味精3克，红油20克，植物油1000克。

【做法】1.嫩豌豆洗净，沥干，投入六成热的油锅内炸熟，捞出待用；松仁入油锅炸至酥；甜红辣椒去籽、蒂，切成米粒状。

2.锅置火上，放植物油50克，烧至五成热，倒入豌豆、松仁、甜红椒米煸炒几下，下盐、味精，淋红油、花椒油簸匀，起锅入盘即成。

麻辣蚕豆

【食材】新鲜蚕豆500克。

【调料】盐5克，味精1克，白糖5克，料酒5克，辣椒粉15克，葱花5克，花椒粉10克，植物油35克，香油5克。

【做法】1.将蚕豆剥去黑的芽嘴，洗净后放入锅内，加水煮酥后捞出待用。

2.锅上火，将蚕豆放入，烤干水分，加植物油、盐、料酒略炒一下，加白糖、辣椒粉、味精

Tips

巧手除纱窗油腻 1.将100克面粉打成稀面糊，趁热刷在纱窗的两面，停放10分钟后，再用刷子反复刷几遍，然后用水冲洗，纱窗上的油腻即可清除。2.把纱窗放在碱水中，用不易起毛的布反复擦洗；然后把碱水倒掉，用干净的热水把纱窗冲洗一遍。这样纱窗就可干净如初。

厨房小窍门

再炒几下，撒上花椒粉、葱花，淋上香油炒匀，起锅装盘即可。

麻辣白菜卷

【食材】圆白菜500克。

【调料】盐5克，味精3克，花椒10克，植物油15克，红辣椒10克。

【做法】1.把圆白菜叶一片一片从根部整个掰下，洗净控干水分；红辣椒洗净切成小节备用。

2.将植物油烧热，将红辣椒、花椒一同下锅，炸出香味后把圆白菜下锅煸炒几下，再将味精、盐放入炒，待菜叶稍软，倒在碟中晾凉，用手将菜叶卷成笔杆形，切成小节，码放在碟上即可。

干辣菜头

【食材】菜头250克。

【调料】花椒粒15克，盐10克，醋10克，白糖10克，味精5克，植物油50克，干辣椒15克。

【做法】1.将菜头切“筷子条”，加适量盐腌 10 分钟，控干水分；将辣椒切 2 厘米长的段。

2.炒锅置旺火上，下植物油烧至七成热，放干辣椒、花椒粒，炸至呈深红色，倒入菜头条，炒至断生，加盐、白糖、味精、醋炒匀，起锅即成。

麻辣鸡丝蕨菜

【食材】鸡胸肉50克，蕨菜300克。

【调料】小干辣椒15克，花椒粒10克，盐5克，味精3克，料酒5克，香油5克，葱丝、姜丝各3克，植物油50克。

【做法】1.将鸡胸肉切成细丝；蕨菜择去老茎，用开水焯过，切成 4 厘米长的段。

2.锅内放植物油，烧至四五成热，下肉丝滑至变色，捞出沥油。

3.锅留底油，烧至五成热，下花椒粒、干辣椒段煸出香味，捞去花椒粒不要。

4.油烧至七成热时，下葱丝、姜丝炒香，放入肉丝、蕨菜翻炒几下，烹料酒，加盐、味精翻炒，淋入香油即可装盘。

麻辣青笋尖

【食材】青笋尖500克。

【调料】盐10克，蒜12克，红油30克，芝麻酱8

微波炉使用窍门（一） 1.善用铝箔纸：鸡翅尖、鸡胸或鱼头、鱼尾部或蛋糕的边角等部位易于烹调过度，用铝箔纸裹上可达到烹调均匀的目的。2.翻转食物解冻均匀：微波炉解冻，首先将一只小碟反扣放在大而深的碟中，然后把食物放在小碟上再放进微波炉解冻。这样在解冻过程中，溶解出来的水分便不会弄熟食物。同时，每隔 5 分钟要将食物拿出来，加以翻转或搅动，以达到均匀解冻的效果。

厨房小窍门

克，酱油8克，花椒粉10克，白糖8克。

【做法】1.取青笋尖部(约6厘米)，去掉外层老皮洗净，粗的切成四牙，先用盐腌渍约一小时，再用清水洗1次；装入碗内，放少许白糖和盐，拌匀，将水分挤干，除掉涩味。

2.笋尖装入碗内，用红油拌匀，再依次放入酱油、花椒粉、白糖、蒜(剁成泥)、芝麻酱，拌匀即成。

麻辣干笋丝

【食材】干竹笋200克。

【调料】盐10克，味精5克，酱油8克，红油50克，花椒粉10克，香油25克，葱10克，植物油适量。

【做法】1.干竹笋用温水浸泡12小时发涨，用淘米水揉搓几次，再洗去硫磺味；葱洗净切粗丝。

2.竹笋用手撕成粗丝后，切2~3段的短节，在开水锅中氽两次，捞出控干水分。

3.炒锅下植物油烧热，放辣椒炒出香味，放入竹笋丝，炒几下，淋上香油，最后加盐、酱油、红油、花椒粉、味精及葱丝拌匀即可。

麻辣茭白

【食材】茭白250克。

【调料】干辣椒25克，花椒10克，酱油10克，盐、芝麻酱、白糖各适量，熟猪油250克(约耗40克)，湿淀粉、香油、味精适量，高汤100克。

【做法】1.把茭白洗净切成滚刀块，把炒锅放在文火上，加入熟猪油，烧至油锅边冒泡时放入茭白块，炸1分钟左右，捞出沥油。

2.倒出锅中余油，锅置于旺火上，放入茭白块，加入干辣椒、花椒、芝麻酱、酱油、盐、白糖、味精和高汤，在小火上烧一分钟左右，淋入湿淀粉勾芡，加入香油即成。

麻辣藕片

【食材】鲜藕400克。

【调料】盐3克，味精1克，酱油10克，红油25克，干辣椒段10克，花椒粒10克，植物油40克。

【做法】1.鲜藕去皮后洗净，切成薄片，置清水中浸泡10分钟左右，捞出沥干水分。

2.炒锅置旺火上，下植物油，烧至五成热

微波炉使用窍门(二) 3.有皮食物要划开：烹调鱼等有外皮的食物时，要先在鱼身上划两三刀，防止在蒸的过程中因水蒸气大量蒸发而使鱼身胀裂。西红柿、土豆、苹果、香肠等都要刺上小孔，让水蒸气能够挥发。至于有外壳的食物，如鸡蛋，切勿连壳整只放进炉内烹调，以免爆裂。

厨房小窍门

时，下花椒粒、干辣椒段，用小火煸炒出香味。

3.下鲜藕片、酱油、盐继续快速翻炒（防止粘锅）约5分钟，撒入味精，淋上红油炒匀即可。

麻辣黄瓜

【食材】黄瓜500克。

【调料】干辣椒、植物油各20克，花椒10克，白糖、醋各10克，香油15克，盐7克。

【做法】1.黄瓜洗净，切成条，稍去心；干辣椒切成短段。

2.碗内放盐、白糖、醋，加少量清汤，兑成汁。

3.炒锅加植物油置火上，放入花椒，炸出香味后捞出，下干辣椒段，炸至棕红色。

4.将锅离火，再放入黄瓜条，翻炒均匀，加入香油，起锅装盘晾凉，浇上调味汁即可食用。

呛辣胡豆

【食材】干胡豆500克。

【调料】红糖45克，醋45克，姜末15克，甜面酱15克，郫县豆瓣45克，盐45克，芝麻酱60克，葱花45克，蒜泥15克，花椒粉25克，红油30克，味精15克，白矾15克，皂角15克，苏打20克，植物油800克。

【做法】1.皂角捶破，入温水加白矾、苏打搅匀，放入胡豆浸泡36小时，至豆壳起皱时捞出沥干，去黑线，豆瓣剖开。

2.炒锅洗净置旺火上，下植物油烧至八成热放入胡豆炸至浮起，酥脆时捞起，沥油。

3.炒锅内留底油，放入剁细的郫县豆瓣、姜末、蒜泥炒出香味，加盐、红糖、甜面酱、芝麻酱、醋、葱花、花椒粉、红油、味精搅拌，倒入胡豆拌匀即成。

呛辣苦瓜

【食材】苦瓜500克。

【调料】红油18克，花椒油15克，香油10克，酱油15克，白糖8克，醋8克，盐10克，豆豉8克，味精5克，芝麻酱15克，葱花10克，姜末10克，蒜末10克，植物油60克。

【做法】1.苦瓜洗净，对切两半，去掉瓜瓤，顺长切成4厘米长的粗丝条，放沸水锅内，煮至断生捞出，控干水分，拌少许盐、香油上碟。

2.把炒锅置旺火上，倒入植物油烧热，下豆豉炒酥，铲出放在案板上，剁成蓉倒回锅内，加酱油调匀，再加入白糖、醋、味精、葱花、姜末、蒜末、香油、红油、芝麻酱、花椒油调匀，淋在苦瓜上即可。

Tips

微波炉使用窍门（三） 4.包保鲜膜：在微波炉烹调时，最常遇到的问题是食物容易变硬变干，如果希望食物能保持水分，就需要包上微波炉保鲜膜或用盖盖上；不过，不要把保鲜膜贴在食物上，可以将食物放在容器内，然后用保鲜膜封口。

厨房小窍门

麻辣苦瓜

【食材】苦瓜250克，小青椒250克。

【调料】盐10克，白糖15克，香油50克，味精1克，干辣椒、花椒各10克。

【做法】1.苦瓜洗净剖成两半，挖去籽，斜切成厚片。小青椒去蒂、籽，洗净切丝。

2.锅内不放油，用小火分别将苦瓜片、小青椒煸去水分，倒出备用。

3.锅洗净烧热注入香油，下入干辣椒、花椒炒出香味，放入小青椒、苦瓜片煸炒，继而下入盐、味精、白糖，炒匀盛盘即可。

麻辣萝卜丝

【食材】心里美萝卜500克。

【调料】酱油8克，香油8克，白糖8克，盐5克，味精5克，花椒粉10克，红油15克。

【做法】1.心里美萝卜洗净，切成细长丝，取适量盐将萝卜拌匀，腌约5分钟左右，用手将汤挤出，心里美萝卜丝放盘中。

2.将酱油、红油、花椒粉、白糖、香油、盐、味精等调料调匀，浇在心里美萝卜丝上，拌匀即可食用。

麻辣薯条

【食材】土豆600克。

【调料】花椒粉8克，泡甜椒50克，盐15克，黄油50克，味精5克，葱白15克，红油20克，干辣椒粉25克，孜然粉18克，植物油1000克。

【做法】1.土豆洗净，切成一字条，漂去淀粉，捞出沥干，用少许盐加黄油拌匀。

2.泡甜辣椒去籽、蒂，切成一字条；葱白洗净，切成6厘米长段。

3.炒锅置火上，放植物油烧至七成热，投入土豆条炸至外表呈金黄色时捞出，沥去油。

4.锅内放植物油，烧至四成热时下泡甜辣椒条、葱白段炒香，下土豆条、盐、孜然粉、干辣椒粉、味精簸匀，淋红油，撒花椒粉炒匀，起锅入盘即成。

麻辣青椒炒豆干

【食材】豆腐干400克，尖青辣椒150克。

【调料】花椒10克，盐4克，豆豉20克，味精3克，葱白10克，姜12克，植物油180克。

微波炉做菜有方法（一） 微波炉做菜时首先要用调料（如酱油、味精、盐、料酒、糖、姜、葱、蒜等）将原料浸润，而且要浸透。这是因为微波加热过程快，如果不将原料浸透，很难入味，且葱、姜、蒜等的去腥提味的作用难以发挥。浸润后的调料卤汁要滤净，否则多余的卤汁残留在盘碗中，会引起部分原料生熟不匀的现象。

厨房小窍门

Tips

微波炉做菜有方法(二) 用微波炉做汤羹时需要中途进行搅拌;肉片、牛排或相互重叠的食物需要翻转,以使食物受热均匀,有助于增强烹饪效果。烹调需勾芡上浆的食物时,用生粉、调料勾芡时要尽量做到少用水,原料和浆料混为一体。

厨房小窍门

【做法】1.将豆腐干洗净,切成菱形片;尖青辣椒洗净,切成滚刀块;葱白洗净,切成3厘米长的段;姜洗净,切末。

2.锅置火上,放入植物油,烧至五成热,下尖青辣椒块炒断生,下花椒、姜末、葱白段、豆腐干片、豆豉、味精,煸炒入味,起锅入盘即成。

麻辣青椒玉米条

【食材】嫩玉米饼350克,鲜青红辣椒100克。

【调料】花椒油13克,盐18克,葱白25克,红油20克,味精3克,植物油150克。

【做法】1.嫩玉米饼切成筷子粗的条。鲜青红辣椒去蒂、籽,切成粗丝。葱白洗净,切成5厘米长的段。

2.锅置火上,放植物油烧至五成热,下鲜青红辣椒丝和葱白段炒出味,投入嫩玉米条、盐、味精炒匀,淋红油、花椒油簸匀,起锅入盘即成。

麻辣青椒豆豉

【食材】尖青辣椒350克,豆豉25克。

【调料】花椒粉10克,盐15克,醋3克,味精3克,红油30克,植物油100克。

【做法】1.尖青椒去籽、蒂,洗净,切成1厘米大小的块。

2.锅内放植物油烧至五成热,下豆豉炒散,加尖青辣椒块、花椒粉、盐煸炒入味,再放醋、味精、红油炒匀,起锅入盘即成。

椒乳茼蒿

【食材】茼蒿500克。

【调料】盐4克,白糖3克,白腐乳8克,红辣椒丝10克,香油10克,蒜泥10克,水淀粉、植物油适量。

【做法】1.将茼蒿摘洗干净,切成6厘米长段,控干水分备用。

2.坐锅点火放植物油,油温至六成热时放入盐、蒜泥、红辣椒丝、白腐乳爆香,再下入茼蒿炒匀,放白糖翻炒至熟,略勾水淀粉,加香油炒匀即可。

萝卜连锅汤

【食材】白萝卜650克,猪肉500克。

【调料】干辣椒25克,花椒粒20克,葱白15克,豆瓣75克,老姜10克,酱油75克,植物油75克,味精1克。

【做法】1.选猪腿连皮肉500克,去毛刮洗干净,入沸水内煮至再沸时打去浮沫,随即加入花椒粒、拍破的老姜,煮十分钟左右刚熟时捞出,晾至不烫手时,用快刀片成长薄片。

2.白萝卜去皮洗净,切成长片,连同葱白放入肉汤内煮至萝卜片刚烂,即将猪肉片入锅搅匀,再同煮2~3分钟,白萝卜烂透时加入适量味精即成“连锅”。

3.花椒与干辣椒一同放入锅中,在微火上不停翻炒,至辣椒刚炒酥时滴入植物油少许,炒匀起锅,研成麻辣粉末,用大汤钵盛起。

4.将植物油烧热,待温度降低一半时倒入麻辣粉末中,随即加入豆瓣、酱油、味精调匀,盛入料碟,与连锅一同上席。

油吃麻辣茭白

【食材】茭白400克。

【调料】盐10克,干辣椒20克,味精2克,酱油25克,香油25克,花椒粒10克。

【做法】1.先把茭白的外皮扒去,洗净切成长片。

2.将干辣椒去掉蒂、籽,剪成段。

3.锅放在火上,倒入开水,水开后,下茭白片,水再开时,把茭白片捞出,放入容器内摊开晾凉,然后撒些盐、味精腌入味。

4.炒锅置火上,倒入香油,把花椒粒放入后用小火炸至深紫色时捞出扔掉,再放入干辣椒段,亦炸至深紫色时,倒入酱油,即成麻辣味汁,将此汁倒在茭白片上,拌匀即可。

Tips

微波炉做鸡翅 首先准备好鸡翅,调料有盐、酱油、味精、胡椒粉、鸡粉、淀粉。做法是:把洗净的鸡翅放到盆中,撒上盐,倒入酱油,再放入味精搅拌均匀,让鸡翅的正反面都可以沾到调料,然后腌制5分钟。在腌好的鸡翅上面撒上胡椒粉,再搅拌一下。然后将鸡粉、淀粉拌在一起,调匀后,把鸡翅放到上面,让鸡翅的正反面都沾匀混合物。最后把鸡翅放到微波炉里高功率加热5分钟,香喷喷的鸡翅就做好了。

厨房小窍门

油辣冬笋尖

【食材】净冬笋300克。

【调料】味精2克,杂骨汤100克,盐1克,酱油10克,红油25克,花椒10克,香油50克。

【做法】1.净冬笋在清水中煮熟,捞出,从中切开,用刀背拍松,切成条。

2.炒锅内放入香油,烧至七成热,下冬笋条、花椒煸炒30秒钟,再下酱油、盐炒几下,注入杂骨汤,加味精,焖2分钟,收于汤汁,盛入盘中,淋上红油,拌匀待凉,装盘即成。

麻辣蒜泥拌豆角

【食材】嫩豆角250克,大蒜15克。

【调料】盐10克,白糖10克,香油15克,花椒油、红油各10克,味精8克,香菜12克。

【做法】1.将大蒜剥去蒜衣,洗净,用刀拍碎,剁成蒜泥；香菜择洗干净，剁成末。

2.将嫩豆角摘去两头，洗净，放沸水锅中烫熟，捞出，沥水晾凉后切成寸段，放干净盘内，加盐、白糖、味精拌均匀。

3.取炒锅置火上，倒入香油，待油热后，倒入大蒜泥，等炸出香味后，离火，将蒜泥油、花椒油、红油、香菜末一起倒入豆角内，拌匀即可食用。

麻辣脆皮蕨菜卷

【食材】蕨菜100克，鸡蛋350克，鲜蘑20克，虾仁20克，鸡脯肉20克。

【调料】盐5克，味精2克，花椒粒5克，红油20克，香油5克，面包渣150克，葱末3克，姜末3克，湿淀粉25克，花椒油15克，植物油50克。

【做法】1.将蕨菜切末；鸡脯肉、虾仁切末；鲜蘑切丁。

2.将以上各种丁、末放在碗内，加盐、味精、葱姜末、红油、花椒油、香油拌成馅。

3.将鸡蛋打入碗内，加上湿淀粉搅匀，用勺摊成15个小蛋皮，剩下的鸡蛋液留用。

4.把蛋皮从中间一切两半，卷上馅，成5厘米长、2厘米粗的卷，蘸上面粉后，裹上鸡蛋液，粘上面包渣待用。

5.锅内放植物油和花椒粒，油至五成热时将卷下锅，炸成金黄色熟透，捞出控净油，码盘即成。

麻辣三鲜薇菜

【食材】薇菜150克，熟鸡肉10克，冬笋10克，鲜蘑25克，油菜心10克，火腿5克。

【调料】白糖5克，料酒10克，花椒油15克，红油25克，水发海米10克，葱花10克，姜末3克，湿淀粉20克，鸡汤150克，盐10克，植物油15克，味精4克，酱油10克。

【做法】1.油菜心洗净，用水稍焯、过凉。

2.火腿、冬笋、油菜心、鲜蘑、熟鸡肉均切丝。

3.勺内放植物油，用葱花、姜末炝锅，出香味后加入酱油、料酒、鸡汤、白糖、盐，再加入火腿、冬笋、水发海米，最后放入薇菜，用大火焖5分钟左右熟透后，再放油菜心、鲜蘑、熟鸡肉、味精略烧，用湿淀粉勾芡，淋红油、花椒油翻勺即成。

隔夜蛋糕恢复新鲜的窍门 香甜的蛋糕放了一晚上后，表皮因失水而有些发干，虽然并没有变质，但口感却不太好，怎样恢复原来的美味呢？方法很简单：在装面包或汉堡的牛皮纸袋里喷洒一些水，然后把隔夜蛋糕放到纸袋里，把袋口卷起来，放到微波炉里加热一分钟，蛋糕就又恢复新鲜时的松软了，口味也和新鲜蛋糕一样。

厨房小窍门

麻辣酥海带

【食材】干海带300克，猪肥肉500克。

【调料】酱油50克，醋50克，白糖100克，香油30克，味精5克，蒜50克，料酒40克，花椒粒10克，干辣椒25克，大白菜帮100克，葱段100克，姜片100克，盐50克，花椒油、红油、高汤各适量。

【做法】1.将干海带冲洗待用；将猪肥肉切成肉条、葱切段、姜切片、大蒜剥皮待用。

2.把海带铺在案板上，上面放切好的肉条，然后将海带卷成直径4厘米的卷。

3.将锅刷净，锅底放上竹蓖子，把海带卷置其上，码好一层放一层葱段、姜片、净蒜，一共码放三层，最上一层盖上大白菜帮。

4.将白糖、味精、盐、酱油、花椒粒、干辣椒、料酒、醋、香油倒入锅内。再放入高汤，然后盖严锅盖，放置火上烧开，再用小火炖6个小时，待汤快干时，连锅端下，晾凉以后，即可取出。

5.食用前，将海带卷切成0.5厘米的圆片，码放在盘中，淋上红油、花椒油即可食之。

油辣香菇

【食材】干香菇300克。

【调料】干辣椒100克，花椒10克，辣椒粉20克，花椒粉5克，盐20克，植物油500克。

【做法】1.将干香菇泡水1小时后捞出切成条；干辣椒剪成段。

2.炒锅用小火烧，将盐、辣椒粉、花椒粉混合均匀倒入炒锅迅速翻炒，至盐略黄，辣椒、花椒发出香味时倒出备用。

3.炒锅下植物油，六七成热时将香菇条放入，翻炒至香菇条变黄，发出香味时将干辣椒段、花椒和少许盐放入，再炒10分钟即可捞起入盘，再将刚才炒好的椒盐粉撒上，拌匀即可。

其他麻辣类

麻辣田鸡腿

【食材】大活田鸡500克。

【调料】酱油25克，红辣椒50克，醋10克，大蒜50克，味精2克，植物油1000克，花椒粉10克，湿淀粉50克，料酒50克，香油10克，盐5克。

【做法】1.用右手持刀在田鸡头部横刺一刀，用左手拉着皮往左扯，然后撕破腹部，去内脏并洗净，在背脊骨紧连后腿处斩下两腿，用刀

煮面条的小窍门 一般人煮面习惯于先把水烧开，然后再放面，其实这样容易做成“硬心面”。正确的煮面方法应该是在水开前两三分钟的时候，就是看到水面刚刚飘起水气就把面放进锅里煮。这样煮出来的面口感筋道，而且非常容易掌握时间，一般再将锅煮开两次，面就熟透了，既方便又节省燃料。

厨房小窍门

背敲断腿骨，再将两腿砍开，用料酒、少许盐和酱油拌匀，再用湿淀粉浆好。

2.红辣椒去蒂去籽，洗净后切成斜方块；大蒜切斜段，用酱油、醋、味精、香油、湿淀粉加少许清水兑成味汁。

3.将植物油烧沸，下入田鸡腿炸一下即捞出，待油内水分烧干时，再下入田鸡腿重炸焦酥呈金黄色，倒漏勺滤油。

4.锅内留底油，下入红椒块后加盐炒一下，再放入花椒粉、大蒜段、田鸡腿，倒入味汁，稍后装盘即成。

麻辣拌粉皮

【食材】粉皮500克。

【调料】红油15克，花椒粉10克，香油10克，白糖15克，酱油15克，盐5克，味精5克。

【做法】1.粉皮洗净切细丝，放盘中。

2.将红油、香油、花椒粉、白糖、盐、酱油、味精等调匀成味汁，浇在粉皮上拌匀即可。

麻辣粉丝

【食材】粉丝350克，猪肥瘦肉100克。

【调料】郫县豆瓣酱35克，花椒油12克，酱油12克，盐5克，姜末15克，蚝油20克，咖喱油10克，高汤200克，味精3克，葱白20克，香叶粉5克，植物油180克。

【做法】1.粉丝用温水泡软，洗净；猪肥瘦肉洗净，切成豌豆大的粒；郫县豆瓣酱用刀剁成蓉；葱白洗净，切成丝。

2.锅置火上，放油烧至五成热，下猪肥瘦肉、姜末炒散，加郫县豆瓣酱蓉炒香，烹入酱油，加高汤、粉丝、蚝油、咖喱油、盐，烧熟入味，下味精、葱白丝、香叶粉、花椒油翻炒均匀，起锅入盘即成。

重庆红汤火锅底

【食材】芽菜150克，酱油20克，豆瓣酱60克，植物油200克，牛油200克，糍粑海椒15克，豆豉30克，姜末10克，蒜末10克，花椒20克，草果10克，盐10克，小茴香、香草、豆蔻、香果、大料、孜然、胡椒、海椒、醪糟汁、料酒、胡椒粉、鸡精、白糖、高汤、葱各适量。

【做法】1.坐锅点火，倒入植物油（半锅左右），油温烧至100℃左右，加入牛油。

2.往锅内倒入豆瓣酱、糍粑海椒、姜末、蒜末、豆豉、芽菜、花椒、白糖、酱油、草果、高汤煮40分钟。待开锅后倒入所有的香料，煮40分钟左右，再放入盐、葱、鸡精、醪糟汁、料酒、胡椒粉即可。

Tips

煮水饺的窍门 1.煮水饺时在水烧开前，先在锅里放些洗净的葱头(大葱也可)，水开后再下水饺。这样煮出来的饺子不易破皮，熟后盛在碗里也不易粘连。2.烧水时放点盐，水开后再下水饺，煮出来的水饺也不易破，而且口感筋道。

厨房小窍门

香辣菜

香辣菜具有火红的人气，广受食者青睐，几乎各种食材都能成为它的主角，搭配运用各种辛香料和调味酱，能变化出层出不穷的香辣味。

香辣菜成菜质嫩味鲜，辣味中隐藏了水乡菜肴的鲜香元素，开胃健康，不可不尝。

香辣菜

猪　肉

什锦肉丁

【食材】猪里脊肉150克，青豆50克，香菇50克。

【调料】盐4克，味精1克，鲜辣椒50克，料酒15克，胡椒粉、葱、姜、湿淀粉、植物油各适量。

【做法】1.鲜辣椒切块；香菇切丁；里脊肉切丁，加料酒、葱、姜、胡椒粉、味精入味，下八成热油中滑熟捞出。

2.锅留底油，下辣椒块煸炒出辣味，下里脊肉丁、青豆、香菇丁翻炒几下，加盐、味精，勾薄芡翻匀即可。

炒锅子肉

【食材】带皮猪肉300克，青蒜白50克，水发木耳15克。

【调料】酱油3克，味精1克，猪油50克，干辣椒25克，白糖、盐各2克，料酒15克。

【做法】1.带皮猪肉切成肉片；青蒜白洗净，去一层外皮，剖成两半，再切成段；干辣椒去蒂、籽，切成小丁；水发木耳洗净，每只切成两半。

2.炒锅放在旺火上烧热，放入猪油，烧至六成热时，将肉片倒入锅内炒一分钟，立即倒入漏勺内，滤去油。

3.将炒锅放回旺火上，倒入猪油，待锅热时，把干辣椒丁倒入，待炸出香辣味时，放入青蒜白段、木耳、炸肉片煸炒，然后和料酒、白糖、酱油、味精、盐混合，搅匀后起锅，盛入盘中。

不能用热水解冻肉　刚从冷冻箱里取出的冻肉，用热水浸泡解冻的方法是不妥的。用热水解冻，肉的汁液晶体很快融化，来不及渗入肉的纤维内而白白流失，从而失去一部分蛋白质和芳香物质。用这种肉类制作的食品，营养价值不高，味道也不好。科学的方法应该将冻肉放在15℃~20℃的地方，使其自然解冻。

厨房小窍门

Tips

猪肉不宜长时间泡水 很多人喜欢把买回来的新鲜猪肉用冷水或热水长时间的浸泡、漂洗，以求干净。经这样处理的肉虽然看上去又白净又柔软，但这种做法会使猪肉失去很多营养成分，鲜味淡薄。如果猪肉确系被泥沙、木屑等污染，应先用干净的粗布将其擦拭干净，然后用冷水快速洗干净，即可切配烹调。

厨房小窍门

干豇豆烧肉

【食材】猪五花肉250克，干豇豆100克。

【调料】植物油60克，郫县豆瓣20克，泡辣椒15克，姜片、葱段、大料、山柰、桂皮、小茴、胡椒粉、白糖各适量，料酒20克，味精1克，盐2.5克，高汤适量。

【做法】1.猪五花肉刮洗净，切成2.5厘米见方的块；干豇豆泡发好后洗净，切成3.5厘米长的段；郫县豆瓣、泡辣椒均剁细。

2.炒锅置火上，放入植物油烧热，投入姜片、葱段炸香，下五花肉块爆炒，烹入料酒，肉块水分煸干时，加入郫县豆瓣、泡辣椒、大料、山柰、桂皮、小茴香炒出色，再调入盐、胡椒粉、白糖炒匀，掺入高汤，用小火烧至五花肉块烂时，下入干豇豆段，烧至干豇豆段入味且汤汁浓稠时，调入味精，起锅装盘即成。

青椒炒里脊丝

【食材】猪里脊肉200克，青尖椒100克。

【调料】葱段4克，料酒15克，味精1.5克，白汤100克，鸡蛋清40克，湿淀粉25克，香油5克，盐适量，植物油750克。

【做法】1.将猪里脊肉分成大片，再切成粗细均匀的丝，放入清水中漂洗，沥干水，置碗内，调入盐、鸡蛋清，抓渍一下，拌上适量湿淀粉上浆；青尖椒摘去蒂，去芯，切成丝，待用。

2.将炒锅置旺火上，下植物油，烧至三成热，将里脊丝落锅，用筷子划散，将要起锅时，加入尖椒丝，然后倒入漏勺沥油。

3.原锅留底油，投入葱段、里脊丝和尖椒丝，加白汤、盐、味精、料酒稍炒，用湿淀粉勾芡，淋上香油，翻炒均匀，装盘即成。

豉椒肉丝

【食材】猪瘦肉200克，柿子椒50克，冬笋50克。

【调料】豆豉30克，干辣椒15克，酱油25克，料酒10克，盐、味精各5克，葱粒15克，水淀粉30克，植物油75克，鸡汤适量，鸡蛋液20克，香油少许。

【做法】1.将猪肉切丝，加酱油、料酒、鸡蛋液、水淀粉上浆；冬笋、柿子椒切丝；干辣椒切末；豆豉洗净切粒。

2.起锅放植物油烧七成热将肉丝滑散、控油；冬笋丝用开水焯好。

3.锅留底油，下入豆豉粒、干辣椒末、葱粒炒香，投入冬笋丝、肉丝略炒，加入料酒、盐、味精、酱油、鸡汤，用水淀粉勾芡，投入柿子椒丝翻炒，淋香油出锅即可。

川味肉丁

【食材】猪瘦肉150克。

【调料】植物油100克，酱油20克，料酒20克，盐0.5克，白糖3克，醋2克，鸡蛋清40克，水淀粉20克，郫县豆瓣酱25克，葱、姜、蒜、高汤各15克，味精适量。

【做法】1.将葱切成葱段，姜、蒜切成片备用；将切好的肉丁用酱油、料酒、盐、味精腌制入味，再加入鸡蛋清、水淀粉，用手抓匀。

2.用酱油、白糖、醋、高汤、料酒、盐、味精、水淀粉兑成芡汁。

3.锅上火注入植物油烧热后，将上好浆的肉丁与豆瓣酱同时下锅煸炒，豆瓣酱炒出香味后下入葱段、姜片、蒜片翻炒，再倒入兑好的芡汁，等芡汁熟透后翻炒，视芡汁均匀地将原料裹起来即可出锅。

宫爆肉丁

【食材】猪后腿肉100克，笋丁50克。

【调料】植物油40克，蛋清15克，水淀粉25克，白糖10克，盐10克，味精2克，料酒10克，酱油10克，红油20克，辣豆瓣酱50克，高汤100克。

【做法】1.把肉切成1厘米见方的肉丁。

2.将肉丁用蛋清、水淀粉、盐浆好，再用辣豆瓣酱抓一抓，用温植物油滑开；笋丁用水氽一下。

3.将白糖、盐、酱油、味精、料酒、水淀粉、高汤兑成汁。

4.热锅打底油，倒入肉丁、笋丁翻炒几下，再倒入兑好的汁翻炒几下，淋红油出锅即成。

炒双层肉

【食材】猪耳朵2只。

【调料】湿淀粉25克，水发玉兰片50克，香油10克，洋葱10克，干辣椒20克，酱油25克，盐25克，肉汤150克，熟猪油50克。

【做法】1.将生猪耳朵刮去茸毛、洗净，切去耳尖、耳根不用，中间耳肉切成薄片；干辣椒切成碎片；玉兰片切成薄片；洋葱切段。

2.炒锅置中火上烧热，舀入猪油，烧至七成熟时，将干辣椒片下锅稍炸一下，倒入猪耳朵片、玉兰片、洋葱段煸炒片刻，放酱油、盐、舀入肉汤焖1分钟，用湿淀粉勾稀芡，淋上香油即成。

志士肉

【食材】熟五花肉300克。

【调料】甜豆豉50克，蒜头15克，酱油20克，料酒15克，干辣椒20克，熟猪油30克，盐适量，味精2克。

【做法】1.将熟五花肉切成骨牌片；蒜去皮切成指甲片；干辣椒切成两段。

2.锅上火烧热，注入猪油，将干辣椒段、甜

再冻肉不宜吃 家畜肉常常被冷冻保存，若解冻方法不当，会使营养素流失。经解冻后再次冷冻的肉为再冻肉，食用这种肉是不利于健康的，因冻肉中的大部分水被冻结成冰，将细胞膜胀破，使肉的弹性降低，再经冷冻和解冻时，肉内的液汁随肉中水分的流失而损失，无论是肉的口感还是营养价值都有所下降，而且还容易滋生细菌。

Tips

厨房小窍门

豆豉、蒜片下入锅内煸出香味，随即下入五花肉片，继续煸炒，炒至肉吐油，放入料酒、酱油、盐、味精，然后改小火稍焖一下，汁收净后即可出盘。

双椒爆腰花

【食材】猪腰300克，红、青尖椒各100克。

【调料】盐2克，味精适量，酱油、葱油各少许，葱花、姜末、蒜末、植物油各少许。

【做法】1.将猪腰改成麦穗花刀，焯水待用；红、青尖椒均切成小段。

2.净锅放植物油烧热，葱花、姜末、蒜末炝锅爆香，放入红、青尖椒，加入腰花、酱油、葱油、盐、味精炒均匀，出锅即成。

八宝辣子腰松

【食材】猪腰200克，青笋20克，胡萝卜20克，米椒50克，鲜玉米粒20克，花生米20克，玉兰片10克，绿尖椒15克。

【调料】盐5克，味精2克，白糖2克，水淀粉适量，植物油50克，葱花、香油少许。

【做法】1.将所有食材(花生米除外)切丁，焯水备用；花生米炸熟。

2.炒锅下植物油烧热，放入葱花爆香，加入食材、盐、白糖、味精翻炒，用水淀粉勾芡，淋香油即成。

Tips

怎样识别“再冻肉” 在选购冻肉时，识别再冻肉十分重要，主要是看外形：脂肪呈深红色，肉表层红色的，一般就是“再冻肉”。因肉在溶解过程中，血水已浸染过白色脂肪，又经过再冻结，使肉中细胞内水分和营养物质外溢，重新结冰附着在肉体表面，使脂肪为红色。“再冻肉”解冻时，外溢的营养物质将会随着冰的溶化而大量流失。另外，买回的冻肉如果经解冻后用指压后难以恢复，说明其无弹性，是“再冻肉”。

厨房小窍门

双椒韭黄炒腰柳

【食材】猪腰250克，韭黄150克，红、绿尖椒各25克。

【调料】盐5克，味精2克，白糖2克，植物油30克，葱、蒜、香油各少许。

【做法】1.韭黄切段；猪腰切丝，焯水备用；红、绿尖椒切丝。

2.锅内放植物油，加入葱、蒜爆香，放入韭黄段，猪腰丝，红、绿尖椒，加入盐、白糖、味精翻炒，淋香油出锅即成。

粉皮拌腰片

【食材】鲜猪腰250克，绿豆粉皮75克。

【调料】姜末1克，葱花1克，蒜5克，醋2克，鲜红辣椒20克，胡椒粉2克，料酒2克，香油25克，盐5克，味精1克，酱油10克，肉汤250克。

【做法】1.猪腰洗净撕去皮膜，从中剖为两半，片去腰臊，表面用直刀剞数刀，再斜片成鱼鳃形，放入清水中漂去血水，捞起沥干。

2.将蒜、鲜红辣椒均切成米粒状，与葱花拌匀，盛在碗里，放上酱油、姜末，适量香油、盐、味精、料酒、醋、胡椒粉，倒进肉汤调成卤汁待用。

3.炒锅置旺火上，加入适量清水，烧沸后，将腰片入锅氽熟，捞起放入凉开水内浸凉，取出沥干水分，盛入碗内，把调好的卤汁倒入拌匀待用。

4.粉皮用开水烫透，捞起切成块状，淋上香油拌匀晾凉，将一半放入盘底，另一半与腰片拌和后，盖在上面即成。

火爆腰花

【食材】猪腰子250克，豌豆尖50克。

【调料】葱段8克，干辣椒30克，姜、蒜片各10克，盐5克，湿淀粉23克，酱油8克，猪油75克，清汤30克。

【做法】1.猪腰洗净，撕去油皮，对剖两开，片去腰臊，把猪腰用斜刀均匀地将一面切一道花子，再将猪腰换个方向用立刀切，头两刀不切断，第三刀切断，切成腰花。

2.在碗内用盐、酱油、湿淀粉、清汤少许兑成芡汁；将葱段、姜片、蒜片、豌豆尖做调料放于另一碗内。

3.炒锅置旺火上，放入猪油，烧至七成热时，爆香干辣椒，再将腰花用盐、湿淀粉拌匀下锅，经旺火爆炒，直到变色翻花，立即放入调料炒匀，勾味芡汁下锅，炒匀起锅即可。

三色爆肚片

【食材】猪肚250克，南瓜100克，红、绿尖椒各20克。

【调料】盐5克，味精2克，白糖少许，水淀粉适量，植物油30克，葱花、姜末、蒜片、香油各适量。

【做法】1.将猪肚切菱形片，用沸水氽熟；红、绿尖椒和南瓜切菱形片，焯水待用。

2.炒锅下植物油烧热，放葱花、姜末、蒜片爆香，放入食材和盐、白糖、水淀粉、味精翻炒，淋香油出锅，装盘即成。

米椒爆蹄筋

【食材】熟猪蹄筋350克，米椒、绿尖椒各20克。

防止猪油粘盘子 猪油所含的色素少，烹制出的菜肴色泽洁白，因此猪油在烹调中应用非常广，特别是炸“裹蛋泡糊”的原料必须用猪油。但是猪油烹制的食品，晾凉后表面的油凝结成脂，泛白色，粘在盘子上很难除去。如果事先用热水烫一下盘子再装猪油烹制的食品，就能有效防止粘盘子现象的发生。

厨房小窍门

【调料】盐5克，味精2克，白糖、蚝油、红油各少许，葱、姜、蒜各少许，植物油30克。

【做法】1.蹄筋切成段；米椒、绿尖椒顶刀切段，备用。

2.炒锅下植物油烧热，用葱、姜、蒜爆香，放入米椒、绿尖椒、蹄筋以及所有调料翻炒，出锅时，淋红油即成。

怪味肚丝

【食材】猪肚条300克。

【调料】酱油30克，白糖15克，醋10克，盐、花椒粉各5克，红油辣椒25克，芝麻酱10克，熟芝麻20克，香油5克，味精2克，姜末10克，蒜泥10克，郫县豆瓣30克，葱花10克，鸡汤、植物油各适量。

【做法】1.猪肚条洗净，入锅煮，汤烧开撇尽浮沫，煮至刚熟，捞入凉开水中，漂凉后去骨，切成粗丝。

2.取一只碗，放入酱油、白糖、盐、醋、花椒粉、芝麻酱、熟芝麻、味精、香油、红油辣椒、姜末、蒜泥、郫县豆瓣、葱花，加适量肚条汤，兑成怪味汁。

3.炒锅上火，放少量的植物油，烧热后，下入肚丝及怪味汁翻炒，出锅撒上葱花即可。

双层肚丝

【食材】猪肚头325克，净冬笋100克。

【调料】盐3.5克，高汤35克，湿淀粉15克，干辣椒20克，香油2克，青蒜15克，猪油350克，醋4克，姜3.5克，料酒10克，淡酱油3克，味精2克。

【做法】1.将猪肚头入冷水内刮去脏液，洗净，切成4.5厘米长的丝；姜、干辣椒、青蒜切成同样的丝，用少量湿淀粉、盐浆好待用。

2.把适量猪油倒入锅内，放在旺火上，烧至六成热时，放入肚丝过油1分钟后，捞起，沥干油备用。

3.锅内留底油，把冬笋、干辣椒丝下锅，煸1分钟，投入青蒜丝、姜丝、料酒、淡酱油、盐、味精、高汤，下入肚丝拌后，待汤汁即将收尽时，淋上醋、香油即成。

皮干生

【食材】猪前腿300克，笋丝100克，豆芽菜100克，韭菜100克，熟花生100克。

巧手处理回锅油 1.烹调油炸食物时，通常需用大量的色拉油，但食物炸完后，还剩下许多油不知如何处理。这时如果将剩米饭倒入回锅油中炸一炸，可使回锅油立刻恢复清清如水。2.可用现成的咖啡滤纸代替滤油纸来滤油，在滤过的油容器中，各放一片大蒜和生姜，这样不仅气味没了，油又清亮了，还可使油更为香浓可口。

厨房小窍门

Tips

巧手除豆油的大豆味 豆油含磷脂较多，用鱼肉或肉骨头熬汤时，加入适量豆油可熬出浓厚的白汤，非常诱人。但豆油的大豆味较浓，往往会影响汤的口味，如果在豆油加热后投入葱花或花椒，可有效地除去豆油中的大豆味，但汤的颜色也会因此而变深。

厨房小窍门

【调料】薄荷、香菜、蒜泥、盐各10克，芝麻酱60克，酱油100克，辣椒粉60克，香油20克，小苏打1克，大料50克，花椒40克，味精3克，红油5克。

【做法】1.将猪腿去掉爪尖，刮洗干净，然后用小苏打兑水擦均匀，晾干。

2.猪腿在火上烘烤，成黄色时离火；将笋丝放入碗中，撒上盐调拌均匀，腌渍，然后放水中漂洗去苦味，沥干水分；将韭菜择洗净切成段；豆芽菜洗净，放入沸水中氽一下捞出，用冷水漂凉。

3.将烤好的猪腿肉去骨，切成丝，放入碗内，然后将蒜泥、芝麻酱、红油、辣椒粉、酱油、盐、香油、大料、花椒、味精放入碗内，兑成味汁，倒在肉丝中，腌渍。

4.将笋丝、韭菜、豆芽放盘中，倒入肉丝和余下汁水，撒上薄荷、香菜、熟花生即可食用。

熟炒肚尖

【食材】熟肚尖300克。

【调料】熟猪油100克，鲜红辣椒25克，盐8克，姜5克，料酒5克，酱油10克，味精2克，洋葱25克，肉汤少许，湿淀粉10克。

【做法】1.将熟肚尖切成长条；红辣椒、姜切末；洋葱切段。

2.炒锅置旺火上烧热，舀入猪油烧热后，投入肚尖条、红辣椒末、姜末煸炒片刻，随即放入盐、酱油、料酒焖一下，再放入洋葱段、肉汤、味精烧片刻，然后用湿淀粉勾芡速炒几下，起锅装盘即可。

糊肘

【食材】去骨猪肘子250克。

【调料】腌韭菜花10克，酱油50克，酱豆腐汁15克，蒜泥10克，红油30克。

【做法】1.将猪肘子叉在铁叉子上，用火把肉皮燎成焦糊色，起小泡后，放到温水里泡30分钟，刷去糊皮，使肉皮呈金黄色，再放到清水锅里煮，煮熟后带皮切成薄片，码在盘内。

2.把酱油、蒜泥、红油、腌韭菜花、酱豆腐汁放在小碗内调匀，随肉片一起上桌，随蘸吃。

藜蒿炒腊肉

【食材】腊肉300克，藜蒿根200克。

【调料】盐5克，熟猪油50克，干辣椒25克。

【做法】1.将腊肉用温水洗净，剔去皮，盛入瓦钵内，上笼蒸30分钟取出。

2.将肥瘦腊肉分别切成条；藜蒿根用刀刮去表皮，洗净后，切成长条；干辣椒切成细末。

3.炒锅置旺火上，放入熟猪油，烧至六成热，先倒入肥腊肉和蒸腊肉钵内的原汁，炒几下再加入藜蒿根和干辣椒末煸炒，接着放入盐，继续炒1分钟，再下瘦腊肉合炒，放入适量清水，焖2分钟，待收干水，盛入盘中即成。

香辣肉酱

【食材】肉馅400克，西红柿罐头400克。

【调料】辣椒粉20克，老抽50克，白糖15克，盐10克，味精8克，植物油50克。

【做法】1.植物油烧至六分热，下辣椒粉，稍炸，不要炸糊。

2.下肉馅，大火炒约10分钟，直到水分完全蒸发掉，成干肉粒状。

3.下西红柿罐头，加白糖适量，放老抽上色。

4.炒7~8分钟，直到成黏稠状，加盐、味精炒匀即可出锅。

青椒肉丝

【食材】猪肉200克，青尖椒70克。

【调料】植物油75克，盐2克，料酒、甜面酱、葱各13克，酱油20克，湿淀粉15克，味精3克，姜8克。

【做法】1.将肉、葱、姜和青尖椒(去籽和蒂)均切成丝，肉丝用少许酱油、料酒、盐拌匀，然后浆上湿淀粉，再抹些植物油。

2.用酱油、料酒、味精、葱、姜、湿淀粉兑成汁。

3.炒锅下植物油，烧热后即下肉丝，推散后加入甜面酱，待散出味后加青尖椒丝炒几下，再倒入兑好的汁，待起泡时翻匀即成。

合川肉片

【食材】猪腿肉300克，水发玉兰片100克，水发木耳30克。

【调料】泡辣椒30克，姜、蒜、葱各10克，盐3克，酱油10克，醋10克，白糖15克，味精1克，料酒10克，高汤40克，水豆粉25克，鸡蛋25克，植物油150克。

【做法】1.猪腿肉切薄片，加盐、料酒、鸡蛋、水豆粉拌匀；水发玉兰片切成薄片；泡辣椒去籽切成菱形；姜、蒜切片；葱斜切成马耳朵形。

2.用酱油、糖、醋、味精、水豆粉、高汤兑成芡汁。

3.炒锅置旺火上，放油烧热，将肉片理平入锅，煎至呈金黄色时翻面，待两面都呈金黄色后，将肉片拨至一边，下泡辣椒、姜片、蒜片、木耳、玉兰片、葱，迅速翻炒几下，然后与肉片炒匀，烹入芡汁，迅速翻簸，起锅装盘即成。

生煎肉片

【食材】净猪腿肉200克，青椒50克，蒜苗15克。

【调料】甜面酱15克，郫县豆瓣酱、酱油各10克，葱8克，姜5克，植物油100克，料酒、香油各15克。

【做法】1.将猪腿肉洗净切片；将青椒洗净切片；蒜苗洗净切段。

Tips

估测油的温度　1.简易估测法：将一根新木筷插入油锅内，如果油一下子就沿着筷子传上来，油温大约为85℃以上；若有小泡泡传上来，油温大约为75℃~85℃左右；当泡泡一个接一个冒上来时，油温大约为70℃左右。2.专业估测术语：三四成热：80℃~130℃，油面平静，无烟和声响；五六成热：140℃~180℃，油面波动，有青烟；七八成热：190℃~240℃，油面平静，有青烟；九成热：250℃以上，油面平静，油烟密而急，有灼人的热气。

厨房小窍门

2.将猪腿肉片放油锅内炸成金黄色，捞出沥油；锅留底油烧热，加甜面酱、料酒、豆瓣酱、酱油、葱、姜等调料炒匀，接着下肉片、青椒、蒜苗一起炒几下，再淋入香油即可出锅。

龙江小炒肉

【食材】猪瘦肉250克，圆葱20克，红、青辣椒各25克。

【调料】盐5克，味精1克，料酒15克，酱油10克，醋少许，蛋清15克，干淀粉、白芝麻适量，植物油200克。

【做法】1.将猪瘦肉切成片，放入盐、料酒、酱油、蛋清、干淀粉、白芝麻腌制1~2小时后；放入油锅炸熟取出，沥干油。

2.圆葱切粒，红、绿尖椒切丝。

3.锅留底油，放圆葱煸出香味，下红、青辣椒丝、炸好的猪肉块、少许盐、醋、味精，翻炒均匀即可装盘。

黑三剁

【食材】猪肉馅100克，玫瑰大头菜50克，红、青辣椒30克。

【调料】香油10克，料酒5克，酱油5克，鸡精5克，植物油80克。

【做法】1.玫瑰大头菜剁成碎粒，红、青辣椒去籽和蒂，切成碎丁。

2.中火烧热炒锅，倒入植物油，油温上升即可放入猪肉馅，用锅铲压散，煸炒5分钟，至肉中水分完全煸干，肉末成金黄色时，再加入酱油和料酒炒香。

3.在炒过的肉末中加入尖椒碎丁和玫瑰大头菜粒，大火再炒5分钟，调入鸡精和香油，翻炒均匀即可。

三下锅

【食材】猪腊肉300克，胡萝卜500克，白萝卜500克，青菜头500克。

【调料】盐15克，红油20克，酱油10克。

【做法】1.猪腊肉洗净，放入沙锅中，加水和红油煮。

2.待水沸，下切成滚刀块的胡萝卜、白萝卜，再沸下青菜头同煮，至肉熟菜肥时，加盐、酱油略煮一会，然后连菜带汤盛入大汤碗中即成。

小炒肉菜挂糊的技巧 1.一定要先将鱼、肉原料上的水分挤干，特别是经过冰冻的原料，否则很容易渗出水分而导致脱浆，还要注意液体调料也要尽量少放，否则会使浆料上不牢。2.要注意调味品加入的次序。一般先放入盐、味精和料酒，再将调料和原料一同使劲拌和，直至原料表面发黏才可再放入其他调料。先放盐可以使咸味渗透到原料内部，同时使盐和原料中的蛋白质形成“水化层”，可以最大限度保持原料中的水分少受或几乎不受损失。

厨房小窍门

里脊豆豉辣酱

【食材】猪里脊肉250克，黑豆豉150克。

【调料】植物油100克，红辣椒酱200克，白糖、料酒、姜末、酱油各少许。

【做法】1.将猪里脊肉切成比黄豆略大的丁，姜切末，放入碗内，用料酒和酱油拌匀。

2.黑豆豉放入碗内，用清水略浸泡，然后沥去水分。

3.炒锅置中火放植物油，下猪里脊肉丁翻炒片刻，加黑豆豉、红辣椒酱、白糖，翻炒均匀后盛入大碗内，置蒸锅蒸上一刻钟即可。

凉拌肉皮丝

【食材】猪肉皮250克，芽菜50克，冬瓜片75克。

【调料】红油25克，酱油8克，白糖10克，蒜末15克，盐5克，味精3克，香油8克。

【做法】1.猪肉皮择净毛，洗净，放进开水锅中煮熟，捞出晾凉，切3厘米长细丝，装碟。

2.将红油、酱油、白糖、盐、味精、香油、蒜末调匀，浇在猪肉皮上拌匀。

3.芽菜淘净，尽量挤干水分，切成末，放于蒸碗内的冬瓜片上作底，上笼蒸10分钟取出盛入放肉皮的盘中，拌匀即成。

红椒酿肉

【食材】泡红椒20克，去皮猪肉300克，金钩虾15克，水发香菇15克。

【调料】蒜瓣50克，酱油15克，味精5克，盐2克，香油2.5克，鸡蛋15克，熟猪油1000克，湿淀粉75克。

【做法】1.去皮猪肉洗净剁成肉泥，金钩虾、水发香菇洗净切成米粒状，与肉泥同盛一碗内，加入鸡蛋、盐、酱油，湿淀粉一齐调匀，制成馅。

2.泡红椒洗净，在蒂部切口去籽去瓤，从切口处灌进馅，用湿淀粉逐个封住切口。

3.炒锅置旺火，放入熟猪油，烧至八成热，下蒜瓣炸香捞出，再放入夹馅泡红椒。

4.泡红椒炸至八成熟捞出，封口朝底排放瓦钵中，撒上蒜瓣，上笼蒸熟后翻扣在大瓷盘中。

5.炒锅置旺火，放入熟猪油，烧至七成热，将蒸红泡椒的原汁滗入锅中，烧开后放入味精、酱油，用湿淀粉调稀勾芡，淋在蒸熟的红泡椒上面，再淋入香油即成。

Tips

巧贮存食用油（一） 1.植物油开启后易酸败变质，将花生油、豆油入锅加热，放入少许花椒、茴香，油晾凉后，倒进搪瓷或陶瓷容器中存放，不但能久存，烹调出来的菜味道也特别香。2.熟猪油热天易变质，炼油时可放几粒茴香，盛油时放一片萝卜或几颗黄豆，或者在油中加一点白糖或盐及豆油，可久存无怪味。猪油熬好后，趁其未凝结时，加进一点白糖或盐，搅拌后密封，可久存而不易变质。

厨房小窍门

芝麻肉丝

【食材】猪瘦肉500克，熟芝麻45克。

【调料】香油15克，大料2克，盐10克，花椒2克，葱段15克，料酒20克，红油20克，高汤500克，姜汁15克，白糖8克，植物油2500克，味精1克。

【做法】1.猪瘦肉洗净后切成10厘米的细丝，加入盐、姜汁、葱段、料酒调匀，腌半小时。

2.锅置旺火上，加入植物油，烧至五成热，下入拌匀的肉丝，至肉丝炸至呈淡金黄色捞出沥油。

3.原锅除去葱段，留底油，将炸好的肉丝放入锅中，掺高汤烧沸，撇去油沫，加入盐、白糖、大料、花椒，用小火收至肉丝水分快干时，放入味精、香油，再收一下起锅，冷却后加入红油和熟芝麻，拌匀即成。

白肉片

【食材】猪通脊肉500克。

【调料】酱油50克，红油25克，腌韭菜花20克，酱豆腐汁30克，蒜泥10克。

【做法】1.将猪通脊肉横割成三或四条，每条宽13厘米，再切成长20厘米的块，刮洗干净。

Tips

巧贮存食用油(二) 3.家庭贮油应选择玻璃瓶或陶瓷容器。瓶的颜色应用略深点的颜色，这样可起到避光的效果。4.植物油里放点维生素E更易保存，投放比例是500克油放一滴维生素E。然后再将其密封，放置到避光的地方，就可放心贮存两年时间而品质不变。

厨房小窍门

2.肉皮朝上放入锅内，倒入清水，盖好锅盖，先用旺火烧开，再改用文火煮两小时，用筷子扎一下肉，以筷子一戳即入、拨出时肉无力为适度。

3.肉煮好后，先撇净浮油，再捞出晾凉，撕去肉皮，切成长10~13厘米的薄片，整齐地码在盘内。

4.把酱油、蒜泥、腌韭菜花、酱豆腐汁和红油调料一起（或凭食者喜好选择其中几样），放在小碗内调匀，随肉片一起上桌。

豆渣煲猪蹄

【食材】猪蹄300克，生细豆渣500克。

【调料】猪油400克，特级清汤200克，料酒50克，盐3克，味精2克，深色酱油40克，浅色酱油30克，大料、草果各10克，红油50克，花椒20克，胡椒16克，老姜、葱适量。

【做法】1.猪蹄洗净，剁块，将锅放炉上倒入清水，将猪蹄块放入，用旺火煮5分钟捞出待用。

2.生细豆渣上笼蒸后取出晾凉，用净布包着挤干水。锅上火烧热倒入猪油烧开，放入豆渣用微火炒，至油和豆渣混为一体时，再加猪油继续炒至豆渣酥香不吐油，起锅待用。

3.老姜、葱洗净，用刀拍松，与花椒、胡椒、大料、草果一起用稀眼净布包好待用。

4.用沙锅一个，将特级清汤、料酒、盐、深色酱油、红油、老姜、葱及料包一起放入，再放入猪蹄块，用旺火烧开，将锅口封严后用旺火烧约四小时，将汤汁盛于炒锅中，放入炒好的豆渣及适量味精拌匀烧开，淋于猪蹄块上，连煲上桌即成。

黄金肉

【食材】猪瘦肉300克。

【调料】植物油500克，鸡蛋70克，料酒15克，酱油15克，葱丝10克，盐10克，姜丝10克，白糖15克，香菜段20克，味精3克，高汤50克，醋10克，辣椒粉20克，湿淀粉30克。

【做法】1.将猪瘦肉切成柳叶片，放在碗里，加入少许盐、料酒腌制一会儿，然后用鸡蛋、湿淀粉调制的浆液抓拌均匀。

2.碗内放入料酒、醋、酱油、白糖、味精、高汤兑好汁水。

3.炒锅放植物油，烧至四成热时，将肉片下锅滑开，倒入漏勺（锅内不留底油），再把肉片倒入锅内煎，当两面呈金黄色时放大碗中，把葱、姜丝，香菜段撒在肉片上，浇入兑好的汁水，最后撒上辣椒粉拌匀，装盘即成。

Tips

厨房小窍门

热油消沫 猪油在炼制过程中，不可避免地混入一些蛋白质、色素和磷脂等，加热时，这些物质就会剧烈反应，使猪油产生泡沫。如果温度过高，油还会变为黏稠、黑色的胶状物，影响油的色泽和滋味。如果在热油起沫时，用手指轻弹一点水进去，一阵轻微爆锅后，油沫消失了。

红油耳片

【食材】新鲜大猪耳500克。

【调料】红油50克，葱丝100克，盐20克，味精7克，白糖15克，香油10克。

【做法】1.猪耳洗净，放入沸水锅中加热，煮至刚熟，取出，用一重物压平猪耳，自然晾凉后切成薄片。

2.碗中加入盐、白糖、味精、红油、香油调成味汁。

3.将猪耳片与调好的味汁、葱丝拌匀，装盘即成。

香辣猪舌

【食材】卤猪舌2条，生菜100克，冬菇50克，鲜红辣椒50克。

【调料】姜片5克，蒜蓉15克，葱段15克，料酒8克，红油25克，蚝油30克，猪舌汤200克，老抽、淀粉、盐、白糖各5克，植物油30克，生抽8克。

【做法】1.将冬菇浸软去脚，加白糖、料酒少许，拌匀，加姜片、葱段少许，上火蒸15分钟，取出，晾凉切丝；鲜红辣椒洗净切丝；卤猪舌切丝，备用。

2.炒锅内放植物油，烧热后放姜片、蒜蓉、鲜红辣椒丝，爆香后，烹入料酒，放入白糖、盐、生抽、老抽、卤猪舌丝、冬菇、煸炒均匀，放入蚝油、红油，翻炒片刻，用淀粉勾芡后盛出，最后将生菜烫一下摆盘边即成。

红油拌口条

【食材】猪口条200克。

【调料】红油20克，白糖8克，酱油10克，香油10克，盐5克，味精5克，葱8克。

【做法】1.把猪口条刮净舌苔(即一层白膜)，洗净，放进开水锅中煮熟，捞出，适当切成薄片，放盘内。

2.把红油、白糖、酱油、香油、盐、味精、葱(切细末)一起放在碗中调匀，浇在口条上，拌匀即可。

豆干炖肥肠

【食材】熟猪肥肠100克，干豆腐250克，油菜心100克，胡萝卜25克。

【调料】酱油3克，盐3克，味精4克，料酒5克，花椒水5克，葱丝5克，姜末3克，干辣椒5克，蒜片3克，熟猪油20克，香油2克，高汤500克，红油50克。

【做法】1.将猪肥肠切成马蹄块，放入沸水锅内焯一下捞出，沥干水；干豆腐切成边长为4厘米的菱形片，用沸水烫一下。油菜心洗净掰成单叶，胡萝卜去皮切小菱形片。

2.锅内放入熟猪油烧热，用葱丝、姜末、蒜片、干辣椒炝锅，放肥肠块、胡萝片煸炒，添高汤，加酱油、盐、料酒、花椒水，再放入干豆腐，大火烧开转中火炖15分钟，加上油菜心、味精、红油，再炖3分钟，淋入香油即可出锅。

牛 肉

牛肉炒粉

【食材】牛精肉200克，干米粉500克。

【调料】姜100克，猪油150克，干红椒25克，酱油25克，淀粉10克，盐5克，大蒜20克，高汤100克，味精10克。

【做法】1.将干米粉煮至八成熟，用清水漂净沥干备用；牛精肉切成细丝，用淀粉、盐拌匀上浆；红辣椒、大蒜、姜均切成细丝。

2.将炒锅烧热，猪油烧至六成热时放入牛肉丝炒散，然后放入红椒丝、大蒜丝、姜丝，炒出香味，加酱油、高汤、味精，再将米粉倒入锅

除肥肉的油腻 要想使肥肉不腻人且可口，可把肥肉切成薄片，加调料后在锅里炖。再按500克猪肉1块腐乳的比例，将腐乳放在碗里，加适量温水，搅成糊状。待开锅后倒入锅里，再炖3~5分钟即可。用这种方法做的肥肉，吃起来不腻，味道鲜美可口。

Tips

啤酒美食法 1.啤酒炒肉：用啤酒调淀粉拌肉片，按常法炒做即可。啤酒中的酶能使肉中的蛋白质迅速分解，炒出来的肉片鲜香嫩滑。2.啤酒焖牛肉：用啤酒代替水焖烧牛肉，能使牛肉肉质鲜嫩，异香扑鼻，成为餐桌上不可多得的佳肴。3.啤酒炖鱼：将鱼洗净，放在啤酒中浸泡10分钟，炖煮再加入少量啤酒，可去腥提味。4.啤酒蒸鸡：将鸡放在20%的啤酒溶液中浸泡20分钟，然后依常法蒸，可使鸡肉鲜嫩可口，味道纯正。

厨房小窍门

肉，炒干水分即可。

红薯蒸牛肉

【食材】牛肉300克，红薯200克。

【调料】辣酱15克，甜面酱15克，酱油15克，白糖5克，味精5克，姜末5克，香菜末15克，花椒粉10克，葱末10克，高汤适量，蒸肉粉200克，香油少许，葱花10克。

【做法】1.将牛肉洗净切薄片；红薯洗净，去皮切块。

2.将调味料调匀，牛肉放进去腌20分钟，加入高汤将肉片润湿，再一一蘸上蒸肉粉。

3.将红薯块放剩余的调味料中稍浸，铺在小蒸笼的笼底，放上肉片，用大火蒸40分钟，取出装盘。

4.上桌前，将香油烧滚，加入葱花后，立即淋在肉片上。

5.食时可蘸调味料。

五味牛肉

【食材】牛肉250克，绿花菜80克。

【调料】小苏打粉2克，淀粉、葱末、姜末、蒜末、辣椒末、香菜末各25克，酱油、白糖各45克，西红柿酱30克，白醋15克，植物油50克，盐5克。

【做法】1.牛肉切薄片，加小苏打、淀粉和适量清水拌匀，腌10分钟。

2.取牛肉片沾上薄薄的一层淀粉，以开水余烫一下，立刻取出置于盘中。

3.绿花菜切小块，洗净，锅内加盐及少许植物油将绿花菜烫熟盛出，排边。

4.食用时所有调料兑成味汁淋于牛肉上即可。

豉汁牛肉

【食材】牛肉500克。

【调料】蒜蓉、葱花、辣椒段各15克，深色酱油8克，浅色酱油10克，小苏打5克，干淀粉25克，湿淀粉20克，盐5克，味精3克，香油适量，植物油1000克，豆豉泥15克。

【做法】1.牛肉切片，用浅色酱油、小苏打、干淀粉加清水一起拌匀，放入少许植物油，腌30分钟。将深色酱油、盐、味精、香油、湿淀粉调成芡汁。

2.用旺火烧热炒锅，下植物油烧至微沸，倒入牛肉片炸至刚熟，用漏勺捞起。

3.余油倒出，炒锅放回炉上，下蒜蓉、豆豉泥、葱花、辣椒段爆至有香味，倒回牛肉片略炒，用芡汁勾芡，淋少许熟植物油，炒匀即成。

牛肉生菜卷

【食材】细牛肉丝200克，洋葱30克，生菜30克。

【调料】沙茶酱30克，猪油40克，盐8克，黑胡椒5克，酱油10克，红辣椒末30克，小苏打5克。

【做法】1.牛肉丝用酱油、盐、黑胡椒、小苏打、辣椒末和沙茶酱腌半小时。

2.生菜洗净，一叶一叶分开用碗装起来，冰凉；洋葱切丝备用。

3.起大火热猪油，将腌好的牛肉丝过油滑两下盛出，把洋葱丝下锅加沙茶酱炒成金黄色，把过过油的牛肉丝下锅炒熟，以沙茶酱调味，趁热上桌。

4.用生菜将沙茶洋葱牛肉卷起来即可食用。

夫妻肺片

【食材】牛肉400克，牛杂200克，熟花生米150克。

【调料】红油200克，酱油150克，芝麻盐100克，味精5克，大料10克，花椒4克，肉桂5克，花椒粉20克，老卤2500克。

【做法】1.将牛肉、牛杂洗净，牛肉切成50克重的块。

2.将牛肉、牛杂放入锅内，加清水，腌过牛肉，用旺火烧沸，见肉呈白红色，撇去浮沫，滗去锅内水分，加入适量老卤，放入香料包（内装花椒、肉桂、大料），再加入清水，煮到牛肉熟而不烂，捞出，晾凉待用。

3.取碗一只，加入味精、红油、酱油、花椒粉、老卤调成汁。

4.熟花生米切末。

5.将晾凉的牛肉和牛杂切成长6厘米、宽3厘米的薄片，混合在一起，淋上味汁拌匀，分成若干盘，撒上熟花生米末和芝麻盐即成。

五彩牛肉丝

【食材】腌牛肉丝200克，熟笋肉200克，水发冬菇丝25克，胡萝卜丝50克，韭黄段50克，粉丝25克。

巧手炒猪肝 1.炒猪肝前，可用少许白醋渍一下猪肝，再用清水冲洗干净，这样炒出的猪肝口味鲜美。2.猪肝要现切现炒，新鲜的猪肝切后放置时间一长，有汁液流出，不仅损失养分，而且炒熟后有许多颗粒凝结在猪肝上，影响外观和质量。所以猪肝切片后，应迅速使用调料和水淀粉拌匀，并尽早下锅。

厨房小窍门

【调料】深色酱油15克，胡椒粉2克，青红辣椒丝30克，香油10克，盐5克，白糖15克，味精2克，料酒15克，姜丝5克，湿淀粉25克，蒜泥5克，植物油100克。

【做法】1.将熟笋肉切成长丝，用清水焯透，然后加盐煨入味，控去水分。

2.胡萝卜丝、水发冬菇丝也用清水焯透，控去水分。

3.盐、味精、白糖、深色酱油、香油、胡椒粉、湿淀粉兑成芡汁。

4.炒锅上旺火，下入植物油，烧至七成热，放入粉丝炸脆，捞出；腌牛肉丝用四成热油过油后，倾入笊篱沥油。

5.将姜丝、蒜泥下油锅爆香，放青红辣椒丝、笋丝、冬菇丝、胡萝卜丝、韭黄段、牛肉丝，放料酒，用芡汁勾芡，加入香油炒匀上盘，用炸粉丝围边即成。

肉末豆米

【食材】牛肉末100克，鲜蚕豆250克，香菜末25克。

【调料】干辣椒15克，味精2克，盐5克，酱油15克，香油5克，植物油适量。

【做法】1.鲜蚕豆剥去两层皮，用开水焯一下，待用。

2.干辣椒去蒂、籽，切小段。

3.炒锅置火上，下植物油烧至四成热，放入牛肉末、干辣椒段炒1分钟，再下蚕豆、酱油、盐，用旺火翻炒均匀，撒上味精、香菜末，淋上香油即可。

豉椒百叶

【食材】牛百叶480克，咸酸菜梗80克，青尖椒、红尖椒各10克。

【调料】姜5克，葱10克，盐10克，豆豉50克，姜蓉50克，蒜蓉50克，料酒30克，植物油150克，白糖、生抽、淀粉各50克，香油、胡椒粉各少许，水70克。

【做法】1.牛百叶洗净，切大件；烧滚水，放入姜、葱、盐，加入百叶，稍烫一下即取出，用水冲至冷却，抹干水分。

2.咸酸菜梗切片，浸水片刻，抓干水；青尖椒、红尖椒去籽，切块；豆豉洗净，待用。

3.用盐、白糖、生抽、淀粉、胡椒粉、水做芡

Tips

挑选猪肝要谨慎 猪肝营养丰富，味道颇佳，很受食者喜爱。猪肝有“粉肝”、“面肝”、“麻肝”、“石肝”、病死猪肝、灌水猪肝之分。前两种为上乘，中间两种次之，后两种是劣质品。鉴别方法如下：“粉肝”、“面肝”均质地软嫩，手指稍用力，可插入切开处，前者鸡肝色，后者赭红色。“麻肝”反面有明显的白色网络，熟后质韧，嚼不烂。病死猪肝色紫红，切开后有余血外溢，少数生有脓水泡。灌水猪肝赭红色中显白，指压下陷，切开处有水外溢。

厨房小窍门

汁，待用。

4.烧热植物油，爆香姜蓉、蒜蓉、豆豉、咸酸菜片、青红椒，炒拌均匀，加入青红椒块、百叶，洒入料酒和香油，烹入芡汁翻炒均匀即可。

干煸牛肉丝

【食材】牛里脊肉250克，芹菜100克。

【调料】盐5克，酱油10克，姜丝15克，香油10克，郫县豆瓣25克，植物油150克，辣椒粉10克。

【做法】1.将牛里脊肉切成细丝；芹菜切成段；郫县豆瓣剁细。

2.炒锅置旺火上，下植物油100克，烧至七成热，下牛肉丝反复煸炒至水分将干时，下姜丝、盐、郫县豆瓣继续煸炒，边炒边加入余下的植物油，煸至牛肉丝将酥时下酱油，芹菜段边下边炒，至芹菜断生时淋入香油，起锅装盘，撒上辣椒粉即成。

牛肉丝炒粉

【食材】精牛肉、粉条各200克。

【调料】盐5克，味精2克，红辣椒、酱油各25克，姜、水菱粉各10克，大蒜20克，香油适量，猪油150克。

【做法】1.将粉条煮至八成熟，用清水漂洗沥干备用；牛肉切成细丝，用水菱粉、盐拌匀上浆；红辣椒、大蒜、姜均切成细丝。

2.炒锅下猪油烧至六成热时，放入牛肉丝炒散，然后放入红辣椒丝、大蒜丝、姜丝，待炒出香味时，放入粉条，加酱油、盐翻炒至粉条熟透，加少许味精，淋香油即可出锅。

宫保牛肉

【食材】牛肉250克，油炸花生米50克。

【调料】干辣椒末30克，酱油20克，白糖8克，花椒少许，葱末15克，姜片、蒜片、醋各5克，盐、味精、料酒、湿淀粉各少许，肉汤50克，植物油100克。

【做法】1.牛肉切成方丁加盐、酱油、料酒、湿淀粉拌匀稍腌。

2.碗内放入白糖、盐、酱油、醋、料酒、味精、肉汤、湿淀粉，拌成味汁。

3.炒锅内放入植物油，油烧至六成热，放入干辣椒末，炸至呈棕红色，加入花椒，稍后倒入牛肉丁炒散，再放葱末、姜片、蒜片炒出香味，倒入兑好的味汁，边倒边翻炒，最后放油炸花生米炒匀出锅装盘即成。

蚂蚁上树

【食材】净瘦牛肉100克，干粗粉条125克，芹菜40克。

【调料】郫县豆瓣40克，酱油10克，姜10克，味精2克，花椒油5克，植物油275克，高汤300克，盐4克。

【做法】1.芹菜切成细末，郫县豆瓣剁细，姜切成细末，牛肉也剁成细末。

Tips

猪肝搭配禁忌 猪肝做菜或做汤，忌搭配西红柿、辣椒、毛豆等富含维生素C的蔬菜，猪肝会使维生素C分解而失去作用。维生素C在中性及碱性溶液中极不稳定，特别在有微量金属离子如铜、铁离子存在时，更易被氧化分解，即使是微量的铜离子，也能使维生素C氧化的速度加快1000倍。而猪肝中含铜、铁元素丰富，每100克猪肝中含铜25毫克，铁25毫克。若将猪肝与含维生素C的蔬菜同烹，则会使维生素C失去原来的抗坏血酸功能。

厨房小窍门

2.炒锅置中火上，放少许植物油烧热，下牛肉炒散，起锅放菜板上再次剁细，重新放入锅内，加姜末继续炒干水分，直至吐油酥香起锅，盛入碗内。

3.锅内再放入适量植物油，烧至五成热，放入粉条，炸至全身膨胀松泡时捞起。

4.锅留底油烧热，下豆瓣炒出红色和香味后，掺高汤再放进粉条，下牛肉末、盐、酱油、花椒油、味精，移至小火慢烧3分钟，下芹菜末，拌匀起锅即可。

发丝百叶

【食材】生牛百叶350克。

【调料】湿淀粉15克，水发玉兰片50克，味精2克，干辣椒末20克，盐5克，牛清汤50克，香油2.5克，葱段10克，植物油100克，黄醋20克。

【做法】1.将生牛百叶分割成5块，放入桶内，倒入沸水浸没，用木棍不停地搅动3分钟，捞出放案板上，用力搓去黑膜，以清水漂洗干净，下冷水锅煮1小时，至七成烂捞出。

2.将牛百叶逐块平铺在砧板上，剔去外壁，切成细丝，盛入碗中，用黄醋、盐拌匀，用力抓揉去掉腥味，然后用冷水漂洗干净，挤干水分；玉兰片切成略短于牛百叶的细丝。

3.取小碗1只，加牛清汤、味精、香油、黄醋、葱段和湿淀粉兑成芡汁。

4.炒锅置旺火，放入植物油，烧至八成热，先把玉兰片丝和干辣椒末下锅炒几下，随下牛百叶丝、盐炒香，倒入调好的芡汁，快炒几下，出锅即成。

干拌牛肚

【食材】牛肚500克。

【调料】花椒粉5克，石灰100克，红油30克，味精5克，净姜10克，料酒3克，净葱20克，盐5克。

【做法】1.石灰用1000毫升开水搅化，将牛肚泡2个小时，用刀刮净黑皮，最后洗掉石灰味；将葱切成马耳形；姜切大块。

2.将净牛肚用火煮熟，用冷水冲凉，片去油和筋，再用葱段、姜块、料酒、盐、水将牛肚煮烂，熄火后用原水泡2个小时，捞出晾凉。

3.将牛肚片成薄片，用盐、味精拌匀，等盐粒消失后再加红油、花椒粉、葱段，拌匀即可。

Tips

巧手洗“猪杂” 1.清洗猪大肠时，在水中加些食醋和一汤匙明矾，搓揉几遍，再用清水冲洗数次，即可使其清爽干净。2.买回的猪肠、猪肚等下水，清洗前加些食盐或碱，可减少异味。3.用淘米水清洗猪肠、猪肚也能达到同样的效果。4.用酸菜水洗猪肠、猪肚，只需两次，其腥臭的气味便能基本消除。5.猪肝常有一种特殊的异味，烹制前，先用水将肝上的血洗净，然后剥去薄皮，放入盘中，加适量牛乳浸泡，异味即可消除。

厨房小窍门

豉椒炒牛肉

【食材】腌牛肉片250克。

【调料】料酒10克，辣椒段300克，蒜泥10克，盐5克，葱段10克，白糖15克，姜末5克，味精2克，豆豉泥15克，深色酱油15克，湿淀粉25克，香油10克，植物油750克，包尾油2克。

【做法】1.炒锅用旺火烧热，下植物油少许，放盐炒熟辣椒段，控去水分。

2.把盐、味精、白糖、深色酱油、香油、湿淀粉调成芡汁。

3.炒锅上旺火烧热，下植物油，四成热时放入牛肉片过油，倾入漏勺沥油，再将蒜泥、豆豉泥、姜末爆香，放辣椒段、葱段、牛肉片，烹料酒、芡汁，加包尾油炒匀，装盘即成。

咸菜炒牛肉

【食材】牛肉250克，咸芥菜梗250克，青、红辣椒25克。

【调料】盐5克，白糖15克，味精2克，胡椒粉2克，料酒、深色酱油各15克，香油、葱段各10克，蒜泥5克，湿淀粉25克，植物油100克，小苏打2克，浅色酱油15克，干淀粉适量。

【做法】1.将牛肉切横纹薄片，放小苏打、浅色酱油、干淀粉及适量清水，淋少量植物油，腌1小时。

2.先将咸芥菜梗用清水泡30分钟，洗干净，斜切成片，控去水分。

3.炒锅用中火烧热，下植物油少许，放咸芥菜梗片炒至熟透，取出。

4.盐、白糖、味精、深色酱油、香油、胡椒粉、湿淀粉兑成芡汁。

5.炒锅上旺火烧热，下入植物油，烧至四成热，放入牛肉片过油，倾入漏勺沥油。

6.炒锅留底油烧热，将蒜泥、青、红辣椒爆香，然后放咸芥菜梗片、牛肉片、葱段、料酒、芡汁，再淋少量植物油炒匀，即成。

羊肉

芝麻羊肉丝

【食材】精羊肉500克，熟芝麻75克。

【调料】盐2克，白糖25克，鲜红辣椒50克，料酒、酱油各15克，醋5克，葱姜各5克，植物油20克。

【做法】1.精羊肉切细丝，放在盆内，加盐、酱油、料酒，抓匀入味。

2.鲜红辣椒、葱、姜分别切成细丝。

3.炒锅加植物油，烧至七八成热，放入羊肉丝，用铁筷子迅速滑开，冲炸至褐红色捞出控油。

4.锅内留底油烧热,加红辣椒丝炒出红油,再放葱姜丝、羊肉丝、醋、料酒、盐、白糖,翻炒至汤汁收浓时,加入熟芝麻拌匀,装盘即成。

葱椒爆羊肉丁

【食材】羊肉250克,洋葱、青、红辣椒各100克。

【调料】料酒15克,酱油3克,盐2克,白糖2克,鸡蛋清40克,胡椒粉1克,葱段10克,植物油500克,水淀粉25克,香油5克,味精少许。

【做法】1.羊肉切成小丁,放入碗内,加入鸡蛋清和适量水淀粉、盐拌匀;洋葱、青、红辣椒均切丁。

2.炒锅上火,舀入植物油烧至六成热,将肉丁放入拨散,再放葱段,迅速捞出沥油。

3.油锅再上火,放入料酒、酱油、白糖、味精、少许水翻炒均匀,用水淀粉勾芡,倒入肉丁、洋葱丁、辣椒丁,淋入香油,炒匀,撒胡椒粉,起锅装盘即成。

豆腐炖羊肉

【食材】嫩豆腐、羊肉各400克,河虾50克。

【调料】料酒30克,花椒3粒,辣椒50克,盐6克,味精3克,植物油、蒜蓉、葱、姜各适量。

【做法】1.将羊肉洗净,切成2厘米见方的块。

2.锅置火上,放入植物油烧至四五成热,投入花椒炸出香味,捞去,下蒜蓉、辣椒炒出辣味,投入羊肉块炒至水干,下入河虾、料酒、葱和姜煮沸,改用小火炖至肉酥,加入嫩豆腐煮沸,撒入盐和味精即成。

兔肉

宫保兔丁

【食材】兔通脊肉400克,花生米50克。

【调料】料酒30克,盐8克,鸡精3克,酱油20克,白糖20克,植物油45克、醋10克,玉米粉、奶汤、葱、姜、大蒜各适量,干辣椒5克,青、红辣椒各25克,鸡蛋清50克,红油3克。

【做法】1.将兔通脊肉去筋、皮,切成小方丁,置于容器内,用盐、料酒、鸡精、鸡蛋清、玉米粉浆好。

2.干辣椒切成小段;花生米用油炸酥;葱、姜、大蒜切成小片;青、红辣椒切小丁。

3.取一个碗,加酱油、料酒、奶汤、盐、鸡精、白糖、醋调成卤汁。

4.炒锅上火放植物油,烧至温热时,将兔肉丁下入,滑散至熟,捞出沥油。

5.锅中留少许底油烧热,下入葱片、姜片、蒜片和干辣椒段煸出香味后,再下青、红辣椒丁炒熟,然后倒入兔肉丁翻炒两下,倒入兑好的卤汁翻炒均匀，最后倒入炸好的花生米，淋些红油翻匀，即可装盘。

青椒兔柳

【食材】兔通脊肉250克，青尖椒、红尖椒各25克，鸡蛋清25克。

【调料】盐6克，鸡精3克，胡椒粉2克，料酒20克，鸡油、玉米粉、奶汤、葱段、姜块、蒜各适量，植物油200克。

【做法】1.将兔通脊肉去筋，切成柳叶片，置于容器中，加胡椒粉和适量盐、料酒、鸡精、鸡蛋清、玉米粉上好浆；青尖椒、红尖椒洗净，去籽，用小刀刻成柳叶花片；葱、姜、蒜切小片。

2.取一小碗，放入奶汤、盐、料酒、鸡精、玉米粉，制成白汁。

3.炒锅上火放植物油，烧至温热时，将浆好的兔肉片下入，滑散至熟，再用漏勺捞出，沥干油分。

4.锅中留底油，先将葱片、姜片、蒜片煸炒一下，再下入青尖椒片、红尖椒片炒熟，然后将制好的白汁倒入锅内，沸后放入滑熟的兔肉片翻炒均匀，淋鸡油，即可出锅装盘。

怪味兔丁

【食材】兔肉400克。

【调料】盐、花椒粉各5克，白糖15克，味精2克，酱油30克，醋10克，香油10克，郫县豆瓣30克，红油辣椒25克，芝麻酱10克，熟芝麻20克，姜末10克，蒜泥10克，葱花10克，鸡汤适量，植物油30克。

【做法】1.兔去内脏洗净，入锅煮，汤烧开撇尽浮沫，煮至刚熟，捞入凉开水中，漂凉后剁成小块。

2.取一只碗，放入酱油、白糖、盐、醋、花椒粉、芝麻酱、熟芝麻、味精、香油、红油辣椒、姜末、蒜泥、郫县豆瓣、葱花、鸡汤，兑成“怪味汁”。

3.炒锅放植物油，烧热后，下入兔块及“怪味汁”翻炒，出锅撒上葱花即可。

拌兔丁

【食材】鲜兔肉500克，酥花生米15克。

【调料】白糖8克，盐25克，醋8克，红油8克，郫县豆瓣8克，油酥豆豉8克，芝麻酱

巧手除猪脑血筋 猪脑含有丰富的矿物质，食用后对人体大有裨益，一些人将猪脑弃之不用实为可惜。其实猪脑只要将其表面的血筋除去即可食用。方法是：将猪脑浸入冷水中浸泡，直至看到有明显的血筋粘在猪脑表面时，只要手抓几下，即可将血筋抓去。食用猪脑时，蒸、炖均可，也十分美味。

厨房小窍门

Tips

8克，熟芝麻8克，蒜泥8克，花椒粉10克，味精8克，胡椒粉5克，香油8克，姜5克，葱8克。

【做法】1.葱洗净，切段；姜洗净，切丝。

2.将兔肉加工后，用清水洗泡，将洗泡净的兔肉放入锅内，加清水烧开，打尽浮沫，加姜丝、葱段，移小火上煮熟后捞出晾凉。

3.将兔肉去骨，切成1.2厘米见方的丁，装入盆内，加盐拌匀，再加白糖、醋、胡椒粉、红油、油酥豆豉、郫县豆瓣、芝麻酱、蒜泥、花椒粉、味精、香油、葱拌匀，撒熟芝麻、酥花生米即成。

禽肉、蛋

香辣鸡

【食材】嫩鸡400克，青红辣椒75克。

【调料】盐2克，味精3克，葱花15克，冬笋15克，酱油25克，清汤75克，姜丝5克，水发冬菇25克，料酒5克，香油10克，植物油200克。

【做法】1.将鸡去掉头、爪、臀尖洗净，剁成1厘米宽、5厘米长的条；青红辣椒洗净，去蒂、籽，切成宽0.5厘米的条；冬笋洗净，切成柳叶片；冬菇洗净，撕成窄长条。

2.将剁好的鸡加适量酱油抓匀，用九成热油炸至深红色，捞出沥油。

3.锅内留底油25克烧热，用葱花、姜丝爆锅，加料酒、酱油、盐、清汤、鸡条，煨烧至九成熟时加青红辣椒条、冬笋片、冬菇条炒熟，放味精、香油翻炒均匀，稍后即可出锅。

叫化鸡

【食材】开膛嫩仔鸡500克，猪肉50克，芽菜25克。

【调料】泡辣椒30克，生菜15克，鲜荷叶6张，酱油20克，料酒20克，花椒2克，姜、葱各10克，植物油适量。

【做法】1.开膛嫩仔鸡洗净沥干水，去头、翅、爪，剔去腿骨，用酱油、料酒、花椒、姜、葱和匀后涂抹鸡身内外，腌渍入味。

2.猪肉、芽菜、泡辣椒（去蒂、籽）分别剁细。

3.炒锅置旺火上，下植物油烧热，下猪肉，烹入酱油、料酒，加入芽菜、泡辣椒炒匀成馅。

4.将馅填入鸡腹，然后用鲜荷叶将鸡包裹紧，共裹六层，并用麻绳缠紧，再糊上稀泥，置炭火上烤至大干，剥去泥倒出馅，鸡肉砍一字条，横装条盘中，将馅和生菜分镶于盘的两端即成。

Tips

做煲菜的诀窍 所谓煲菜中的“煲”，就是用文火煮食物，慢慢地熬。煲汤首先讲究选料，料不精，汤不美，最好用牛、羊、猪骨和鸡、鸭的骨头，因为这些原料富含蛋白质。其次是加足冷水，煲汤忌中途添加冷水，因为正加热的肉遇冷收缩，蛋白质不易溶解，汤会失去原有的鲜香味。

厨房小窍门

东安仔鸡

【食材】活仔鸡400克。

【调料】姜25克，香油25克，干辣椒20克，清汤100克，醋50克，湿淀粉25克，料酒25克，味精1克，葱白25克，熟猪油100克，盐、花椒适量。

【做法】1.先宰杀鸡，掏出内脏，清洗干净。

2.将净鸡放入汤锅内煮8~10分钟，捞出，剁去头、颈、脚爪不用，把鸡骨全部剔除，顺肉纹切成长条。

3.姜去皮洗净，切成细丝；干辣椒切细末；花椒去籽，拍碎、剁细末；葱白切段。

4.炒锅置旺火，放入熟猪油，八成热时下入鸡条、姜丝、干辣椒末煸炒，出香味和红油，再放醋、料酒、盐、花椒末、清汤。

5.大火烧开，转小火焖2~3分钟，至汤汁快干时，放入葱白段、味精，用湿淀粉勾芡，再改大火，淋入香油，翻炒均匀，出锅装盘即成。

板栗山鸡

【食材】净山鸡500克，板栗200克。

【调料】葱段3克，姜片2克，白糖50克，湿淀粉20克，酱油15克，盐5克，料酒30克，味精3克，清汤50克，红油30克，植物油750克(约耗100克)，湿淀粉20克。

【做法】1.将山鸡洗净去掉脚爪、嘴尖，剁成长3厘米、宽2厘米的块，放入碗内，加入适量酱油、料酒、盐拌匀腌渍入味。

2.将板栗顶端用刀划成十字花纹，然后放入开水中煮至十字花纹涨裂，捞出逐个剥去硬壳、硬皮。

3.炒锅内放入植物油，中火烧至五成热，放入板栗炸透捞出；再将油烧至七成热，放入山鸡块炸透捞出。

4.锅内留油50克，加入白糖炒至呈红色时，放入炸好的山鸡煸炒，加适量酱油、料酒、盐、清汤，焖3分钟，再放入板栗焖半分钟。

5.捞出山鸡、板栗，整齐相间地摆入碗中，浇上原汤，放葱段、姜片入笼蒸30分钟取出，扣入盘内。

6.将原汤滗入炒锅内，用湿淀粉勾芡，放味精，红油，浇在板栗山鸡上即成。

油辣嫩鸡

【食材】嫩母鸡肉300克。

【调料】酱油25克，香菜25克，味精4克，干辣椒5克，盐5克，葱花10克，香油25克，醋10克，鸡油5克，鸡清汤50克。

Tips

巧手切牛肉 1.先冷冻：未经冷冻的牛肉，质地软而易粘刀，无法切割顺手。可将整块的牛肉包好，平整地放入冰柜冷冻库中冰冻半小时，待外形冻硬固定时，再取出切割，便容易多了。另外，冻过的牛肉含水分高，烹调得当的话，吃起来比较嫩。2.顶刀法切牛肉：顶刀法就是顶着肌肉纹路的切肉方法。牛肉质地老、筋骨多，必须横着纤维纹路切，才能把筋切断。

厨房小窍门

【做法】1.将嫩母鸡肉洗净，下入微开的鸡汤锅里煮约20分钟，待鸡肉熟透后捞出，凉后剔去粗骨，剁成长条；干辣椒切细末；香菜择洗干净。

2.炒锅置旺火，放入香油，烧至五成热，先下干辣椒末、葱花炒几下，接着放入酱油、醋、盐、味精、鸡油、鸡清汤，烧开成汁，一半倒入碗中，先码好鸡肉条，再倒入另一半汁，上桌时翻扣在瓷盘里，撒上香菜即成。

红椒煎鸡

【食材】鸡脯肉350克，鲜红辣椒40克。

【调料】洋葱25克，生抽10克，西瓜汁60克，鸡清汤40克，盐3克，胡椒粉3克，醋5克，姜汁酒12克，白糖5克，湿淀粉40克，植物油80克，尾油2克。

【做法】1.将鸡脯肉洗净，切成厚片，入盆加盐、姜汁酒腌渍入味，加入适量湿淀粉抓匀；鲜红辣椒去蒂、籽，切成菱形片；洋葱切成斧楞块。

2.煎锅置火上，加植物油烧至五成热，将鸡片逐片摊入锅内，煎至两面色金黄，起锅。

3.碗内加入生抽、西瓜汁、鸡清汤、盐、醋、姜汁酒、白糖、湿淀粉兑成味汁待用。

4.炒锅内加植物油，烧至六成热，放入洋葱片、鲜红辣椒片、盐炒香，加鸡清汤、鸡片、胡椒粉烧入味，烹入味汁推匀，加尾油起锅入盘。

红炒原鸡瓜子

【食材】净原鸡肉600克，嫩香瓜300克，鲜核桃仁100克。

【调料】盐15克，味精2克，胡椒粉3克，葱15克，鸡蛋清50克，大红辣椒30克，湿淀粉40克，姜10克，熟猪油1000克，香油10克，料酒15克。

【做法】1.将原鸡肉去皮及骨，切成小丁，洗净入钵，加入盐、鸡蛋清、湿淀粉、料酒，拌匀；香瓜切成番瓜子大小的片；核桃仁用沸水烫泡撕去皮、洗净，入沸水锅中氽透过凉；辣椒切成小片；姜切末。

2.炒锅置旺火，注入猪油，烧至三成热，下原鸡丁过油滑散，倒入漏勺沥油；就锅滑熟香瓜片。

3.炒锅置旺火，下入猪油，烧至七成热，下姜末、葱炒香，再下辣椒片、核桃仁翻炒，下香瓜片、原鸡丁、盐、味精、胡椒粉，用湿淀粉勾芡，淋上香油推匀，装盘即成。

炸八块

【食材】净仔鸡400克。

【调料】花椒盐10克，辣酱油20克，辣椒粉、料酒10克，姜汁10克，盐20克，酱油15克，植物油400克。

【做法】1.将仔鸡洗净，去头颈和内脏，左手拿住鸡爪骨，鸡皮向下，右手用刀尖由元骨下刀，顺着腿骨划开，再从二节骨下面把骨截断掀起，把肉剁断，再由中节骨下头把骨截断掀起。前膀先把肩骨筋割断，再顺膀骨把肉划开，把膀上节骨下头截断，掀起，连在鸡脯肉上，再掀起双骨把膀上的肉带在双肩上，用此

Tips

老牛肉"返嫩"法 老牛肉质地粗糙，很不易煮烂。可先在肉上涂一层芥末，放6~8小时，再用冷水冲洗干净，即可烹制。经过这样的处理，不仅容易煮烂，而且口感鲜嫩。如果煮的同时再放少许酒和醋（1公斤牛肉放2汤匙料酒、1汤匙醋），老牛肉更易煮烂。

厨房小窍门

法将鸡腿和鸡膀加工成八块放盆内。

2.将料酒、盐、酱油、姜汁放在一起兑成汁，泼入放鸡块的容器内拌匀。

3.炒锅放在旺火上，下油烧热，下鸡块炸成黄色，起锅顿火，鸡块在油中浆至肉能离骨捞出。

4.锅再放旺火上，油温至七八成热时，将鸡块重炸，至色泽红亮时捞在盘内，外带花椒盐、辣椒粉、辣酱油上桌。

大干鸡块

【食材】仔公鸡肉250克，莴笋50克，大青椒25克。

【调料】花椒3克，白糖15克，醋5克，姜10克，胡椒粉5克，葱白10克，味精2克，盐5克，高汤100克，酱油15克，湿淀粉30克，辣酱豆瓣15克，植物油50克，干辣椒5克。

【做法】1.鸡肉洗净，去骨，连皮切成块；莴笋洗净，切成小滚刀块；大青椒切成菱形小块；姜洗净去皮，切成1厘米大的指甲片；干辣椒洗净切成段；辣酱豆瓣用刀剁细；葱白洗净切马耳朵段。

2.鸡块入碗，加盐、湿淀粉拌匀；另用一碗，入酱油、白糖、醋、胡椒粉、味精、高汤、湿淀粉调成味汁。

3.锅置火上，下植物油烧至七成热时，放入干辣椒段、花椒炸至油呈金红色时，下鸡块炒至散开发白时，下豆瓣炒至色红味香，下莴笋块、大青椒块、姜片、葱白段炒转，烹入味汁，翻匀收汁，起锅即成。

炒辣子鸡块

【食材】雏鸡250克，青尖椒150克。

【调料】盐5克，酱油25克，料酒5克，植物油100克。

【做法】1.将宰好的雏鸡剁去嘴、爪、翅尖，洗净后剁成块；青尖椒去蒂、籽，也切成大小与鸡块相同的块。

2.炒锅放旺火上，加植物油，烧至七成热时，加鸡块煸炒，八成热时放酱油、盐、料酒翻炒几下，再放青尖椒块，翻匀出锅即成。

赣味鸡

【食材】肥嫩公鸡1000克。

【调料】甜酒酿25克，蛋清15克，姜片5克，糕

煮羊肉没膻味之一 1.煮羊肉时将萝卜块和羊肉一起下锅，半小时后取出萝卜块。2.每100克羊肉放绿豆2克，煮沸10分钟后，将水和绿豆一起倒出。3.放山楂片同炖。4.将带壳的核桃两三个洗净打孔放入同炖。5.每500克羊肉加甘蔗100克。

厨房小窍门

Tips

粑辣椒20克，蒜片5克，甜酱10克，水芡粉15克，酱油10克，高汤100克，盐5克，植物油500克。

【做法】1.将鸡肉剔骨，去头、翅和爪，取净肉用刀在里层纵横打上十字花刀，砍成2厘米大小的丁，用蛋清、盐、酱油、水芡粉码匀待用。将适量酱油、甜酒酿、水芡粉、高汤兑成味汁待用。

2.炒锅烧热，注入植物油烧至七成热，将码好的鸡肉倒入，迅速扒散，至表面变色，入漏勺滤油。

3.锅内留底油烧热，将糍粑辣椒下锅煸出香味后，放入适量甜酱、蒜片、姜片炒几下，即将爆过的鸡丁下锅快炒，倒入兑好的味汁翻炒均匀，起锅即成。

辣子鸡

【食材】嫩公鸡500克。

【调料】葱10克，酱油20克，大蒜15克，白糖25克，植物油150克，姜8克，甜酱15克，盐15克，糍粑辣椒25克，料酒10克。

【做法】1.鸡剖洗干净，带骨砍成2.6厘米见方的块；姜块拍松；葱切寸段。

2.将鸡块用姜块、葱段、盐、白糖、料酒腌半小时。

3.大蒜去皮用植物油炸黄捞出备用，油烧至七成热，将糍粑辣椒煸炒呈黄色，加甜酱同炒，把腌好的鸡放入炒3~5分钟，加清水淹没鸡，放酱油、盐，用文火烧。

4.待鸡肉离骨，去葱、姜，加炸好的大蒜再烧10分钟即成。

豉椒鸡片

【食材】熟鸡片50克，火腿片25克，菠菜心25克。

【调料】料酒25克，盐3克，猪油50克，豆豉20克，花椒5克，辣椒20克，水淀粉10克，鸡汤250克。

【做法】1.锅上火，下猪油烧热，放入火腿片略炸，倒入鸡汤，下鸡片、料酒、豆豉、花椒、辣椒烧沸片刻。

2.加入盐、菠菜心烧入味，用水淀粉勾薄芡，起锅装盘即可。

青蒜爆炒鸡胗

【食材】鲜鸡胗350克，青蒜200克。

Tips

煮羊肉没膻味之二 6.吃羊肉时加大蒜或辣椒末少许，可减少膻味。7.将羊肉洗净切好，放入开水锅中，然后倒上一些米醋煮到开锅，取出羊肉，膻气便可解除。8.煮羊肉时加入适量咖喱粉，也可除膻气。每500克羊肉加2克咖喱粉。9.做羊肉的时候放些孜然，也能去除羊肉中的膻气。

厨房小窍门

【调料】鲜红辣椒30克，盐10克，味精5克，酱油5克，料酒10克，香油5克，芡粉3克，姜10克，蒜15克，植物油400克。

【做法】1.将鸡胗洗干净切片，把盐、料酒、酱油、味精、芡粉拌均，腌制4分钟。

2.姜切丝；蒜剁成粒；鲜红辣椒切成丝；青蒜斜刀切成斜长形。

3.起锅，倒入植物油，待油至五成热时，将腌制的鸡胗入锅过油，滑开六七成熟，出锅滤油。

4.锅内留少许油，将蒜粒、姜丝、鲜红辣椒丝煸出香味后，倒入青蒜和鸡胗，加盐、料酒，用旺火炒3分钟，淋香油，即可起锅。

黑芥鸡丝

【食材】鸡肉200克，黑芥100克，茭白50克。

【调料】蛋清20克，葱25克，姜25克，蚕豆水粉15克，盐4克，辣椒粉15克，胡椒粉5克，味精5克，香油1克，高汤100克，熟猪油75克。

【做法】1.将鸡肉剔去筋膜，切成细丝；茭白洗净去皮，切细丝；黑芥、葱、姜均切成与茭白丝相似的丝。

2.鸡肉丝加盐、蚕豆水粉、蛋清抓上劲，拌匀上浆。

3.炒锅烧热，注入熟猪油40克，烧至二成热，将鸡丝放入，用筷子拨动，滑呈乳白色，倒入漏勺。

4.炒锅内倒熟猪油20克，烧热后，用葱丝、姜丝、辣椒粉炝锅，放入茭白丝和盐煸炒，加入鸡肉丝、黑芥丝，徐徐淋入用高汤、味精、胡椒粉、蚕豆水粉兑成的味汁勾芡，翻炒均匀淋入少许熟猪油，起锅再淋上香油即成。

干煸鸡丝

【食材】鸡胸脯肉250克，竹笋100克。

Tips

活鱼不宜马上烹调 人们通常认为"活鱼活吃"营养价值高，其实，这是一种误解。鱼只有处在高度僵硬状态时，鱼中丰富的蛋白质在蛋白酶的作用下，才逐渐分解为人体容易吸收的各种氨基酸，处于这个阶段的鱼不管您用什么方法烹制，味道都是非常鲜美的。

厨房小窍门

【调料】干辣椒40克，料酒30克，盐4克，酱油15克，味精2克，葱适量，植物油60克。

【做法】1.将鸡用水煮至八成熟，捞起洗净；鸡胸脯肉、竹笋、葱、干辣椒分别切丝。

2.炒锅下植物油烧热，放入干辣椒丝炸后捞起，再下鸡肉丝煸干，加入料酒、盐、酱油、笋丝继续煸炒，煸香至亮油时，下辣椒丝、味精炒匀，起锅时撒上葱丝。

辣爆鸡肝

【食材】鸡肝300克，青、红椒各10克。

【调料】辣豆瓣酱15克，盐5克，鸡精3克，白

Tips

炖牛肉的小窍门 1.炖牛肉要使用热水，不要加冷水。因为热水可以使牛肉表层的蛋白质迅速凝固，防止肉中氨基酸浸出，保持肉味鲜美。2.用旺火将牛肉汤烧开后，揭盖炖20分钟去除异味，然后盖盖，改用微火烧至小开，使汤面上浮油保持温度，有“焖”的效果。3.烧煮过程中，盐要放得迟，水要一次加足，如果发现水少，应加开水。3.将少许茶叶用纱布包好，放入锅内与牛肉一起炖煮，肉熟得快且味道清香。4.在牛肉锅中放几个山楂或几片萝卜，既使牛肉熟得快，也可除去异味。

厨房小窍门

糖3克，料酒20克，干辣椒、葱、蒜片、植物油各适量。

【做法】1.将鸡肝洗净用开水焯一下；青、红椒切成丁。

2.坐锅点火倒植物油，油热放入辣豆瓣酱、干辣椒、葱、蒜片炒出香味时，倒入鸡肝，青、红椒丁、盐、鸡精、白糖、料酒翻炒均匀，淋入热植物油出锅即可。

陈皮鸡丁

【食材】去骨鸡肉300克。

【调料】花椒粒20克，陈皮30克，料酒8克，盐15克，味精5克，酱油8克，植物油800克，醋5克，白糖15克，香油8克，姜5克，蒜10克，葱8克，鸡汤400克，干辣椒20克。

【做法】1.将鸡肉切成2厘米见方的丁；陈皮洗净切块；将干辣椒去蒂、去籽，切成段；葱切段；姜切片。

2.鸡丁加盐、料酒、姜片、葱段、酱油拌匀，腌1小时。

3.将锅内植物油烧至六成热，下鸡丁炸呈金黄色时捞出。

4.锅留底油烧热，下花椒粒炸出味后捞出不要，下陈皮、干辣椒，炸至棕红色，加姜片、葱段、蒜稍炒，然后下鸡丁，放料酒、酱油、白糖、味精、鸡汤(鸡汤要淹过鸡丁)，用小火烧至汁将干亮油时，再淋醋和香油，拣去姜片、葱段、蒜不要，起锅晾凉，装盘即成。

荷兰豆椒香鸡脆骨

【食材】鸡脆骨300克，荷兰豆50克。

【调料】盐5克，干辣椒50克，味精2克，水淀粉适量，植物油500克。

【做法】1.鸡脆骨切块，用植物油炸熟待用。

2.荷兰豆切菱形块，干辣椒切粒。

3.锅内入底油，炒香干辣椒，放入荷兰豆、鸡脆骨，加入盐、味精翻炒，再用水淀粉勾芡，最后淋明油即成。

椒香粒粒脆

【食材】鸡脆骨300克，红、青尖椒各30克。

【调料】盐2克，味精2克，白糖2克，玉米粉适量，植物油适量。

【做法】1.鸡脆骨滚蘸玉米粉，入油锅炸熟呈金黄色时捞出，待用；红、绿椒切片。

2.炒锅下少量植物油，将红、青尖椒爆香，放入鸡脆骨，加入所有调料翻炒均匀即成。

银杏炒胗花

【食材】鸡胗300克，银杏仁100克。

【调料】盐3克，白糖3克，胡椒粉2克，泡红辣椒25克，味精、鸡精各3克，花椒2克，醪糟汁10克，生抽酱油8克，醋8克，蛋清淀粉25克，葱白25克，姜10克，鸡清汤30克，湿淀粉10克，香油2克，植物油100克。

【做法】1.鸡胗去除老筋，洗净，用刀划成十字花刀，放入盆内加盐、鸡精、蛋清淀粉抓匀；银杏仁放入热水里泡涨，撕除内衣，放入碗内加鸡清汤、盐，入笼蒸熟。

2.泡红辣椒切马耳片；葱白切片；姜切末；碗内加入盐、醪糟汁、白糖、胡椒粉、味精、生抽酱油、湿淀粉、醋兑成味汁。

3.炒锅置火上，加植物油烧至七成热，放入鸡胗炒散，加入姜末、花椒、泡红辣椒片炒香，下银杏仁翻炒至熟，烹入味汁，加入葱白片翻炒均匀，淋香油起锅入盘。

油焖整鸡腿

【食材】鸡腿500克。

【调料】香菜100克，干淀粉50克，大西红柿80克，葱15克，元葱100克，鸡蛋清60克，料酒50克，香辣油25克，盐5克，香油5克，白糖10克，植物油1000克，味精5克，杂骨汤150克。

【做法】1.将鸡腿洗净，用料酒、盐、白糖和葱腌2小时，然后上笼蒸至七成烂，取出晾凉，用刀沿着腿骨划开，在关节处切断，去掉大腿骨。

2.鸡蛋清和干淀粉调匀成糊，放入鸡腿挂糊；元葱切末；香菜洗净；西红柿在开水中烫过，去皮切瓣。

3.炒锅置中火，放入植物油，烧热，下入鸡腿炸至呈浅黄色捞出。

4.锅中留底油，下入元葱末煸炒，加入盐，味精、香辣油、杂骨汤，再下入炸酥的鸡腿焖几分钟，收浓汁，淋入香油，出锅。鸡腿整齐摆放盘子周围，中间摆上香菜和西红柿瓣即可。

青椒鸡丝

【食材】鸡胸脯肉250克，青尖椒100克。

【调料】蛋清20克，料酒、盐、味精、植物油、香油、淀粉各适量。

【做法】1.将鸡胸脯肉洗净切丝，盛入碗中加料酒、盐、蛋清拌匀；将青尖椒去蒂、去籽，洗净切成丝。

2.用盐、味精、淀粉和适量水勾兑成汁待用。

3.锅中下植物油，烧至温热，下鸡胸脯肉丝滑散，滗去多余的油，放入青尖椒丝翻炒，

精选煲汤器具 煲鲜汤，陈年瓦罐为最佳选择。瓦罐经过高温烧制而成，具有通气性好、吸附性强、传热均匀、散热缓慢等特点。熬汤时，瓦罐能均衡持久地把外界的热能传递给里面的原料。相对平衡的环境温度，更有利于水分子与食物的相互渗透，而这种相互渗透的时间维持得越长，原料的质地就越酥烂，鲜香成分溢出得越多，汤的滋味也就越鲜醇。

厨房小窍门

Tips

倒入勾兑好的汁，淋入香油炒匀，出锅即成。

青木瓜炒鸡丁

【食材】鸡脯及腿肉300克，青木瓜100克，青辣椒20克。

【调料】味精3克，盐10克，酱油10克，料酒5克，姜15克，葱10克，湿淀粉15克，猪油500克，香油少许。

【做法】1.鸡脯及腿肉剁成方丁，加入盐、味精、湿淀粉上浆；青木瓜、青辣椒切丁；葱斜刀切小段；姜切象眼片。

2.炒锅上火，注入猪油，烧至四成热，倒入鸡丁、青木瓜滑熟，沥去油。

3.炒锅上火，下猪油，油热时下葱段、姜片、青辣椒，炒出香味，倒入鸡丁和木瓜丁拌炒，下酱油、料酒、味精、湿淀粉，翻炒均匀，淋香油，起锅装盘。

青椒炒鸭片

【食材】鸭脯肉200克，鸡蛋清40克，青尖椒150克。

【调料】料酒15克，盐4克，味精1克，白糖5克，白汤、葱白末、湿淀粉、猪油、香油各适量。

【做法】1.鸭脯肉批成薄片，用清水漂洗干净，沥去水，加盐、鸡蛋清、湿淀粉上浆。

2.青尖椒去蒂、去籽，切菱形片，入沸水锅氽一下，捞出，沥去水。

3.将锅置旺火上烧热，加猪油烧至四成热，投入鸭脯肉片滑至嫩熟捞出。

4.锅内留油少许，下葱末、青尖椒炒透，烹料酒，加盐、白糖、味精、白汤，用湿淀粉勾芡，倒入鸭脯肉片，淋香油炒匀，装盘即可。

牙签鸭柳

【食材】鲜鸭柳叶肉500克。

【调料】干辣椒30克，花椒10克，葱白20克，盐6克，生抽酱油10克，孜然粉8克，芝麻20克，十三香6克，干辣椒粉5克，植物油180克，花椒油5克，料酒适量。

【做法】1.鲜鸭柳叶肉洗净，切成一字条，用牙签串上，用料酒、盐、干辣椒粉拌匀腌入味，投入六成热的油锅内炸熟，捞出。

2.干辣椒去籽，蒂切成2厘米长的块；葱白切成3厘米的段；芝麻择洗净，晾干水分。

Tips

多喝骨头汤有益 骨头里储藏着丰富的营养。猪骨头与鲜猪肉的营养成分比较，它的蛋白质、铁质、钠和产生的能量远远高于鲜肉。其蛋白质高出奶粉23%，是猪肉的2倍，高出牛肉61%，是鸡蛋的1倍多；磷、钙的含量更是其他食物不能比拟的，而且它的营养成分易被人体吸收。

骨汤中的特殊养分以及胶原蛋白能够促进微循环，多喝骨头汤延年益寿。

厨房小窍门

3.锅置中火上，放入植物油烧至五成热时，下干辣椒块、花椒、葱白段、生抽酱油、牙签鸭柳、孜然粉、十三香、芝麻煸炒至香，入味后淋花椒油，放味精炒匀，起锅入盘即成。

冬瓜鸭卷

【食材】熟烤鸭脯肉400克，冬瓜500克。

【调料】永川豆豉5克，姜14克，大蒜12克，盐3克，醋5克，胡椒粉3克，高汤150克，湿淀粉20克，红油30克，葱白25克，味精3克，蚝油18克，蛋清淀粉30克，植物油90克。

【做法】1.将烤熟鸭脯肉切成条。冬瓜去皮、瓤洗净，片成薄片，放入盆内加少许盐拌匀。姜切片。大蒜切粒。葱白切片。

2.取冬瓜片放在菜墩上铺平，放入熟鸭条卷成卷，逐一卷完，接口处抹上蛋清淀粉粘住，摆入蒸碗内，加入胡椒粉、高汤、盐，入笼用旺火蒸熟取出。

3.炒锅烧热，放油烧至五成热，放入姜片、蒜粒、永川豆豉炒香，滗入冬瓜鸭卷原汁，加湿淀粉勾芡，放醋、葱白片、味精、红油、蚝油推匀，将冬瓜鸭卷扣入盘中，浇上味汁即成。

鸭肉酱丁

【食材】烤鸭肉500克，水发玉兰片100克。

【调料】酱油15克，湿淀粉15克，鲜红辣椒50克，味精0.5克，青蒜50克，甜面酱10克，盐1克，植物油50克，香油10克。

【做法】1.烤鸭肉切成1厘米见方的丁；水发玉兰片切成同样大小的丁；青蒜切1.5厘米长的段；红辣椒去蒂、籽洗净，切1.5厘米长的片。

2.炒锅置旺火，放入植物油，烧至七成热，放入鸭肉丁爆炒，呈金黄色时，再放入水发玉兰片丁、红辣椒片、甜面酱、盐合炒，然后加入青蒜、酱油、味精，用湿淀粉勾芡，盛入盘中，淋上香油即成。

炒鸭肠

【食材】鸭肠100克，青尖椒丝100克。

【调料】酱油10克，醋100克，青蒜段5克，盐26克，葱丝5克，料酒15克，味精2.5克，红油10克，葱姜油60克，香油5克。

【做法】1.将鸭肠上的白油择净，撕去直肠和盲肠（只用小肠以上部分），剿开洗净，理顺后，从肠子中间用线绳系起，放在盆中，加入醋、盐，用手轻轻揉搓，当出现白沫时，立即用水洗净。再将肠子放在开水里烫一下，待稍卷起、颜色变白时，迅速捞出入凉水中，去掉线绳；然后，切成段，再用开水烫一下，沥净水。

2.将青尖椒丝、青蒜段、葱丝一起放入碗内，加入酱油、料酒、味精、盐、少许醋调成汁。

3.将葱姜油倒入炒锅内，置于旺火上烧到将要冒青烟时，倒入调好的汁，随即下入鸭肠翻炒10秒钟，加入红油炒匀，再淋入香油即成。

Tips

喝火锅汤对人无益 久煮的火锅汤水对人体健康是无益的，因为经过长时间煮沸的火锅汤，虽然味道鲜美，但是其中盐类成分会不断浓缩，这其中也包括亚硝酸盐类，是对人体有害的物质。另外，汤水中一些固有的金属离子及盐类会使食物中的蛋白质产生大分子的网状物质，即使喝到体内，也很难被吸收。

厨房小窍门

黄焖子铜鹅

【食材】去骨子铜鹅肉200克。

【调料】味精1克，生姜50克，盐5克，鲜红辣椒100克，料酒50克，蒜瓣25克，酱油15克，湿淀粉25克，香油1.5克，杂骨汤500克，熟猪油100克。

【做法】1.将去骨子铜鹅肉洗净，切成3厘米见方的块；生姜洗净去皮，切成厚菱形片；鲜红辣椒洗净，去蒂去籽，切成薄片。

2.炒锅置旺火，放入熟猪油75克，烧至八成热时，放入姜片炒几下，再下子铜鹅肉块煸炒，待煸干水，烹入料酒，继续焖炒2分钟，放入酱油和盐炒匀，再加入蒜瓣、杂骨汤，焖15分钟，鹅肉柔软后盛入大碗。

3.炒锅内放入熟猪油25克，烧至六成热时，放入鲜红辣椒片、盐炒熟，再倒入鹅肉，放味精，用湿淀粉调稀勾芡，一起炒匀，出锅装盘，淋入香油即成。

炒鸽脯

【食材】嫩鸽脯肉250克，鲜鸡腿菇50克。

【调料】盐3克，鸡精3克，湿淀粉18克，生抽10克，醋6克，香油3克，泡红辣椒30克，蛋清淀粉30克，鸡清汤40克，姜12克，葱白25克，植物油100克。

【做法】1.嫩鸽脯肉洗净，用刀片成薄片，放入盆内，加盐少许、生抽适量、蛋清淀粉拌匀。

2.鲜鸡腿菇洗净，切成马耳片，入沸水锅内氽断生捞出；泡红辣椒切菱形片；姜切粒；葱白切片。

3.碗内加鸡清汤、盐、鸡精、湿淀粉、生抽、醋兑成味汁。

4.炒锅置火上，加植物油烧至六成热，放入鸽片炒散，加姜粒、泡红辣椒片炒香，加鸡腿菇片翻炒至亮油色白时，烹入味汁推匀，加葱白片、香油，起锅装盘。

香辣松花皮蛋

【食材】松花蛋400克，鲜红辣椒100克。

【调料】花椒油3克，香油10克，白酱油20克，味精2克，红油10克。

【做法】1.将洗净的鲜红辣椒置木炭火上转动，烧片刻，然后，剥去辣椒皮，去籽，撕成瓣，置大盘中央，将白酱油、红油、花椒油、香油、味精调匀成味汁，淋在撕碎的红辣椒上。

2.无铅松花蛋剥去壳，选一枚晶形松花完整绚丽的，置大盘中央，放红辣椒上面，其余

Tips

吃羊肉火锅不宜喝茶 羊肉鲜香味美，营养丰富，御寒功效强，在严冬春寒季节多吃些羊肉对人是有好处的。但是，吃羊肉后马上喝茶，对身体会产生不利影响。在羊肉中含有丰富的蛋白质，而茶叶中含有比较多的鞣酸，如果吃完羊肉后马上喝茶，会产生一种叫鞣酸蛋白质的物质。这种物质使肠蠕动减弱，容易发生便秘。因此，吃完羊肉后不宜马上喝茶，也不宜边吃羊肉边喝茶。

厨房小窍门

每枚切四瓣，置大盘周围，放冰箱冷藏，食用时取出。

青椒炒皮蛋

【食材】皮蛋120克，青尖椒150克。

【调料】盐5克，植物油100克，味精2克。

【做法】1.青尖椒去蒂、把，用水洗净，切成1厘米长的段。

2.皮蛋去壳，切成1厘米见方的丁。

3.炒锅在旺火上烧热，下青尖椒干煸至起芝麻点时出锅。

4.将炒锅洗净，放入植物油，将皮蛋丁倒入稍炒，即倒入青尖椒，加盐、味精炒匀起锅上席。

皮蛋银鱼炒青椒

【食材】皮蛋140克，银鱼干(或虾皮、白饭鱼干)20克，青尖椒150克。

【调料】鸡粉100克，盐20克，植物油适量。

【做法】1.银鱼干洗净，控干水，用油炸香捞出(用虾皮炒香即可；用白饭鱼干需要先用水浸泡15分钟，再蒸10分钟，使鱼软化后再炸)。

2.皮蛋去壳，洗净切小块；青尖椒切丝；鸡粉、盐加适量水兑成调味汁。

3.锅中放植物油烧热，下青尖椒炒香，下皮蛋块、银鱼炒匀，下调味汁炒至汁干即可。

青椒拌皮蛋

【食材】皮蛋200克，青辣椒100克。

【调料】红油10克，盐2克，醋2克，酱油15克，味精1克，白糖1克，花椒油2克。

【做法】1.将皮蛋剥皮，每个用刀切成6块大小相等的瓜块形，放入盘中待用。

2.青辣椒洗净去蒂，取竹签串起用暗火烧熟，剁细装碗内。

3.将盐、酱油、醋、白糖、味精、红油、花椒油放碗内与剁细的青辣椒搅拌均匀成味汁。

4.将盘中的皮蛋块码放成大的花状，将兑好的汁浇在上面即可。

鸡蛋蒸豆豉鲮鱼

【食材】鸡蛋100克，豆豉鲮鱼300克。

【调料】盐少量（因罐头中鱼的含盐量已经较高），鸡精3克，红油25克，葱花、香油适量。

鸡鸭注水巧识别 1.鸡鸭肉特别有弹性，拍一下，会有“噗噗”的声音。2.鸡鸭的翅膀下有红色的小针眼或呈乌黑色。3.在鸡鸭的皮层用手指一捏，明显地感到有打滑的现象。4.用手指在鸡鸭腔内膜和网状内膜上面轻轻地一抠，注过水的鸡鸭肉会流出水来；没有注过水的鸡鸭，摸起来比较平滑。皮下注过水的鸡鸭肉，高低不平，摸起来像长有肿块。

【做法】1.将鸡蛋打入碗内，加盐、凉开水、红油、鸡精，用筷子打匀。

2.将豆豉鲮鱼放入鸡蛋液中，撒入葱花，上锅蒸约20分钟，出锅淋入香油即可。

萝卜干炒鸡蛋

【食材】鸡蛋100克，瘦肉50克，萝卜干300克，鲜红辣椒18克。

【调料】老干妈辣酱20克，葱花、姜末、蒜末少许，盐2克，白糖5克，酱油少许，植物油适量。

【做法】1.鸡蛋打碎，加盐打匀；萝卜干洗净泡软；瘦肉洗净切丝；鲜红辣椒切小块。

2.炒锅放植物油，先把鸡蛋炒好，盛出待用。

3.锅中再放油，下葱花、姜末、蒜末爆香，倒入瘦肉丝煸炒，肉丝变色即倒入鲜红辣椒块，加少许盐翻炒片刻，倒入萝卜干和炒好的鸡蛋，加入老干妈辣酱、酱油，翻炒均匀，待锅底有油渐出，萝卜干水分被煸干时，加入少许白糖即可起锅。

水产

软蒸鱼

【食材】活草鱼600克。

【调料】姜末15克，盐5克，鲜荷叶两张，酱油25克，料酒50克，味精1.5克，红油50克，干淀粉30克，花椒粉1克，香油50克，葱花15克，熟猪油100克。

【做法】1.草鱼去鳞、鳃、鳍，从脊背处开膛，去内脏洗净，剔除骨和脊背骨，取下两扇带皮鱼肉，再斜片成厚块。

2.将鲜荷叶切成直径为3厘米的圆形，取一张垫在小蒸笼内。

3.将草鱼块放入盘内，加入料酒、盐、酱油、味精、红油、姜末、花椒粉、熟猪油拌匀，再撒上干淀粉，放入垫荷叶的蒸笼内，上面再盖上一张荷叶。

4.在旺火上蒸10分钟，揭开荷叶，撒上葱花，淋入香油，再将荷叶盖好，即可上桌食用。

Tips

毛鸡蛋不要吃 夏初，是孵化鸡雏的最好季节。有些人特别是一些老年人，爱吃那些未出壳的、未成活的“毛蛋”。新鲜的毛蛋是有较高的营养价值，既可做药，又可做佳肴。然而，毛蛋是死胎，在孵化过程中容易受病原菌的污染。在烹调过程中如果加热不够，就容易造成中毒。因此，在食用“毛蛋”时要注意选用新鲜“毛蛋”，如蛋壳灰暗有斑点，或有异味，说明已变质，不可食用。

厨房小窍门

包烧鱼

【食材】活鲤鱼600克，鸡蛋清30克，猪肉100克，芽菜15克，豆粉35克。

【调料】姜末10克，香油35克，猪油65克，猪网油500克，酱油6.5克，料酒6.5克，干辣椒15个，盐5克，葱末10克。

【做法】1.鲤鱼剖腹去脏，鱼的两面划上梯块形，把料酒、酱油、盐、姜末、葱末、香油同放碗内拌匀，将鱼浸渍5分钟后，用竹筷穿好；芽菜洗净，猪肉洗净去皮，干辣椒去籽，共剁成细蓉。

2.锅内放入猪油烧沸，下剁成的细蓉，炒熟后塞入鱼腹。

3.鸡蛋清与豆粉调成蛋清豆粉，猪网油平铺开，抹上蛋清豆粉。

4.将鱼用猪网油包三至四层，然后用小叉一柄从鱼腹部刺进，由鱼背刺出，火上烤30分钟，至外面呈金黄色后将叉揩净取出，用刀划破猪网油将鱼取出，抽出竹筷，猪网油最内一层揭去不用，其余切成长方形片连同鱼装盘即成。

回锅鱼片

【食材】净草鱼肉300克，大青椒、大红椒各50克，蒜苗50克。

【调料】姜5克，大葱20克，鸡蛋清20克，郫县豆瓣25克，豆豉10克，盐、胡椒粉、料酒、味精、白糖、水豆粉、植物油各适量。

【做法】1.净草鱼肉切成片，用姜、大葱、盐、胡椒粉、料酒腌渍片刻后，拣去姜、大葱不用，加鸡蛋清、水豆粉抓匀上浆。

2.大青椒、大红椒去蒂去籽，切成菱形块；郫县豆瓣、豆豉均剁细；蒜苗切成蒜苗片。

3.炒锅置火上，放入植物油烧热，将鱼片、大青椒和大红椒块分别入锅过油后捞出。

4.锅留底油少许，下入郫县豆瓣、豆豉炒香，下鱼片，烹料酒，再放入大青椒、大红椒块、蒜苗片等翻炒均匀，调入白糖、味精，炒匀后起锅装盘即成。

祁阳笔鱼

【食材】鲜笔鱼500克。

【调料】葱40克，干辣椒30克，酱油25克，姜15克，料酒40克，盐1.5克，胡椒粉1.5克，湿淀粉10克，香油10克，杂骨汤250克，熟猪油100克。

【做法】1.将鲜笔鱼剖腹去内脏洗净，沥干水，切成4厘米长、2厘米宽的骨牌形状。

2.干辣椒、姜切丝；葱白部分切段，部分切葱花。

3.炒锅置旺火上，放入熟猪油，烧至八成热，下入鱼块翻炒几下，加干辣椒、姜丝、葱白段、盐、料酒、酱油再煸炒1分钟，放入杂骨汤

识别优质黄鱼 1.鱼眼：质好的黄鱼，眼球饱满凸出，角膜透明；质次的黄鱼，眼球平坦或稍陷，角膜稍混浊。2.肌肉：质好的黄鱼，肉质坚实，富有弹性；质次的黄鱼，肌肉松弛，弹性差。3.黏液腔：质好的黄鱼，黏液腔呈现鲜红色；质次的黄鱼，黏液腔呈现淡红色。

Tips

厨房小窍门

焖2分钟。

4.汤汁稍干时加入葱花，用湿淀粉勾芡，淋入香油，撒上胡椒粉即成。

豆腐鲫鱼

【食材】鲫鱼500克，豆腐200克。

【调料】植物油125克，盐3克，姜片10克，辣椒粉50克，醪糟汁30克，蒜片10克，味精2克，葱花10克，甜面酱10克，郫县豆瓣80克，湿淀粉15克，酱油25克，肉汤750克。

【做法】1.将鲫鱼身两面各剞两刀（刀深0.3厘米），抹少许盐浸渍入味；郫县豆瓣剁细。

2.豆腐切成厚块，在沸水锅中煮5分钟，滗去水，加入适量肉汤和盐，放在小火上煨10分钟。

3.炒锅置旺火上，下植物油烧至七成热，放入鲫鱼煎至两面呈浅黄色，把锅放斜，将鱼拨在一边，下剁细的郫县豆瓣炒出香味，再加姜片、蒜片、辣椒粉炒匀，掺肉汤和鱼同烧，然后下入煨过的豆腐块，小火烧10分钟后，放入甜面酱、酱油、醪糟汁，再烧3分钟，先将鱼盛入盘内，原锅汤菜再用湿淀粉勾芡，加味精、葱花，浇在鱼身上即成。

炸川椒鱼

【食材】鲩鱼400克，香菜20克。

【调料】味精10克，料酒8克，盐10克，酱油8克，植物油200克，干淀粉30克，葱末15克，川椒末30克，香油15克，猪油20克，高汤200克，湿淀粉8克。

【做法】1.在鱼身上用刀切深花，每距离1.5厘米切1刀，两面均切，然后用盐、料酒调匀擦遍鱼身，并在鱼身上撒干淀粉。

2.将炒锅内植物油烧热，把鱼放锅内炸一下，炸时用铲翻动，炸至鱼呈深黄色捞起，盛在盘中。

3.锅留底油烧热，投入葱末、川椒末炒香，加入高汤、酱油、味精、湿淀粉勾芡，加入香油、猪油，把芡汁淋在鱼身，盘边摆香菜即成。

大蒜鲇鱼

【食材】鲇鱼450克，香菜心15克。

【调料】大蒜50克，泡红辣椒15克，郫县豆瓣10克，植物油500克，料酒15克，盐5克，葱10克，姜10克，白糖20克，酱油10克，醋

Tips

鱼类巧保鲜 1.活鱼剖杀后，不要刮鳞，不要用水洗；而要用布去血污后，放在凉开水中泡一小时后取出晒干，再涂上点油，挂在阴凉处，可存放多日，味道如初。2. 将鱼剖开，取掉内脏，洗净后，放在盛有盐水的塑料袋中冷冻，鱼肚中再放几粒花椒，鱼不发干，味道鲜美。3.还可将鲜鱼放入88℃的水中浸泡2秒钟，待体表变白后即放冰箱。

厨房小窍门

10克，水豆粉30克，高汤200克。

【做法】1.鱼去掉内脏，剁去嘴尖、尾梢，背部剁成段；大蒜洗净装碗，加盐、料酒、高汤少量，上笼蒸后取出晾凉；泡红辣椒、葱切成段；姜切成片；郫县豆瓣剁细；香菜心掐成短段。

2.锅置火上，下植物油烧热，下鲇鱼稍炸，捞起，锅内留少量油，下豆瓣焖至红色时，加入高汤，沸后捞去豆瓣渣，下鲇鱼、盐、酱油、白糖、料酒、醋、泡红辣椒、葱段、姜片，沸后移至小火，加盖烧至鱼熟入味，放入蒸好的大蒜，烧至汁浓时，将鱼铲入盘中摆好。

3.锅中下水豆粉勾芡成浓汁，烹入少许醋，起锅淋于鱼上，香菜心摆在盘中一端即成。

干辣姜汁鱼

【食材】鳜鱼500克。

【调料】猪网油100克，植物油60克，酱油8克，白糖8克，盐15克，味精5克，料酒8克，胡椒粉5克，姜末8克，姜片8克，葱段8克，香油25克，醋8克，清汤50克，西红柿60克，干辣椒40克，花椒粒适量。

【做法】1.将鱼刮鳞、去鳍、挖鳃、剖腹去内脏，洗净，在鱼身两面剞斜刀，放入开水中稍煮后，捞入温水中浸泡片刻，去净皮，擦干水。

2.将鱼用料酒、盐、胡椒粉腌20分钟，将姜片、葱段放鱼上，再盖上猪网油，腌30分钟后，上笼蒸15分钟取出，去掉猪网油、姜片、葱段，将鱼移入盘内。

3.炒锅下植物油烧热，下干辣椒、花椒粒，炸呈棕红色时捞出，剁碎放碗内，再放酱油、醋、盐、味精、姜末、香油、清汤，调成糊辣姜汁，浇在鱼上。

4.西红柿横切4片，去籽浆、去皮，用盐、白糖、香油拌匀，装饰在盘边即成。

Tips

活鱼的保鲜法 1.在活鱼的嘴里灌几滴白酒，或用细绳将鱼唇和肛门勒成“弓形”，或用湿草纸包鱼的眼睛，都可使鱼多活一些时间。2.在鱼的视神经后面有条死亡腺，鱼离开水后很快就会断掉，死亡腺一断鱼就会死亡。取两片纸，用水浸湿，贴在活鱼的眼睛上，就可保持鱼眼部的水分，防止死亡腺断裂。这个办法可使活鱼在三五个小时内不死，从而延长鱼的寿命。

厨房小窍门

瓦块鱼

【食材】青鱼350克。

【调料】郫县豆瓣酱18克，干淀粉75克，白糖8克，醋8克，酱油15克，料酒8克，盐10克，味精5克，湿淀粉8克，姜5克，葱8克，蒜10克，植物油适量。

【做法】1.将鱼收拾干净，用刀紧贴背骨从尾至头片为2片(另一片可带背骨)，切成3厘米长的鱼块，用刀在每块中间横划一刀(鱼肉翻

Tips

轻松去鱼鳞之(一) 1.自制"刮鳞刷":找一块厚薄适中的小木板,再用钉子把一些啤酒瓶盖反钉在木板上。最好能够在木板钉上三四排,每排钉四五个,这样就能得到一块自制的"刮鳞刷",用这块"刮鳞刷"刮鲤鱼、青鱼等带有大片鱼鳞的鲜鱼,使用简便而且刮鳞的效果不错。2.袋装法:将鱼装入一只较大的塑料袋里,放到案板上,用刀背反复拍打鱼体两面的鳞,然后将勺伸入袋内轻轻地刮,可刮除干净鱼鳞,且不外溅。

厨房小窍门

起为宜),再用少许盐将其腌匀。

2.将葱、姜、蒜切末;在干淀粉中适量放些清水,调成稠糊待用;用白糖、醋、酱油、料酒、盐、味精和湿淀粉调汁。

3.在锅中放植物油烧热,将鱼块放进干淀粉糊中拌匀,均匀地裹上糊,依次下锅,待鱼炸成表皮浅黄酥脆,捞出放盘中。

4.锅中留少许底油,把豆瓣酱、葱末、姜末、蒜末下锅煸炒,待出香味,烹入兑好的汁炒熟,浇在鱼上即可。

五更豆酥鱼

【食材】鳕鱼400克,猪肉馅100克。

【调料】豆豉15克,葱末5克,酱油10克,姜末5克,蒜末5克,辣椒粉15克,盐5克,味精3克,料酒15克,植物油适量。

【做法】1.将鳕鱼(取横剖的一面)的骨、鳞去掉,放长盘中,淋料酒,入笼用大火蒸10分钟。

2.炒锅下植物油烧热,将葱末、姜末、蒜末炒出香味后放豆豉、猪肉馅同炒,豆豉散化发出香味,加辣椒粉、酱油、味精、盐炒匀,将炒好的豆豉浇在鱼上即可。

油焖火焙鱼

【食材】小嫩仔鱼500克。

【调料】醋10克,小红辣椒15克,味精2克,蒜瓣15克,杂骨汤100克,紫苏叶5克,葱10克,料酒25克,姜10克,盐3克,香油15克,酱油10克,植物油150克。

【做法】1.用刀挖去嫩仔鱼的鳃,去内脏,洗净,滤干水,用炒锅焙成两面呈金黄色时取出。

2.葱切花;小红辣椒、姜、蒜和紫苏叶均切末;酱油、醋、味精、杂骨汤、料酒、香油、葱花兑成汁。

3.炒锅置旺火,注入植物油,烧至八成热,下焙鱼炸一下,速移到小火上煎至酥香,下入小红辣椒末、姜末、蒜末、紫苏末,加盐煸炒几下,倒入兑好的汁,焖至稍软,收干汁盛入盘内即成。

干烧岩鲤

【食材】岩鲤400克,火腿肥膘肉125克。

【调料】蒜50克,盐5克,郫县豆瓣50克,味精5克,醪糟汁50克,白糖5克,料酒50克,醋5克,泡红辣椒40克,肉汤750克,姜40克,植物油2000克,葱50克。

【做法】1.将净岩鲤鱼身两侧各剞五六刀，用盐、料酒抹匀全身，腌渍入味；火腿切成粒；葱切粒；姜、蒜切成碎粒；泡辣椒、郫县豆瓣剁细。

2.炒锅置旺火上，下植物油烧至七成热，放入鱼，炸至皮稍现皱纹时捞起。

3.炒锅留底油，烧至四成热，下泡辣椒、豆瓣煸香出色，掺入肉汤烧，出味后，打去渣不用。将鱼和火腿粒放入，加姜粒、蒜粒、盐、醪糟汁、白糖，移至小火上炖至汁将干、鱼熟入味时，加味精、醋、葱，把锅提起轻轻摇动，同时不断将锅内汤汁舀起，淋在鱼身上至亮油不见汁时，起锅盛盘即成。

烧开片鲤鱼

【食材】活鲤鱼350克。

【调料】猪肥膘15克，鲜笋10克，胡萝卜10克，榨菜10克，水发冬菇5克，豌豆10克，干辣椒30克，葱10克，醋4克，白糖40克，酱油25克，盐7克，料酒10克，姜5克，蒜2克，鸡汤350克，植物油1000克。

【做法】1.将鲤鱼去鳃，取内脏，洗净，从脊背片至尾，劈成对尾大片，再从脊背骨下片一刀切下脊骨，把鱼身翻过来，切成斜刀口，用料酒、酱油腌入味。

2.肥膘、鲜笋、胡萝卜、榨菜、冬菇、葱、干辣椒均切成筷子头方丁；葱、姜、蒜切末。

3.炒锅内放植物油烧八成热，下鱼炸成枣红色，捞出控油。

4.炒锅留底油烧热，放姜末、干辣椒、肥膘丁、榨菜丁、冬菇丁、鲜笋丁煸炒出香味，放入盐、酱油、鸡汤、鲤鱼、白糖、醋、料酒、蒜末烧开，转小火烧透，加放豌豆和葱末、胡萝卜丁，再转旺火收汁，至汁色红亮、浓稠，大翻锅装盘。

烤明太鱼

【食材】明太鱼干400克。

【调料】盐5克，味精2克，料酒15克，辣椒粉25克。

【做法】1.将明太鱼干用温水浸泡回软，从腹部掰开成片后，再用水洗净取出，挤净水分，加上盐、味精、料酒和辣椒粉腌煨30分钟。

2.将木炭在炉内点燃烧红，把腌煨好的鱼片摆入烤箅，放明炭火上，翻烤熟透即成。

炒鳝鱼

【食材】鳝鱼200克。

【调料】熟猪油250克，酱油50克，洋葱50克，大蒜5克，料酒25克，干辣椒25克，淀粉25克，姜5克，香油少许，胡椒粉5克，高汤适量。

【做法】1.将鳝鱼头部用钉子钉住，用小刀从头至尾剖开，取出内脏和脊骨，然后将鳝鱼片成2.5厘米长片；洋葱切成片；干辣椒切成小片；姜、大蒜切成末。

2.炒锅放入猪油烧热，将鳝片入锅爆炒起

轻松去鱼鳞之（二） 3.食醋去鳞：在一盆冷水里放进少许食醋，然后再将鱼放在盆里泡上一段时间，或者直接将食醋在鱼身上反复擦抹几次，之后再用工具刮鱼鳞，便可感觉容易许多。4.米酒去鳞：把鱼浸没在一盆冷水里，然后在冷水里加入适量的米酒。耐心等待一段时间以后，再把鱼取出来用刮鳞的工具或是自制的“刮鳞刷”来刮鳞，鱼鳞便很容易刮除干净。

厨房小窍门

Tips

卷时，放入酱油、姜末、洋葱片、干辣椒片、料酒，加盖焖片刻，放入高汤再焖片刻，用淀粉勾芡，撒上蒜末，淋入香油装盘，撒上胡椒粉即成。

红辣椒爆炒鳝片

【食材】鳝鱼300克，鲜红辣椒150克。

【调料】姜丝、蒜末各10克，花椒粒5克，料酒30克，胡椒少许，高汤10克，白糖、盐各3克，酱油15克，植物油100克。

【做法】1.鳝鱼开膛，去掉内脏，清洗干净，用刀把鳝鱼拍平，再切成1厘米长的小段，用盐、料酒腌制5分钟，鲜红辣椒切菱形片。

2.植物油起锅，先把鳝鱼用温油滑一次，捞出。

3.再起油锅，将姜丝、花椒粒、蒜末置入锅中，煸出香味后，投入鲜红辣椒片并炒至五成熟，这时再加入滑出的鳝鱼段，接着加入胡椒、糖、酱油、高汤，爆炒两分钟，即可出锅。

炒鳝糊

【食材】熟鳝鱼丝300克。

【调料】白糖10克，辣椒粉20克，红酱油40克，料酒30克，葱段2克，葱末2克，姜末2克，大蒜泥5克，水淀粉75克，香油25克，植物油125克，胡椒粉适量。

【做法】1.鳝丝洗净，切成5厘米长的段。

2.炒锅上火下植物油烧热，先放葱段、辣椒粉煸出香味，再下鳝丝煸透，烹入料酒，加入姜末、红酱油、白糖和开水。

3.烧开后加盖，用小火3~4分钟，鳝丝柔软入味时改用旺火收汁，用水淀粉勾芡，淋热植物油，炒到油芡溶合，出锅装盘，随手用铁勺在鳝糊中间揿一个坑，放入香油、葱末、大蒜泥，撒上胡椒粉。

4.炒锅烧热，放入植物油，烧至冒青烟时，倒入鳝糊窝内，迅速端盘上桌。

油泡马鞍鳝

【食材】净鳝肉500克，珍珠花菜（鸭掌菜）200克。

【调料】鱼露15克，大蒜10克，味精5克，香油10克，湿淀粉15克，料酒8克，高汤100克，红辣椒25克，植物油200克。

【做法】1.先将鳝肉用刀剞成球状，每块6厘

Tips

巧洗鱼 1.可用淘米水洗鱼，洗得干净，而且洗完之后手也不太腥。2.洗鱼时，用细盐将鱼身撸一遍，然后用清水冲洗一下，很容易就会洗去鱼身上的黏液及污物。3.银鱼的个头较小，准备一小盆清水，把银鱼倒进去，然后用手轻轻搅拌让脏东西沉淀，接着用滤网把小鱼捞起，照这个方法冲洗三四次即可。4.带鱼可在80℃左右的水中烫一下，然后立即浸入冷水中擦洗一下即可。

厨房小窍门

Tips

巧手除河鱼的"泥味" 1.取2500克的水，将250克的食盐溶解在水中，再把活河鱼放入盐水里。盐水通过鱼的两腮浸入血液，一小时后泥味即可消除。如果是死鱼，可将鱼放在盐水里浸泡1.5到2小时，泥味也能被消除掉。2.可先将鱼肚破开，除去肠、污物，泡在清水中，水中再放少许食醋，或在鱼肚中撒几粒花椒，再烧鱼时，则无异味。

厨房小窍门

米长，加湿淀粉拌匀，用盘盛起；大蒜剁粒，用碗盛起；红辣椒剁丝，用盘另放；珍珠花菜洗干净。

2.炒锅下植物油，把珍珠花菜炸至碧绿脆香，捞起盛盘。

3.锅留底油烧热，把蒜粒炒香至金黄色，倒干锅内的油，然后加入鱼露、味精、红辣椒、香油、高汤、湿淀粉调成碗芡。

4.锅下植物油烧热，将黄鳝肉过油，在黄鳝八成熟时用漏勺捞起，等油温略高一些，再把黄鳝倒回油里略炸，立即倒回漏勺。

5.铲净锅里的油，然后把黄鳝倒回锅里，烹入料酒，加入调好的碗芡，炒匀装盘，盘边放炸香的珍珠花菜即成。

大蒜烧鳝鱼

【食材】鳝鱼400克。

【调料】大蒜200克，姜、葱各8克，盐10克，酱油8克，胡椒粉5克，花椒粉5克，郫县豆瓣23克，湿淀粉38克，高汤600克，植物油125克。

【做法】1.鳝鱼剖开去内脏、骨及头尾，洗净，切成长4厘米的段；大蒜剥皮洗净；姜切片；葱切细花；豆瓣剁细。

2.炒锅内下植物油，烧至七成热时，放入鳝鱼段，加少许盐煸炒，煸至鳝鱼段不粘锅、吐油时铲起。

3.锅内另下植物油，烧至五成热时，下豆瓣煸至油呈红色时掺高汤，同时把鳝鱼段、大蒜、姜片、酱油、胡椒粉下锅，用中火慢烧10分钟，下湿淀粉收浓，亮油，起锅下葱花，和匀入盘，菜上面撒上花椒粉即可。

椿芽鳝鱼丝

【食材】鳝鱼400克，椿芽100克。

【调料】姜丝10克，胡椒粉5克，味精5克，湿淀粉10克，料酒8克，盐少许，酱油8克，红油30克，高汤200克，植物油40克，猪油15克。

【做法】1.鳝鱼去骨，切粗丝；椿芽去尾部老茎，切细末。

2.炒锅置旺火上，下植物油，烧至六成热，泡沫散尽后，放进鳝鱼丝、姜丝，适量料酒翻炒，水干即加高汤，倒入猪油、胡椒粉、盐、酱油、料酒，移至中火上慢烧。

3.烧至汁浓油亮时，移锅旺火上，下椿芽翻炒半分钟，下湿淀粉、红油、味精，翻炒均匀装盘即可。

宫保鱼丁

【食材】蒸熟鱼青胶(切粒)200克，炸面包粒150克，炸榄仁75克，金笋粒（煸熟）50克。

【调料】葱粒25克，姜末、蒜末、香油各少许，辣椒碎50克，马蹄粉75克，芡汤、花生油各100克。

【做法】1.先把芡汤加入香油、马蹄粉，调成芡汁。

2.武火烧锅，下花生油，放入蒜末、姜末、辣椒碎、金笋粒、葱粒炒匀，再放鱼青粒略炒，随即加入芡汁，炒成后放入面包粒、炸榄仁，略炒即可出锅。

五彩鱼丝

【食材】净草鱼肉250克，胡萝卜40克，西芹40克，韭黄30克。

【调料】泡辣椒40克，蛋清淀粉35克，湿淀粉20克，胡椒粉3克，醋7克，白糖3克，料酒12克，盐3克，生抽8克，鸡清汤50克，香油3克，植物油500克。

【做法】1.草鱼肉洗净，除尽鱼皮，切成丝，放入盆内加盐、蛋清淀粉抓匀，入沸油锅内拉油捞出。

2.泡辣椒、胡萝卜、西芹分别切成粗丝；韭黄洗净，切段；碗内加入湿淀粉、胡椒粉、醋、白糖、料酒、盐、生抽、鸡清汤兑成味汁。

3.炒锅置火上，加植物油烧至七成热，放入胡萝卜丝、西芹丝、泡辣椒丝略炒，加入韭黄段、鱼丝炒匀，烹入味汁推匀，翻炒几下，淋入香油，起锅装盘。

Tips

巧手去鱼腥味之（一） 1.把洗净的鱼放在冷水中，再往水中放少量的醋和胡椒粉，或者放些月桂叶，经过这种处理即可去除鱼腥味。2.将鱼去鳞剖腹洗净后，放入盆中，倒点黄酒，就能除去鱼腥味，并能使鱼滋味鲜美。3.鲜鱼剖开洗净，在牛奶中泡一会儿，既可除腥，又能增加鲜味。吃过鱼后，口有味时，嚼上三五片茶叶，立刻口气清新。

厨房小窍门

炒鱼丝

【食材】净青鱼肉350克，猪瘦肉75克。

【调料】干淀粉200克，猪油75克，韭菜花60克，姜5克，料酒25克，酱油10克，水发香菇10克，盐9克，红辣椒20克，味精2克。

【做法】1.将鱼肉剁成蓉，加适量盐抓匀，做成两个鱼球；猪瘦肉、水发香菇、姜、红辣椒均切成丝；韭菜花切3厘米长的段。

2.干淀粉研细过筛，铺在砧墩上，把鱼球放上面滚动，沾匀干淀粉，用手拍成薄鱼饼，放入沸水锅中氽熟捞起，再用冷水漂一漂，洗净淀粉，切成丝待用。

3.炒锅置旺火上放入猪油烧热，放肉丝煸炒，随即放入韭菜花段、香菇丝、姜丝、辣椒丝煸炒数下，加盐、酱油、味精、料酒，倒入鱼丝烧沸，翻炒均匀，起锅装盘即成。

椒盐鱿鱼

【食材】鲜鱿鱼200克。

【调料】辣椒粉20克，鸡蛋液70克，香油10克，咖喱粉10克，干淀粉20克，盐5克，植物油500克，味精2克，料酒15克，花椒盐10克。

【做法】1.将鲜鱿鱼去掉明骨、红衣，洗干净，在腹面剞上粗花纹，切成块，吸干水分，用咖喱粉、盐、味精、料酒、香油拌匀，腌 20 分钟，再下鸡蛋液拌匀，蘸上干淀粉和辣椒粉。

2.用旺火热炒锅下植物油，七成热时放入鱿鱼炸至外酥脆而内软嫩，倾入漏勺沥油，再放回炒锅内，烹料酒、盐迅速炒匀上盘即可，佐以花椒盐食用。

煎瓤青红椒

【食材】鲜虾仁300克，青椒100克，红辣椒适量。

【调料】豆豉5克，湿淀粉25克，高汤45克，盐5克，味精3克，植物油200克。

【做法】1.将虾仁洗净，切碎后加盐、味精、淀粉，拌匀；将青椒、红辣椒切开去籽，切块；将葱洗净切成葱花；蒜切蓉。

2.豆豉、高汤、盐、味精调成味汁。

3.青椒、红辣椒块分别抹湿淀粉，放上适量虾肉馅，然后下热油锅中(馅向上)，用小火煎炸1分钟，出锅淋味汁即可。

凤尾胡芹

【食材】青虾150克，鸡脯肉100克，胡芹450克。

【调料】葱丝25克，姜丝25克，盐4.5克，味精2克，香菇丝25克，料酒8克，红辣椒丝25克，花椒粒10克，鸡蛋清20克，葱5克，清汤250克，姜块5克，湿淀粉15克，植物油60克。

【做法】1.胡芹洗净切段，用开水氽一下，捞出；鸡脯肉去筋，用凉水浸一下，捞出，用刀剁成泥，加入盐、湿淀粉、料酒、味精，搅打成糊；青虾洗净，去掉须爪，加入葱、姜块、花椒、盐，煮成盐水虾，捞出，去头、皮，留尾。

2.胡芹段从中间用刀划一下，将打好的鸡脯糊酿入芹菜内，把加工好的虾在芹菜段的两头各放1个。把每个芹菜段逐一做完，上笼蒸。

3.锅放火上，添植物油加热，将花椒粒炸一下捞出，下入香菇丝、辣椒丝、葱丝、姜丝及盐、味精、料酒，翻炒几下添清汤，汤沸，下湿淀粉勾芡，浇在芹菜段上即成。

盐酥虾

【食材】细中虾300克。

【调料】料酒8克，盐5克，蒜蓉8克，老抽8克，葱15克，姜8克，淀粉30克，植物油1000克，红辣椒20克。

巧手去鱼腥味之(二) 4.洗鱼、剖鱼时，手上总沾上些腥味，只要用点白酒或牙膏洗手，再用清水冲净，腥味即可除去。5. 在厨房中洗鱼，腥味弥漫，令人作呕。若洗鱼之前，将鱼放在温茶水中泡上几分钟，味道就小多了。6. 烧黄鱼时，揭去头皮，就可除去异味。

厨房小窍门

Tips

【做法】1.将虾剪去脚、须，洗净控干水分，加淀粉拌匀。

2.炒锅下植物油烧滚，放虾炸熟，捞出沥油。

3.锅留底油烧热，爆姜、葱、蒜蓉、红辣椒，下虾炒匀，加入盐、料酒、老抽炒匀，炒至将干上盘，冷热食用均可。

虾皮炒茭白

【食材】茭白300克，虾皮50克，青辣椒25克。

【调料】盐5克，白糖2克，葱、姜末各10克，植物油35克。

【做法】1.将虾皮用温水泡透，洗去杂质，捞起沥水；茭白削去皮，下开水锅里略烫一下捞出，直剖成两半，再切成斜刀片；青辣椒洗净，去蒂和籽，切成段。

2.锅放火上，注植物油烧热，下葱、姜末和虾皮，煸炒至出香味时，加入茭白片、青辣椒段、盐、白糖和水少许，炒半分钟，出锅即成。

青椒海螺片

【食材】鲜海螺肉200克，青尖椒100克。

【调料】鲜花椒6克，盐3克，生抽酱油15克，醋4克，香油20克，葱白末12克，味精3克，白糖2克，豆豉6克，植物油20克。

【做法】1.将鲜海螺肉切成薄片，投入四成热的油锅滑熟，捞出晾凉；青尖椒去蒂，洗净，切成粒。

2.锅内放植物油，下青尖椒粒、豆豉、鲜花椒煸炒香，起锅入碗，加盐、白糖、生抽酱油、醋、香油、葱白末、味精调匀，放海螺片拌匀，装盘即成。

干辣海螺片

【食材】水发海螺片400克。

【调料】海鲜酱25克，干辣椒16克，盐3克，味精3克，大蒜20克，葱白25克，姜16克，高汤800克，白糖5克，玫瑰露酒16克，湿淀粉18克，生抽7克，植物油100克。

【做法】1.水发海螺洗净泥沙，放入清锅内煮两次捞出；干辣椒切段；大蒜切片；姜切片；葱白切段。

2.锅内加高汤烧沸，加葱白段、姜片，放海螺片煮入味至熟捞出。

3.碗内加入盐、味精、高汤、白糖、玫瑰露酒、湿淀粉、生抽兑成味汁待用。

4.锅置火上，加植物油烧至六成热，加入干辣椒段炸呈棕红色，放入蒜片、葱白段、姜片炒香，加入海螺片翻炒，再放海鲜酱略炒，烹入味汁推匀，起锅装入盘内即成。

辣爆蛏子

【食材】生蛏子头250克，青红辣椒100克，水发冬菇10克，净冬笋10克。

【调料】蒜片4克，葱丝5克，盐3克，清汤150克，湿淀粉30克，香油2克，料酒5克，植物油500克，味精适量。

Tips

巧手去鲤鱼的白筋 鲤鱼脊背上有两道白筋，此物奇腥无比。剖鱼时，将鲤鱼齐鳃处切一刀，在鱼的中间部位找出一条白筋，用手拽住外拉，同时，用刀背轻轻拍打鱼的脊背，直至白筋全部抽出；用同样的方法再抽出另一侧的筋；这样，烹制出的鲤鱼就没有腥味了。

厨房小窍门

Tips

巧手脱鱼骨 1.使鱼肚朝左、背朝右躺在砧板上，刀贴着鱼背骨横切进去，深及鱼肚，切断脊骨与肋骨相连处(不要切破皮)；然后将鱼翻身，切开另一端脊骨与肉，把靠近头部的脊骨斩断或用手掰断、拉出，在鱼尾处斩断脊骨。2.将鱼腹朝下放在墩子上，翻开鱼肉，使肋骨露出根端，将刀斜切进去，使肋骨脱离鱼肉，将两边肋骨去掉后，即成头、尾完好，中段无骨，仍然保持鱼形完整的“脱骨鱼”了。

厨房小窍门

【做法】1.辣椒、冬菇、冬笋切成长条；蛏子头洗净，控去水分；湿淀粉、盐、味精、清汤兑成芡汁，备用。

2.炒锅内放入植物油，旺火烧至九成热时，将蛏子头下锅一溜，倒出控净油。

3.炒锅内留底油，旺火烧至六成热时，用葱丝、蒜片爆锅，加入辣椒条、冬菇条、冬笋条略炒，烹料酒，倒入蛏子头、芡汁，迅速翻炒成包芡，加香油翻锅盛入盘内即成。

煳辣海贝

【食材】鲜贝200克。

【调料】干辣椒20克，花椒2克，姜汁8克，西芹80克，盐3克，味精2克，生抽10克，胡椒粉3克，大蒜16克，葱白25克，蛋清淀粉25克，吉士粉16克，湿淀粉25克，白糖2克，高汤30克，料酒10克，植物油120克。

【做法】1.鲜贝洗净，沥干水分，放入盆内加盐、胡椒粉、料酒、吉士粉抓匀，裹上蛋清淀粉；干辣椒切段；西芹洗净切丁；大蒜切粒；葱白切粒。

2.碗内加高汤、姜汁、盐、味精、生抽、白糖、湿淀粉兑成味汁。

3.锅内加植物油烧至五成热，放入鲜贝滑散，翻炒，放入大蒜粒、花椒、干辣椒段、葱粒、西芹丁炒香，烹入味汁推匀起锅，装盘上桌。

香辣香妃鲫

【食材】鲫鱼500克。

【调料】香菜20克，干辣椒15克，盐10克，白糖10克，醋10克，酱油50克，料酒15克，香油5克，大料2克，干淀粉35克，葱、姜片、蒜少许，鸡精、清汤适量，植物油100克。

【做法】1.将鲫鱼背上划两刀，蘸上干淀粉煎炸至表面呈焦黄色。

2.炒锅下植物油烧热，加入干辣椒、姜片、蒜、葱、大料爆香，烹入料酒以后，加入清汤，放入盐、白糖、醋、酱油、鸡精、鱼，烧焖5~8分钟后，至汁浓时淋香油，放上香菜装盘。

五彩滑鱼片

【食材】鲈鱼600克，红、青尖椒各20克，香菇12克，南瓜20克。

【调料】盐5克，味精2克，白糖15克，水淀粉少许，植物油50克，葱花、蒜片、香油各少许。

【做法】1.将鲈鱼宰杀洗净，去骨，将肉切成片；其他食材均洗净，切片备用。

2.把鲈鱼肉片用水淀粉上浆，焯水。

3.炒锅下植物油烧热，用葱花、蒜片爆香，放入所有食材，加入盐、味精、白糖翻炒，用水淀粉勾芡，淋香油出锅即成。

兴国米粉鱼

【食材】鲜活草鱼600克，青菜叶数片，粉干350克。

【调料】盐20克，味精1.5克，米粉50克，姜末50克，干薯粉150克，葱花100克，酱油150克，辣椒酱100克，植物油150克。

【做法】1.将鲜活草鱼宰杀、除鳞、去鳃，洗净，切成片状，盛入钵内，放入姜末、味精、酱油、盐少许和辣椒酱，腌几分钟，再拌上干薯粉，待用。

2.取一小笼，笼底垫上洗净的青菜叶，撒上米粉少许，略蒸一下离火。

3.粉干下沸水氽至七成熟，捞起沥干水，用盐少许、酱油、植物油、味精、辣椒酱少许，拌匀后散放在蒸笼青菜叶之上，再撒米粉少许，上蒸锅蒸至上汽即端出，再放调好味的鱼片，复上旺火蒸20分钟。

4.将辣椒酱用开水调稀，加入酱油、味精、植物油，调成卤汁，浇在笼内鱼片上，撒上葱花，连笼端上席。

Tips

巧手脱鳝鱼骨 首先把鳝鱼放进锅里煮，煮之前水中放入盐、葱、姜，还有料酒和醋，这样做一是为了去除鳝鱼的腥味，二是去除鳝鱼身上的黏膜。水开后要注意，倒入活鳝鱼后，要立刻盖上锅盖，否则鳝鱼会从锅内蹿出；煮五分钟后鳝鱼就可以出锅了。把鳝鱼放在桌面上，鳝鱼背朝向自己，鱼肚朝向前方，左手按住鳝鱼头，右手的拇指和食指拿着牙签，中指顶住鳝鱼背。鳝鱼的骨头是三棱形的，只要从头到尾划三下，鳝鱼肉就被剥下来了。鳝鱼内脏不能吃，取出扔掉。

厨房小窍门

鱼米映红椒

【食材】小鲤鱼200克，红辣椒20克，青豆20克。

【调料】盐5克，味精2克，鸡粉少许，白糖适量，水淀粉和香油各适量，植物油30克，葱花少许。

【做法】1.将小鲤鱼宰杀洗净，剔骨，鱼肉切丁，同青豆焯水；红辣椒切丝待用。

2.炒锅下植物油，用葱花炝锅爆香，放入鲤鱼丁、青豆、红辣椒丝和所有调料翻炒，水淀粉勾芡，淋香油，出锅盛盘即成。

春菜黄芽鱼

【食材】黄芽鱼400克，春不老腌菜100克。

【调料】盐3克，酱油25克，料酒10克，干辣椒15克，植物油15克，姜4克，葱花少许，大蒜2克。

【做法】1.黄牙鱼刮鳞，破腹去内脏，斩去硬鳍，洗净；姜、大蒜、干辣椒切成小丁待用。

2.炒锅置中火下植物油，烧至七成热时，将鱼下锅，煎至两面金黄时，加料酒、酱油、盐烧片刻，随即将春不老腌菜下锅，加清水250克，放干辣椒、姜丁、大蒜丁，继续烧10分钟，起锅盛入盘中，撒上葱花即成。

宫门献鱼

【食材】桂鱼400克，豌豆200克，牛肉末200克。

【调料】火腿75克，料酒40克，醋25克，酱油25克，白糖10克，盐4克，榨菜15克，干辣椒25克，干淀粉20克，鸡油10克，鸡蛋清10克，葱花、姜量。

【做法】1.将桂鱼开膛去杂洗净，切成三段，把头尾收在盘内，加料酒、酱油、葱段、姜末，腌一会儿。

2.鱼切成片，把鱼片放入用干淀粉和鸡蛋清调成的糊中。

3.火腿切成片；将豌豆去掉皮；姜块切末。

4.炒锅下植物油烧热，将鱼头、尾炸一下捞出，将牛肉末倒入锅内，炒出香味，下榨菜、葱花、姜末、干辣椒，炒几下，加入酱油、白糖、醋、料酒，将鱼的头尾放入锅内加汤，汤量和鱼平，慢炖四十分钟。

5.将鱼的头尾起出，摆放在盘内。另将捞出鱼片放油锅内逐片炸，至鱼片浮在油面，捞起，码头尾中间，火腿片摆在鱼片上，青豌豆放在最上面。最后淋入鸡油和炖鱼原汁即成。

鲤跃龙门

【食材】鲤鱼500克，猪肉50克，玉兰片100克，香菇100克。

【调料】青蒜25克，植物油100克，盐2克，酱油10克，白糖50克，辣酱50克，醋5克，清汤500克，料酒25克，葱段、姜片各50克。

【做法】1.将鲤鱼剖腹取出内脏，洗净，用刀在鱼身划一字形花刀；猪肉、玉兰片、香菇分别洗净，切成方丁；青蒜洗净，切成段。

2.炒锅下植物油，烧热，将鱼放入，炸成黄色捞出。

3.原锅留底油，把辣酱放入锅中煸炒，待油炒成红色时，注入清汤，开锅后略煮。

4.另取炒锅下植物油，烧热，下猪肉丁、玉兰片丁、香菇丁煸炒，加入料酒、盐、酱油、白糖、醋、葱段、姜片略炒，随即将炸好的鱼放入锅中，再将炒辣酱的原汤倒入锅中，上旺火烧开后，放入鱼盘中。

5.原锅放入青蒜段，在火上煸炒一下，撒在鱼身上即成。

辣鱼粉皮

【食材】带皮青鱼肉200克，干粉皮2张。

【调料】熟猪油500克，料酒、酱油各10克，甜面酱7克，干辣椒30克，葱5克，鸡汤

做鱼防粘锅 人们煎鱼时，往往会遇上鱼肉粘在锅底的情况，非常麻烦，这里教你两个小窍门。1.无论烹制什么鱼，把锅洗净烧热后，用一块生姜把热锅里面擦一遍，然后再放油煎鱼，就不会使鱼肉粘锅底。2.煎鱼时，在放油前在锅内倒少许红葡萄酒，也可防止鱼肉粘锅底。

Tips

厨房小窍门

750克。香油3克，味精3克，盐2克，白糖色少许。

【做法】1.把干粉皮掰成小方块，用温水洗净、泡软；干辣椒切段；葱切成丝。

2.青鱼肉切成条，放入热熟猪油锅中稍炸，用漏勺捞出，沥油。

3.原锅留底油，烧热后投入葱丝和干辣椒段稍炒，即烹入料酒和鸡汤，加入味精、甜面酱、盐、酱油，再用白糖色调成浅红色汤汁，把鱼条倒入汤中。

3.汤开后，将浮沫撇去，用中火煮10分钟后，加入粉皮再煮10分钟，淋入香油即成。

豆豉鮰鱼

【食材】净鮰鱼400克。

【调料】盐5克，味精2克，淡豆豉25克，胡椒粉、香油各1克，老抽5克，葱段10克，蒜末、姜末各5克，辣椒段50克，淀粉100克，高汤200克，植物油750克。

【做法】1.净鮰鱼切块，用盐、胡椒粉、香油拌匀，拍上淀粉。

2.锅入植物油上火，热后下鱼，炸至身硬，捞出，随即放入蒜末、姜末、豆豉、辣椒段、葱段炒匀，再放入高汤、味精、老抽、鮰鱼块，翻炒均匀，用少量淀粉打芡即成。

家常鳊鱼

【食材】鳊鱼450克，冬菇片25克，笋片25克。

【调料】姜末2克，料酒2克，葱段2克，白糖2克，蒜末5克，味精2克，辣椒粉25克，鸡清汤250克，盐5克，熟猪油100克，醋5克，香油10克，酱油5克。

【做法】1.将鳊鱼洗净，两面剖上十字花刀。

2.炒锅置旺火上，下入熟猪油，烧至七成热，放入鳊鱼煎成两面黄色，然后烹入料酒、姜末、蒜末、酱油、辣椒粉、白糖、鸡清汤、盐、笋片、冬菇片，待汤沸后转文火煮15分钟，用勺略转动一下，待鱼眼凸出时，转旺火加入味精，待汤汁浓稠时，淋入醋、香油，撒上胡椒粉、葱段即成。

白汁桂鱼

【食材】鲜桂鱼500克，水发玉兰片50克，青豆50克。

【调料】鸡汤300克，葱50克，料酒15克，味精

Tips

咸鱼“返鲜”小窍门 把咸鱼放盆内，然后倒入一些温水，再倒进二三小勺醋，浸泡三四小时即可。也可用一盆淘米水加一二小勺碱，将咸鱼放入，泡四五小时，捞出用清水洗净。咸鱼采用此法泡后烹制，不仅能使其变淡，而且肉质也会变得更加鲜美。

厨房小窍门

Tips

巧做鱼骨水晶冻的小窍门 把洗净的鱼头、鱼骨、鱼鳞和鱼皮剁碎，倒入锅内，加水和数粒花椒，文火煮 40 分钟，滤出的汤倒入另一个锅内，放上胡萝卜丁 50 克，味精、醋、白糖、料酒、盐适量和少许胡椒粉，再煮 10 分钟后倒在碗里，放 2 克香菜叶，搅拌均匀，冷却后，即成彩色鲜艳的水晶冻。

厨房小窍门

2.5克，干辣椒30克，葱10克，盐5克，湿淀粉25克，猪油75克，姜块25克，胡椒粉2克。

【做法】1.鱼去鳞、鳃，剖腹去内脏，洗净，在沸水中略烫，晾凉后在鱼的两面各剞 3 刀，撒上盐稍腌；葱、水发玉兰片、干辣椒分别切成细丝。整鱼入盘，加部分葱丝、姜块，上笼用旺火蒸熟取出。

2.锅置旺火上，放入猪油烧热，先将剩余葱丝下锅炒成黄色并散发香味后，再加干辣椒丝、玉兰片丝、青豆稍炒，立即下鸡汤、盐、料酒、味精等煮沸，用湿淀粉调稀勾薄芡，并持锅持续晃动，待芡汁稠浓时，再下熟猪油起锅浇在鱼上，最后撒上胡椒粉即成。

辣味咸鱼

【食材】青鱼400克。

【调料】盐50克，味精10克，酱油10克，料酒50克，姜10克，大蒜10克，红辣椒25克，植物油500克。

【做法】1.将青鱼洗净后切成 3 厘米见方的棋子块，加盐、料酒、拌匀后，放入盆内压紧加盖，48 小时后取出备用；红辣椒、大蒜、姜切丝。

2.将腌过的鱼块洗去表面咸味，沥干水，植物油烧至六成热时放入鱼块，煎至金黄色，连油倒入漏勺内沥去油。

3.锅内放少许植物油，将红辣椒丝、大蒜丝、姜丝放入锅内煸炒出香味后，放花椒粉、酱油、料酒、味精，迅速将煎好的鱼块下锅煸炒，使汤汁完全包在鱼块上，即可起锅装盘。

老烧齐头

【食材】鲫鱼500克，玉兰片40克，水发木耳25克，扁豆10克，猪肉60克。

【调料】干淀粉20克，白糖10克，酱油10克，葱段10克，干辣椒15克，姜丝5克，豆瓣酱5克，味精2.5克，料酒7.5克，盐适量，熟猪油100克。

【做法】1.把鲫鱼剁去胸鳍、背鳍，修齐尾鳍，洗净，鱼身两面顺长划两刀，用盐、料酒腌制入味，再拌上干淀粉。

2.干辣椒破开，玉兰片切成片，葱段、蒜瓣花刀剞上十字纹，猪肉切成鸡冠形，扁豆切段。

3.炒锅下植物油烧热，将鱼上下锅煎制，待两面煎黄，起锅沥油。用锅内余油将豆瓣酱炒熟，放入红辣椒、玉兰片、水发木耳、扁豆、猪肉煸透，盛入盘内。

4.鱼排到锅垫上，放入锅内，加入煸好的干辣椒、玉兰片、木耳、扁豆、猪肉，下入盐、料酒、白糖、酱油、葱段、姜丝、蒜，移至小火烧至鱼透，下入味精，装盘即成。

烧鲇鱼段

【食材】鲇鱼600克，玉兰片40克，水发木耳25克，猪五花肉50克。

【调料】味精2.5克，料酒7.5克，蒜25克，葱丝25克，姜丝25克，干辣椒10个，酱油15克，干淀粉25克，白糖5克，盐4克，植物油50克，醋5克，清汤250克。

【做法】1.鲇鱼去鳞，剁去头、尾、鳍，用立刀刻成人字花纹，然后用盐、料酒、葱丝、姜丝浸渍片刻。

2.将玉兰片片成大柳叶片，待用；五花肉切片，待用；蒜切片；干辣椒切段。

3.炒锅放下植物油，擦净，添入花生油，烧至六成热，鱼段上蘸匀干淀粉，下锅煎制，两面都成金黄色时出锅，沥油。

4.锅内留余油，旺火烧热，下入蒜片、干辣椒段煸炒出香味，再下入五花肉片、玉兰片、木耳和盐、料酒、酱油、白糖、醋，添入清汤。

5.汤沸后，放入鱼段，小火烧至入味，出锅时放味精即成。

比目鱼排

【食材】净比目鱼500克。

【调料】面包糠150克，鸡蛋清芡80克，料酒25克，姜汁20克，葱汁15克，盐8克，胡椒粉5克，花椒粉8克，红油30克，味精5克，干辣椒粉20克，植物油1000克。

【做法】1.比目鱼剥去皮，洗净，切成段，用料酒、姜汁、葱汁、盐、干辣椒粉、胡椒粉拌匀，腌10分钟。

2.炒锅下植物油烧热，取比目鱼段，蘸上鸡蛋清芡，裹上面包糠入油，炸至外酥熟时，捞出，摆入盘中，淋红油，撒味精、花椒粉即成。

碧绿桂鱼卷

【食材】桂鱼肉200克，青菜300克，火腿丝20克。

【调料】姜丝10克，蒜蓉5克，盐8克，香油5克，辣椒粉30克，米粉8克，湿淀粉8克，高汤30克，料酒10克，植物油100克。

【做法】1.将桂鱼肉斜刀切成“双飞”片，加少许盐拌匀，再将鱼片皮向上，平铺在盘上，每片放上火腿丝1条，卷成筒状，拍上干粉。将湿淀粉加入高汤、香油、辣椒粉，调成芡汁。

2.用旺火将炒锅烧热后放入香油，加盐，炒热，倒在碗内。

3.炒锅下植物油，烧热后，用旺火将鱼卷泡油炸至熟，倒在漏勺里，随即下姜丝、蒜蓉、青菜，烹料酒，倒入芡汁、鱼卷一齐炒匀，淋热香油上盘便成。

豆瓣鲫鱼

【食材】鲜鲫鱼600克。

【调料】泡萝卜40克，芹菜25克，郫县豆瓣酱30克，姜12克，白糖3克，味精3克，花

Tips

活鱼不宜马上烹调 人们通常认为“活鱼活吃”营养价值高，其实，这是一种误解。鱼肉只有处在高度僵硬状态时，鱼肉中丰富的蛋白质在蛋白酶的作用下，才逐渐分解为人体容易吸收的各种氨基酸，处于这个阶段的鱼不管用什么方法烹制，味道都是非常鲜美的。

厨房小窍门

椒粒2克，香油3克，盐2克，醋5克，料酒18克，湿淀粉20克，高汤150克，植物油110克。

【做法】1.鲜鲥鱼去鳃、鳞，剖腹除去内脏，洗净，沿鱼脊骨斩成两片。

2.炒锅内加少许植物油，烧至五成热，鱼皮向下放入锅内，煎至两面呈棕黄色时起锅。

3.泡萝卜切成片；芹菜洗净，切段；姜切粒；郫县豆瓣酱剁细。

4.炒锅置火上，加植物油烧至六成热，放入郫县豆瓣酱、姜粒炒香，加入泡萝卜片、花椒粒略炒，加入高汤、鲥鱼片、盐、白糖、醋、料酒烧沸，汤汁浓稠时加湿淀粉勾芡，放芹菜段、味精、香油推匀，起锅装盘。

豉椒鳕鱼

【食材】鳕鱼500克，豆豉20克，姜20克，葱10克，蒜5克，红辣椒15克。

【调料】料酒8克，酱油10克，白糖10克，香油5克。

【做法】1.鳕鱼洗净；豆豉洗净；姜去皮、切丝；葱洗净、切小段；蒜、红辣椒洗净、切碎备用。

2.热锅倒入少许植物油烧热，小火爆香豆豉、姜、蒜、葱及红辣椒、加入料酒、酱油、白糖放入鱼，煮滚后改小火煮约12分钟(剩少许汤汁)，淋上香油即可。

丁香小鱼

【食材】银鱼200克，去皮油炸花生30克。

【调料】干辣椒35克，盐5克，胡椒粉5克，葱15克，蒜头30克，植物油80克。

【做法】1.将干辣椒、葱和蒜头都剁成末备用。

2.将银鱼用清水冲洗干净，放入高温油锅中炸至金黄色捞起，沥干油备用。

3.按油炸银鱼的方式将去皮油炸花生及辣椒末、葱末及蒜末等配料一起略炸一下，捞出沥干油。

4.原锅洗净下少许植物油烧热，放入炸好的材料在锅中快速拌炒，并加入盐、胡椒粉调味即可。

炝锅鳅鱼

【食材】活鳅鱼500克。

吃鱼不要喝茶 鱼肉、海味等属于高蛋白食物，不能与茶搭配，因为茶叶中的大量鞣酸与蛋白质结合，会生成具有收敛性的蛋白质，使肠蠕动减慢，延长粪便在肠道内滞留的时间，既容易造成便秘，又增加了有毒和致癌物质被人体吸收的可能性。

Tips

厨房小窍门

【调料】盐3克，干辣椒25克，花椒2克，紫苏叶4克，姜14克，葱白25克，料酒40克，生抽8克，鸡精3克，香油4克，湿淀粉12克，高汤30克，植物油150克。

【做法】1.将活鳅鱼放入盆内用清水养两天，捞出后宰杀，加料酒、盐，剁去头不用。

2.干辣椒切段；紫苏叶切末；姜切丝；葱白切段。碗内放高汤、料酒、生抽、鸡精、湿淀粉、盐兑成味汁。

3.锅内加植物油烧至七成热，放入鳅鱼炸熟捞出，待油重新升至七成热时放入鳅鱼并炸成金黄色，捞出。锅内加植物油烧热，放入干辣椒、花椒爆香，捞出在菜墩上铡成末。

4.锅内加植物油烧至五成热，放入姜丝、葱白段、紫苏叶末炒香，加入鳅鱼，烹入味汁推匀，下香油，撒红椒和花椒起锅装盘即成。

鱼米烩鲜豌豆

【食材】鲜鱼肉300克，鲜豌豆100克，胡萝卜50克，鸡蛋清10克。

【调料】盐15克，料酒8克，胡椒粉5克，味精5克，干淀粉8克，湿淀粉8克，姜片8克，葱段8克，植物油80克，红油18克。

【做法】1.将胡萝卜去皮，切成豌豆大的粒，用开水焯熟，冷水泡凉；鲜豌豆开水焯熟，泡凉。

2.将鱼去骨、去皮，切成豌豆大的粒，用料酒、盐、胡椒粉腌15分钟，再将鸡蛋清加干淀粉调成糊，将鱼粒拌匀。

3.将锅内植物油烧至三成热，鱼粒过油。

4.炒锅内留底油，下姜片、葱段炒出香味，加汤稍煮，捞去姜片、葱段，放入豌豆、胡萝卜、盐、料酒、味精，倒入鱼粒，下湿淀粉勾芡，淋红油，起锅装盘即成。

清蒸荷叶鱼

【食材】石斑鱼肉片400克，云腿片30克，花菇15克，干荷叶1大片。

【调料】姜丝8克，植物油10克，酱油5克，白糖5克，酒8克，鲜鸡精5克，姜汁5克，蚝油5克，胡椒粉5克，红油20克。

【做法】1.将石斑鱼肉片、云腿片及花菇用所有调料拌匀，腌10分钟。

2.将干荷叶铺在蒸笼内，将石斑鱼肉片、花菇、云腿、姜丝摊放在上面，将露在笼边的

Tips

除掉炸过鱼的油的腥味 1. 把炸过鱼的油放在锅内烧热，投入少许葱段、姜和花椒炸至焦，然后将锅离火，抓一把面撒入热油中，面粉糊化沉积，吸附了一些溶解在油里的三甲胺，可除去油的大部分腥味。2. 把炸过鱼的油烧热，经葱，姜，花椒去腥味后，再淋入调匀的湿淀粉浆；湿淀粉受热爆裂沉积，淀粉泡沫也可以把油中的腥味吸附掉，随后滤去飘浮的淀粉泡沫即可。

厨房小窍门

荷叶边盖在上面。

3.将锅水烧开后，放笼中蒸5分钟即可。

布衣煎鱼

【食材】鲩鱼300克。

【调料】洋葱20克，香芹15克，笋20克，辣豆瓣50克，味精10克，料酒10克，醋10克，植物油50克，姜8克，蒜8克，海鲜酱50克，孜然10克，葱10克，盐20克。

【做法】1.鲩鱼宰杀洗净，用味精、料酒、醋、海鲜酱、孜然和盐拌匀腌至入味；洋葱、香芹、笋切小块。

2.锅中下植物油放入鲩鱼煎烙至两面全黄装盘。

3.另起锅烧热油，下姜、葱、蒜、辣豆瓣炒香，加入洋葱块、香芹块、笋块炒熟，放入盐、味精，倒入盘中鱼身上即可。

红油目鱼

【食材】目鱼肉250克。

【调料】盐5克，料酒25克，味精2.5克，红油50克，葱姜各25克。

【做法】1.目鱼肉洗净黑污，切2.4厘米长、1.2厘米宽的块，宽边切梳子刀。

2.锅上火，放入清水、料酒、葱姜烧开后，把目鱼下开水锅煮熟捞出，沥干水分。

3.将目鱼放盘内，加入盐、味精、红油拌匀，装盘即成。

酒椒甲鱼

【食材】甲鱼1只约800克，净猪蹄700克。

【调料】干辣椒20克，白兰地酒40克，生抽酱油8克，盐4克，黑胡椒粉2克，香油4克，花椒油2克，姜18克，大蒜18克，白糖3克，葱白25克，味精3克，植物油150克。

Tips

怎样调好芝麻酱 先把酱放进干净的碗里，加少许凉开水和盐，用筷子先慢速后快速地顺一个方向进行搅拌，待水溶进酱中，体积增大，越搅越稠，并放出香味时，第一步就基本调好了；第二步再根据自己的用途和习惯，加适量凉开水将其再次搅拌稀释，用盐调味，略加搅拌即可。

厨房小窍门

【做法】1.甲鱼宰杀洗净，入沸水后捞出，撕除外膜，去爪、尾，剁成块。猪蹄去毛洗净，斩成块，同甲鱼一起入锅氽除血水捞出。干辣椒切节，姜拍破，葱白切段，蒜切片。

2.取沙锅放入猪蹄、葱白段、姜块垫底，放入甲鱼、白兰地酒、生抽酱油、盐、黑胡椒粉、白糖、清水烧沸，打尽浮沫，加盖改用小火煨熟，取出装盘，将汤汁滗入锅内，用中火收至汤汁浓稠浇在甲鱼上。

3.锅内加植物油烧至五成热，放入干辣椒节、大蒜片炸香，加香油、花椒油、味精起锅倒入甲鱼盘内即成。

花生拌海参

【食材】水发海参300克，炒花生仁150克。

【调料】葱白20克，红油40克，花椒油3克，花椒粉2克，生抽酱油16克，白糖5克，盐8克，姜片12克，味精3克，油酥豆豉12克，料酒适量。

【做法】1.将水发海参去肠，泥沙洗净，入沸水锅内，加料酒，葱白，姜片氽煮两次捞出，晾凉，切成丁；葱白切粒；炒花生仁去衣。

2.取盆放入盐、白糖，加生抽酱油、油酥豆豉搅匀，再放红油、花椒油、味精、花椒粉、水发海参丁、炒花生仁、葱白粒拌匀，装入盘中即成。

家常海参

【食材】水发海参300克，猪肥瘦肉50克，青蒜苗20克，黄豆芽100克。

【调料】郫县豆瓣20克，猪油65克，料酒20克，盐10克，高汤300克，酱油10克，味精0.5克，红油20克，水豆粉10克。

【做法】1.水发海参片成上厚下薄的斧楞片，用高汤煨两次捞起；猪肥瘦肉剁细；青蒜苗切成大粗段；黄豆芽去净根脚；豆瓣剁细。

2.炒锅置火上，下猪油烧至四成热时下猪肉，放料酒、盐翻炒，捞上盛盘。

3.将锅洗净入下猪油烧至六成热时，下郫县豆瓣炒出香味，呈红色时，加入高汤烧沸，将郫县豆瓣渣捞出，放入水发海参及猪肥瘦肉、酱油、料酒推转，将锅移至小火上煨，待煨至亮油时，用水豆粉勾薄芡，下蒜苗、味精、红油推转。

4.另用一锅烧猪油，将黄豆芽炒熟，装入盘中垫底，然后将水发海参连汁淋于豆芽上即成。

Tips

专业红卤汁配方揭秘 原料：大料20克，桂皮20克，陈皮50克，丁香8克，山柰20克，花椒20克，茴香15克，香叶20克，良姜20克，草果5个，甘草15克，干辣椒100克，香葱150克，生姜150克，片糖250克，料酒1000克，优质酱油500克，糖色50克，盐200克，热花生油250克，味精100克，骨汤12千克。

厨房小窍门

什锦海参羹

【食材】水发海参300克，虾仁50克，鸭肫片50克，猪瘦肉片50克，水发冬菇30克，笋花片50克，火腿片30克，丝瓜100克。

【调料】姜6克，葱花15克，料酒8克，胡椒粉5克，高汤1000克，湿淀粉15克，猪油8克，辣椒油25克。

【做法】1.先将水发海参切为指甲片大小，然后放锅内，放沸水600克，加入姜、葱花、盐、料酒煮2分钟，倒入笊篱，拣去姜、葱花不用。

2.以上的什锦配料除虾仁外，其他料全部切为片。

3.锅放火上，加开水600克，放进鸭肫片、猪瘦肉片，下适量湿淀粉拌匀勾芡，将水发冬菇、丝瓜、笋花片放锅内，稍煮一会儿倒入笊篱沥水。

4.将锅放旺火上加高汤，放入海参、盐、味精、虾仁和其他配料，见汤稍滚时去净浮沫，然后下胡椒粉、火腿片、湿淀粉拌匀，淋入猪油、辣椒油即成。

辣炒海参

【食材】水发海参500克，猪肉125克，黄豆芽150克，青蒜苗150克。

【调料】葱75克，味精3克，豆瓣30克，湿淀粉10克，干辣椒20克，肉汤750克，酱油25克，清汤250克，料酒15克，香油15克，盐3克，猪油170克，姜30克。

【做法】1.将水发海参洗净，切成片；猪肉剁成碎粒；青蒜苗切成花，黄豆芽洗净；姜、葱拍松。

2.炒锅置旺火上，下猪油，烧热，下姜、葱、干辣椒炒香后加入清汤、料酒、盐，将海参投入煨一会儿，捞起稍凉。接着再将海参煨二次，捞起。

3.炒锅置旺火上，下猪油烧热，投入肉粒炒散，加料酒、盐将肉炒香起锅。

4.另用炒锅下猪油烧热，放入黄豆芽加盐炒香倒入盘中。

5.将锅洗净，下猪油烧热，投入豆瓣炒出香味，加入肉汤烧沸，再将海参、肉粒、酱油放入，用湿淀粉勾芡，速加香油、蒜苗、味精翻炒均匀，连汁倒在黄豆芽上即成。

川式虾排

【食材】鲜虾仁200克。

【调料】青、红椒各50克，味精10克，鸡精10克，盐10克，辣椒粉30克，葱花8克，植物油50克，淀粉15克，面包糠20克。

【做法】1.将青、红椒洗净切成小丁；将鲜虾仁剁成蓉，调好味，放入淀粉。

2.将调好味的虾仁掺放入条盘内，撒入面包糠，在炒锅内加入色拉油，烧至四成热，放入撒好面包糠的虾仁，炸成金黄色，捞出改成一字条，放入条盘内。

3.另一炒锅加入少许植物油，烧至二成油温，放入青、红椒丁，炒香加入味精、鸡精、辣椒粉、盐、葱花，浇入装好虾排的盘上即可食用。

Tips

专业白卤汁配方揭秘 白卤汁是卤菜中常用的汤料，用其卤制的菜清鲜适口，很为人们喜欢。这里告诉你专业白卤汁的配方。原料：大料60克，山柰50克，花椒25克，白豆蔻25克，陈皮50克，香叶50克，白芷25克，香葱150克，生姜150克，水酒1000克，白酱油1000克，盐120克，味精100克，骨汤12千克。

厨房小窍门

西兰花炒虾仁

【食材】小虾仁100克，西兰花100克。

【调料】蒜末15克，干辣椒15克，植物油10克，料酒15克，盐适量。

【做法】1.西兰花去粗茎，分成小朵，粗茎削除厚皮，切成恰可入口的大小；在沸水中添加少许盐，放进西兰花氽烫，再用冷水过一下，捞出沥水。

2.红辣椒去蒂、去籽，切成粗末备用。

3.将植物油与蒜末放进平底锅中，用小火爆香，放入红辣椒与小虾仁，用中火拌炒，待小虾仁变色，可淋洒少许料酒；放入西兰花，用大火迅速爆炒，再添加盐调味即可。

豉椒生蚝煲

【食材】生蚝250克。

【调料】蒜蓉2粒，豆豉15克，葱15克，青辣椒10克，红辣椒15克，香油10克，胡椒粉5克，淀粉5克，盐5克，白糖5克，老抽5克，菠菜400克，姜数片，植物油适量。

【做法】1.生蚝洗净，放落滚水中煮至蚝唇张开，捞起抹干水，加香油、胡椒粉少许，淀粉拌匀，泡油；青、红辣椒切碎，待用。

2.煲下植物油烧热，爆香姜、蒜蓉、豆豉、青、红辣椒，下蚝，用盐、白糖、老抽、淀粉，水60克勾芡，熄火等用。

3.菠菜洗净，放落滚水中氽软，放在煲仔内，把蚝放在菠菜上，放上葱，淋少许植物油煲滚，原煲上台。

孜然辣仔蛤

【食材】蛤仔肉300克。

【调料】熟芝麻25克，孜然粉2克，干辣椒25克，盐4克，花椒油3克，白糖5克，特鲜酱油10克，鸡精3克，沙茶酱16克，葱白20克，植物油80克，红糟汁15克。

【做法】1.蛤仔肉洗净入盘；干辣椒切段；葱白切粒。

2.锅置火上，加少许植物油，放入干辣椒段炒香，起锅用刀铡成末，入碗内待用。

3.锅内加植物油烧至六成热，放入葱白粒、沙茶酱、蛤仔肉、盐炒几下，加特鲜酱油、白糖、红糟汁、鸡精、干辣椒末炒熟，放孜然粉、花椒油、熟芝麻炒匀起锅，装盘即成。

豆制品

香辣豆腐

【食材】豆腐500克，洋葱100克。

【调料】干辣椒12克，大料6克，花椒粉、桂皮粉、味精各2克，白糖10克，酱油、料酒各20克，姜、淀粉、鸡汤、植物油各适量。

【做法】1.将豆腐切成骨牌块，用热植物油炸至金黄色捞出；洋葱、姜均切成小长方条；干辣椒切成丝。

2.坐锅点火放植物油，待油热后放入洋葱丝、干辣椒丝、大料、桂皮粉、姜丝、花椒粉和酱油煸炒出香味，然后把炸好的豆腐块及料酒、鸡汤、白糖放入锅内焖一会儿，汤汁收浓

鱼鳞的效用 鱼鳞含有较多的卵磷脂、多种不饱和脂肪酸，还含有多种矿物质，尤以钙、磷含量高，是特殊的保健品。有增强人记忆力、延缓脑细胞衰老，减少胆固醇在血管壁沉积、促进血液循环、预防高血压及心脏病的作用，还能预防小儿佝偻病、老人骨质疏松与骨折。

厨房小窍门

时放味精，然后用水淀粉勾芡，出锅即成。

豉椒豆腐

【食材】豆腐500克，洋葱、青椒各50克。

【调料】植物油60克，豆豉50克，盐2克，干辣椒50克，白糖5克，酱油10克，香油、蒜、淀粉、清汤各适量。

【做法】1.豆腐切成长方片，放入植物油锅中炸至金黄色时捞出；洋葱、青椒均切成小块；蒜切成末；豆豉用水泡软剁碎。

2.坐锅点火放植物油，油热后放入蒜、干辣椒、豆豉煸炒出香味，加入酱油、盐、白糖和少许清汤，再加入青椒、洋葱、豆腐片，用水淀粉勾芡，淋入少许香油即可。

川酱豆腐

【食材】豆腐500克，水发木耳75克。

【调料】植物油60克，豆瓣酱30克，干辣椒50克，白糖15克，盐、味精各2克，酱油15克，醋10克，清汤、淀粉、料酒、葱、姜、蒜各适量。

【做法】1.将豆腐切成小三角块，放入油锅中炸至金黄色，捞出；干辣椒洗净切碎末；木耳洗净，撕成小片；葱、姜、蒜剁成蓉。

2.坐锅点火放少许植物油烧热，放入葱、姜、蒜蓉、干辣椒末及豆瓣酱，炒出香味后放入豆腐块、木耳片及其余调料和少许清汤，翻炒均匀后用水淀粉勾芡，淋入少许明油即可。

Tips

巧手洗螃蟹 1.先在螃蟹桶里倒入少量白酒，可去螃蟹腥味并使其反应迟钝。2.等螃蟹略有昏迷的时候抽打它们，用锅铲的背面最佳，直到它们被抽晕为止。3.用手迅速抓住螃蟹的背部，拿刷子朝着螃蟹的腹部迅速而用力地刷洗，角落不要遗漏。4.检查没有淤泥后丢入另一桶中，用清水冲净即可。

厨房小窍门

鸡蓉豆腐

【食材】豆腐600克，鸡脯肉150克，猪肥肉25克，白菜心50克，荸荠50克。

【调料】姜末5克，味精1克，水发香菇25克，鸡蛋清20克，鸡汤150克，盐3克，湿淀粉15克，辣椒粉30克，熟猪油1500克，料酒5克，葱花5克。

【做法】1.将鸡脯肉去筋，剁成细蓉；豆腐去皮，用刀压碎成泥；荸荠切成末。猪肥肉剁成细蓉；白菜心洗净，切块。

2.将鸡蓉加入鸡蛋清、鸡汤、盐、味精、料酒搅拌成糊状，再加入豆腐泥、荸荠末、猪肥肉蓉、葱花、姜末和适量辣椒粉拌匀成鸡蓉豆腐。

3.炒锅置旺火上，倒入熟猪油烧至五六成热，将鸡蓉豆腐挤成椭圆扁状下入油锅中，炸至七成熟捞出码入碗内，加上水发香菇、鸡汤。

4.上笼用旺火蒸15分钟，取出滗去汁，翻扣入盘，将滗出原汁倒入锅中煮沸，加入湿淀

Tips

巧手收拾海虾 用剪刀剪去海虾（或河虾）的虾须、虾脚，随后放在水盆里洗，直到水清不混浊为止，这种方法一般用于制作油爆虾、陈皮虾、盐水虾、白灼虾、炝虾、醉虾等。用于炒虾仁的加工方法是：先摘掉虾头，左手捏住虾的背脊上部，右手的大拇指和食指捏住虾的颈部背脊处，用力一挤，即可将整只虾仁全部挤出。个体较大的虾，可采用剥的方法：虾头摘掉，剥去虾壳，取出虾仁。将虾仁漂洗去黏液时，为了使虾仁色白肉脆，可以放入食用苏打粉（1千克虾仁可放食用苏打粉2.5克），也可放食盐（1千克虾仁可放食盐20克），用力搅拌起黏，随后再放入水盆里，用清水漂洗，待虾仁色白、水清即可。

厨房小窍门

粉调稀勾芡，浇在鸡蓉豆腐上，撒上辣椒粉。

5.炒锅置火上，倒入熟猪油25克烧热，下入白菜心，加盐煸炒至断生出锅，围在鸡蓉豆腐周围即成。

兴国豆腐

【食材】豆腐800克，水发香菇50克，包心菜750克，韭菜100克，海米25克，猪肉250克。

【调料】酱油125克，高汤50克，熟猪油200克，味精1克，葱花8克，胡椒粉8克，盐5克，辣椒酱35克，淀粉7克。

【做法】1.将豆腐切成三角形，余下碎豆腐切丁，猪肉、水发香菇、海米、韭菜均切成末，包心菜剁碎。

2.锅置火上，放猪油烧热，将肉末下锅炒散，加入豆腐丁、海米末、香菇末，拌炒片刻，再加入盐、酱油、味精、水少许，用淀粉挂稀芡后起锅，拌入韭菜末，搅成馅待用。

3.锅置火上，放入高汤，烧沸，加酱油、熟猪油、辣椒酱、味精，调成卤汁待用。

4.锅置火上，放熟猪油，烧热时，将三角豆腐下锅，待豆腐浮出油面成金黄色时捞起晾凉，用剪刀顺着豆腐斜边开口，装好馅料。

5.取蒸笼一个，将装好的豆腐铺于蒸笼内，上笼蒸透，浇上卤汁，撒上葱花、胡椒粉即成。

恋爱豆腐

【食材】酸汤豆腐500克，侧耳根150克。

【调料】煳辣椒粉20克，酱油15克，盐10克，味精8克，香油5克，苦蒜12克，花椒粉10克，姜末6克，葱末6克，碱水10克。

【做法】1.豆腐切成长方块，用碱水浸泡一下，拿出放在竹篮子里，用湿布盖起发酵12小时以上。

2.将侧耳根、苦蒜切碎，装入碗中加酱油、味精、香油、花椒粉、煳辣椒粉、姜末、盐、葱末拌匀成佐料。

3.将发酵好的豆腐排放在专制的木炭渣铁灶上烘烤，烤至豆腐两面皮黄内嫩、松泡鼓涨后用竹片划破侧面成口，舀入拌好的佐料即成。

五色怪味豆腐

【食材】豆腐250克，鸡蛋30克，平菇50克，胡萝卜80克，白萝卜100克，芹菜50克。

【调料】花椒粉10克，白糖15克，盐10克，红油15克，味精3克，胡椒粉20克，豆粉8克，面粉8克，植物油400克。

【做法】1.将平菇去蒂，洗净，切细丝。

2.鸡蛋摊成蛋皮，切细丝；芹菜、胡萝卜、白萝卜洗净切细丝，撒上盐，挤干水分。

3.将豆腐捣烂，加入豆粉、面粉和切成细丝的平菇，再放入胡椒粉、花椒粉、白糖、盐、味精拌匀，做成直径约5厘米大小的圆薄饼。

4.炒锅下植物油烧至七成热，下豆腐饼，炸熟使色呈金黄，捞起沥干油，用刀切成小块，装盘内，盘边配上切好的芹菜丝、蛋皮丝，胡、白萝卜丝，淋上红油即成。

宫保豆腐

【食材】豆腐300克，猪肉末100克，油炸花生米50克。

【调料】干辣椒丁15克，猪油1000克，白糖10克，酱油10克，高汤150克，豆瓣酱25克，葱、姜末各5克，盐5克，花椒粉1克，味精、醋、料酒、豆粉适量。

【做法】1.将豆腐切成丁，放入八成热的油锅内炸成金黄色，倒出沥油。

2.炒锅烧热下适量猪油，辣椒丁煸至深红色，加入葱、姜、肉末、豆瓣酱炒酥，烹入料酒，下豆腐丁、高汤、酱油、盐、味精、白糖，烧焖片刻，即用豆粉勾芡收汁，加入花生米、醋、猪油，撒上花椒粉出锅装盘。

豆腐炒牛肉末

【食材】北豆腐400克，牛肉末100克。

【调料】盐5克，鸡蛋60克，鸡精3克，料酒20克，洋葱10克，蘑菇20克，青蒜15克，西芹40克，胡萝卜25克，红油50克，植物油适量。

【做法】1.将蘑菇、青蒜、洋葱、西芹、胡萝卜分别切成小丁。

2.炒锅下植物油烧热，下洋葱丁炝锅，放入牛肉末煸炒，加料酒、鸡精、盐调味，炒熟取出备用。

3.取一器皿，将豆腐放入，用手抓碎，加入鸡蛋打散，放入料酒、鸡精、盐搅拌均匀。

4.坐锅点火倒入红油，待油热后下蔬菜丁煸炒片刻，放入搅拌好的豆腐大火翻炒，炒熟后加入牛肉末，炒匀出锅即可。

回锅豆腐

【食材】豆腐500克，青椒50克。

【调料】盐3克，味精1克，白糖10克，郫县豆瓣酱20克，香油、酱油、料酒、葱、姜、蒜、植物油各适量。

【做法】1.将豆腐切成长方形片，入油锅炸至

识别野生海虾与养殖海虾 野生海虾和养殖虾在同等大小、同样鲜度时，价格差异很大。一些不法商贩常以养殖海虾冒充野生海虾，其实这两者外观上有很大差别，仔细辨认就不会买错：养殖海虾的须子很长，而野生海虾须短，养殖海虾头部"虾枪"长，齿锐，质地较软，而野生海虾头部"虾枪"短、齿钝，质地坚硬。

Tips

厨房小窍门

金黄色捞出；青椒洗净切块；葱、姜、蒜均切成末备用。

2.坐锅点火放植物油，加入葱末、姜末、蒜末及郫县豆瓣酱炒出香味以后，再放入料酒、白糖、盐、酱油、味精调味，然后下入豆腐片、青椒块炒2分钟，再淋入香油即可。

尖椒炒干豆腐

【食材】豆腐干250克，尖椒80克，猪肉60克。

【调料】酱油10克，盐2.5克，醋4克，花椒水3克，葱8克，姜6克，蒜4克，鲜鸡汤150克，味精1克，鸡粉2克，植物油35克，湿淀粉10克。

【做法】1.将豆腐干平铺在菜板上，切成菱形片；尖椒去蒂、洗净，切小滚刀块；猪肉切成薄片；葱、姜切丝；蒜切片。

2.锅内放清水烧沸，将豆腐干放入焯透捞出，过凉，沥去水分。

3.锅内放植物油烧热，放入肉片煸炒至变色，再放葱丝、姜丝、蒜片同炒，放入豆腐干片，添鲜鸡汤、酱油、盐、醋、花椒水，烧开后用小火煨一会儿，放入尖椒，烧旺火，翻炒几下，用湿淀粉勾芡，放味精、鸡粉，淋明油，出锅装盘即成。

家乡豆腐干

【食材】豆干800克，去皮五花猪肉65克，青蒜50克。

【调料】猪油250克，酱油50克，甜豆豉65克，料酒15克，干辣椒30克，味精2克，香油10克。

【做法】1.把豆干平剖成两薄片，再对角切两刀，五花肉切成薄片；青蒜切成斜刀片；干辣椒切成小丁。

2.锅内放猪油，置旺火上烧至六成热时，把豆干块过油2分钟，捞起待用。

3.锅内留底油，在旺火上烧至六成热时，把肉片、干辣椒丁同时下锅稍煸一煸，随后放入料酒、酱油、豆干片、豆豉焖3分钟，再放青蒜片、猪油、味精搅拨几下，淋上香油起锅即成。

干辣豆角香干

【食材】五香豆腐干2件，猪肉、豆角各180克。

【调料】蒜蓉5克，植物油60克，淀粉5克，水10克，郫县豆瓣酱、粟粉各10克，白

Tips

烹饪虾仁时如何不碎不糊 要使虾仁不碎不糊，要把好“三道关”。1.剥出虾仁后，用冷水洗去虾仁表层的黏质、污物及泥沙。2.用洁净的纱布将虾仁的水分擦干，然后加一勺盐拌匀，放上半小时。3.把虾仁放在蛋清里，裹上一层薄薄的蛋清膜，然后再入油锅翻炒，这样，烹饪时自然不碎、不糊了。

厨房小窍门

Tips

慧眼识别优质海米之一 1.看色泽:体表鲜艳发亮发黄或浅红色的为上品,这种海米都是晴天晒制的,一般味道都是淡的。色暗而不光洁的则为品质稍差,是在阴雨天晾制的,一般味道都是咸的。2.看杂质:海米大小匀称,其中无杂质和其他鱼虾的为上品。

厨房小窍门

糖、盐各2克,蚝油、香油各少许,高汤60克,香菇、红辣椒各10只。

【做法】1.猪肉、香干、豆角、香菇、红辣椒均切粒;猪肉用调味料拌匀,用热锅热油速炒,盛起留用。

2.用蒜蓉、淀粉、水、郫县豆瓣酱、粟粉、白糖、盐、蚝油、香油调成味料。

3.炒锅下植物烧热,炒香蒜蓉,加入猪肉等食材再炒匀,慢慢倒入味料,煮滚后,拌匀,冷热食用均可。

韭菜豆腐干

【食材】豆腐干100克,韭菜250克。

【调料】酱油15克,盐3克,红油20克。

【做法】1.将韭菜洗净,切成段,入开水稍氽;豆腐干切成丝。

2.将韭菜段、豆腐干丝拌好,加入酱油、盐、红油拌匀,装盘即成。

香干炒肉丝

【食材】香干200克,猪肉100克,蒜黄100克。

【调料】植物油30克,酱油10克,盐2克,味精1克,料酒10克,葱末、姜末、红辣椒各10克,淀粉2克。

【做法】1.香干切成丝,猪肉切成丝,加入料酒、淀粉,均匀上浆。

2.蒜黄洗净切成寸段。

3.锅上火,植物油烧热,用葱末、姜末、红辣椒炝锅至香,加入肉炒散变色后放香干、酱油、料酒、盐煸炒均匀后,再放蒜黄段、味精、迅速翻炒几下,出锅装盘即可。

辣子素肉丁

【食材】素肉丁300克,荸荠150克。

【调料】盐5克,白糖5克,植物油100克,味精2克,泡红辣椒15克,醋5克,姜3克,水豆粉25克,蒜3克,汤30克,葱10克。

【做法】1.荸荠切1厘米见方的丁;泡红辣椒去蒂铡蓉;葱切寸段;姜、蒜切指甲片。

2.白糖、盐、醋、味精、汤、水豆粉等兑成汁。

3.炒锅入植物油,烧至七成热,下素肉丁、泡红辣椒、荸荠、姜片、蒜片、葱段稍炒,下芡汁,翻转均匀,起锅入盘。

油炸臭豆腐

【食材】精制白豆腐30块。

【调料】植物油1000克,红油50克,酱油50克,味精2克,香油25克,鸡汤100克,卤水、青矾适量。

【做法】1.将青矾放入桶内，再倒入沸水用棍子搅动，然后放入豆腐，浸泡2小时后捞出冷却，放入卤水中，卤好后取出，用冷开水稍洗一下，装入筛子内沥干水分。

2.红油、酱油、香油、味精、鸡汤兑成味汁。

3.将植物油烧沸，卤好的豆腐逐块下入油锅，炸至外焦内嫩捞出，装入盘后用筷子在每块豆腐中间捅一个眼，将兑好的味汁调匀，淋在豆腐眼内即成。

水煮素肉片

【食材】熟面筋300克，豌豆苗75克，蒜苗50克，芹菜100克。

【调料】豆瓣酱25克，盐3克，酱油20克，干辣椒10克，味精1克，花椒粒10克，素汤400克，水淀粉50克，植物油150克。

【做法】1.面筋切成片，加盐、味精、水淀粉，抓拌均匀，制成“肉片”；豆瓣剁碎；豌豆苗洗净；蒜苗、芹菜洗净切成寸段。

2.锅置火上，加入油烧热。将花椒粒、干辣椒炸至变色捞出，剁成碎末。

3.原锅洗净置火上，加入油烧热，下蒜苗、芹菜，煸炒至断生后捞出。

4.锅内再加入油，烧至五成热时，下豆瓣酱煸炒，待炒出红油后，加入素汤、酱油、盐，烧沸后下“肉片”，待“肉片”入味后，下豌豆苗、蒜苗、芹菜，然后用味精调味，盛入汤碗内，撒上花椒、辣椒末。

5.原锅洗净置火上，放油烧沸，浇在汤碗的花椒、辣椒末上即成。

Tips

慧眼识别优质海米之二 3.看体形：海米体形弯曲的，说明是用活虾加工的。海米体形笔直或不大弯曲的，大多数是用死去的虾做成的。体净肉肥，无贴皮，无窝心爪，无空头壳的为海米即为上品。4.尝味道：取一点海米放在嘴中咀嚼，感到鲜而微甜的为上品。盐味重的海米则质量较差。

厨房小窍门

炒肉拌干豆腐

【食材】干豆腐300克，猪瘦肉200克。

【调料】酱油20克，醋10克，味精1克，大蒜20克，香油5克，红油25克，盐7克，植物油20克。

【做法】1.将猪瘦肉切成细丝，干豆腐切成细丝；大蒜砸成蒜泥。

2.将锅置火上，注入植物油，将猪瘦肉丝入锅炒熟，装盘待用。

3.将干豆腐丝放入沸水锅中氽一遍，而后投入凉水中过凉，沥干水分装盘。

4.将醋、酱油、味精、红油、蒜泥、香油、盐放入碗中调拌匀。

5.将豆腐丝码在盘底，再将肉丝放在上面，将兑好的味汁浇淋在上面，即可调拌均匀供食。

香辣豆腐羹

【食材】豆腐500克。

【调料】盐、鸡精各3克，泡椒、香菜适量，白糖5克，醋5克，蚝油20克，香油10克，桂皮、香叶、葱、姜、蒜、植物油各适量。

【做法】1.将桂皮和香叶用水泡一会儿，然后在粉碎机中加入泡椒、葱、姜、蒜、白糖、醋、鸡精、蚝油以及泡香叶和桂皮的水打成味汁待用；另取适量葱、香菜、泡椒切末。

2.将豆腐切成大块放入盘中，倒入打好的味汁，淋少许香油入蒸锅蒸15~20分钟。

3.取出撒上香菜末、葱末和泡椒末，烧少

许热植物油浇在上面即可。

韭黄炒干丝

【食材】韭黄250克，豆腐干200克，榨菜丝50克。

【调料】干辣椒15克，酱油15克，盐10克，醋5克，白糖5克，味精5克，湿淀粉8克，清汤15克，猪油50克。

【做法】1.将豆腐干切成粗丝，用开水氽一下，沥干水分。

2.将韭黄洗净，切成长段，将干辣椒洗净切丝。

3.将白糖、醋、盐、酱油、味精、清汤、湿淀粉放入小碗内调成汁。

4.炒锅放入猪油烧热，下干辣椒丝、榨菜、豆腐干丝煸炒，再加韭黄段炒，烹入调料汁，淋香油，起锅即成。

二椒炒干丝

【食材】白豆腐干125克，红、绿尖椒各80克。

【调料】植物油30克，酱油适量，白糖、味精少许。

【做法】1.红、绿尖椒去蒂、籽切成细丝；白豆腐干片薄后切成细丝。

2.锅置火上，入植物油，烧至八成热放入红、绿尖椒丝，翻炒均匀即撤火，放入盘中备用。

3.锅置火上，入植物油，烧至八成热，将白豆腐干丝入锅后旺火煸炒，使白豆腐干丝油亮带微黄色后，加适量酱油及白糖炒数下，即把盘中的红、绿尖椒丝入锅翻炒均匀，加入味精即可出锅。

焖煎豆腐

【食材】豆腐350克。

【调料】酱油30克，味精、盐各1.5克，香油75克，辣豆瓣酱25克，大蒜100克，葱花、姜末各5克，高汤200克。

【做法】1.豆腐切成方形小片；大蒜切成片。

2.锅用旺火烧热，放香油，将豆腐片煎成两面黄，然后加姜末、辣豆瓣酱、酱油、盐、味精、高汤和大蒜片，改用小火焖煮，至豆腐片透出香味，撒上葱花即成。

辣酱香干煲

【食材】香豆腐干300克，猪腿肉、冬笋、火腿皮、水发肉皮、鸡肫、花生仁、粉丝各

识别新鲜河蚌 新鲜的河蚌，蚌壳盖紧密关闭，用手不易掰开，闻之无异臭的腥味，用力打开蚌壳，内部颜色光亮，肉质呈白色。如蚌壳关闭不紧，用手一掰就开，有一股腥臭味，肉色灰暗，则是死河蚌，细菌最易繁殖，肉质容易分解产生腐败物，这种河蚌不能食用。

厨房小窍门

Tips

50克。

【调料】豆瓣辣酱50克，酱油15克，料酒10克，白糖8克，味精3克，植物油200克，白汤200克。

【做法】1.将香豆腐干、猪腿肉、冬笋、火腿皮、水发肉皮和鸡肫分别切成小丁。

2.粉丝用温水泡发至软捞出；花生仁放入沸水锅中焖酥。

3.炒锅置火上，放油烧至八成热，加入香豆腐干丁、猪腿肉丁、冬笋丁、火腿皮丁、肉皮丁和鸡肫丁煸炒至香豆腐干皱皮，倒入漏勺沥油待用。

4.原锅留少许底油置火上烧热，将豆瓣辣酱炒出红油，倒入过油的全部原料，加入酱油、白糖和料酒，用旺火煸炒至原料上色，下入花生仁、白汤、粉丝烧滚，用中火焖烧15分钟。

5.将豆瓣辣酱和全部食材等捞入煲中，原锅中汤汁继续用旺火烧至稠浓以后，倒入煲中的辣酱粉丝上，撒入味精，加盖，略烧片刻即成。

脆豆腐干

【食材】豆腐干300克，鸡蛋60克，青辣椒20克。

【调料】酱油5克，味精3克，胡椒粉3克，面粉200克，辣椒酱20克，植物油适量。

【做法】1.将豆腐干切成6片。

2.将鸡蛋打散，放入酱油、盐、胡椒粉、辣酱拌匀；将青辣椒洗净、切丝放开水焯一下。

3.将豆腐干片放入加调料的鸡蛋液中，取出再滚上一层面粉。

4.将平底锅内的植物油烧热，放入滚上面粉的豆腐干片，逐个炸至呈金黄色捞出装盘，撒上青辣椒丝即可。

豆腐烧肉泥

【食材】豆腐250克，猪瘦肉75克，雪里蕻25克。

【调料】干辣椒末25克，酱油15克，盐8克，味精2克，葱花10克，植物油60克，清水100克。

【做法】1.将豆腐切成4厘米长、3厘米宽的块；猪瘦肉剁成肉泥；雪里蕻洗净切碎。

2.炒锅置火上，放植物油烧热后，将豆腐块下锅，当两面煎成微黄色时，放入猪肉泥、雪里蕻、干辣椒末、盐、酱油和清水，焖3分钟，再放味精、葱花即成。

Tips

海蜇的挑选 1.看颜色：优质海蜇皮呈白色或淡黄色，有光泽感，无红斑、红衣和泥沙。2.观肉质：质量好的海蜇，皮薄、张大、色白，而且质坚韧不脆裂。3.尝口味：取一点海蜇放入口中咀嚼，若能发出脆响的“咯咯”声，而且有咬劲的，则为优质海蜇；若没有韧性，不脆响的则为劣质品。

厨房小窍门

Tips

凉拌海蜇有讲究 凉拌海蜇是餐桌上的美味佳肴，但附在海蜇上的副溶血性弧菌会引起腹泻、呕吐等症状。副溶血性弧菌对酸最敏感，一般在醋中浸泡5分钟就会死亡，在淡水中也很难存活。因此凉拌海蜇要首先将海蜇放在淡水里泡上两天；在吃前再用醋浸泡5分钟，这样就可以杀死全部弧菌。

厨房小窍门

三杯豆腐

【食材】豆腐600克。

【调料】九层塔（罗勒香草）50克，料酒200克，酱油200克，香油200克，姜10克，辣椒6克，辣豆瓣酱20克，白糖10克，味精25克。

【做法】1.所有材料洗干净后，豆腐切成约1.5厘米的厚片，姜切薄片，辣椒切小段，九层塔去老茎、老叶。

2.豆腐放入热油炸至呈金黄色后，捞起沥干油。

3.热锅后，放入香油烧热，再放入姜片、辣椒爆香。

4.加入豆腐、酱油、料酒、白糖、味精及辣豆瓣酱烧煮至汤汁收干，最后放进九层塔略炒一下即完成。

香豆腐蛤蜊煲

【食材】嫩豆腐500克，蛤蜊200克。

【调料】姜片5克，盐3克，味精2克，鸡油20克，姜末、葱花、泡椒末和红油各50克。

【做法】1.将蛤蜊洗净，放入淡盐水中养2小时捞出，取其肉放入清水中漂洗净，捞起沥水；嫩豆腐放入清水中漂洗干净。

2.将姜末排放在煲的底部，取一半嫩豆腐，用刀切成薄片放入，豆腐上再铺放蛤蜊肉，然后再盖上豆腐片，铺放上余下的蛤蜊肉，加入盐、味精、姜末、葱花、泡椒末和鸡油，置小火上煲15分钟，淋入红油即成。

皇饭儿夹豆腐煲

【食材】豆腐700克，鱼头600克，香菇25克，笋片75克。

【调料】辣豆瓣酱45克，白糖10克，酱油75克，猪油50克，料酒25克，姜片10克，红油少许，植物油250克。

【做法】1.将鱼头洗净，入沸水氽过，然后在鱼头的切面抹上辣豆瓣酱，再用酱油腌一下；豆腐切成厚片，投入沸水锅中氽一下。

2.将炒锅置火上，下植物油烧至八成热，放入鱼头煎黄，然后加料酒、酱油、白糖和适量水略烧，再放入豆腐片、笋片、香菇、姜片烧沸后倒入沙锅炖10分钟，淋红油即成。

芹菜叶豆腐羹

【食材】内酯豆腐1盒，芹菜嫩叶100克。

【调料】鲜红辣椒20克，盐、干淀粉各5克，胡椒粉3克，香油3克。

【做法】1.完整地取出盒中的内酯豆腐，用刀切成小块，放入滚水中焯一下。

2.芹菜嫩叶洗干净焯水后切碎；鲜红辣椒洗净，切成小碎丁。

3.大火烧开锅中的水，放入焯好的豆腐丁、芹菜叶碎末，调入盐、胡椒粉，用干淀粉勾一点薄芡，再淋入香油，最后撒上鲜红辣椒丁即成。

香菇拌豆腐丝

【食材】豆腐丝250克，香菇50克。

【调料】干辣椒20克，白糖50克，盐20克，味精7克，香油5克。

【做法】1.豆腐丝洗净，放沸水中煮一下，捞出沥水，晾凉后切成短段放盘内，加盐、白糖、味精拌匀腌一会儿。

2.香菇放水中泡发洗净，去柄切成细丝。

3.干辣椒去蒂和籽，洗净，切成细丝。

4.将香油烧热，放入香菇丝和红辣椒丝炒出香辣味即停火，趁热将香菇、干辣椒丝倒在腌过的豆腐丝上，拌匀即可上桌。

Tips

海鲜去壳的讲究 1. 生螃蟹去壳时，先用开水烫3分钟，这样蟹肉很容易取下，且不浪费。2.赤贝、扇贝、文蛤等贝类海鲜去壳时也先用开水烫，肉就很容易取下，但这样可能会影响菜肴口感。3.生虾去壳时，虾脑与虾籽最好不要扔掉，虾脑炒熟后鲜红漂亮，虾籽炒熟后营养美味，二者可使菜肴增色、添香、提味。4.生虾去壳前、要先用清水将虾体洗净，这样可防止虾体破碎，保持完整，如剥皮后再洗，虾脑与虾籽容易被水冲掉。

厨房小窍门

蘑菇烧豆腐

【食材】豆腐1000克，五香豆腐干100克，蘑菇75克。

【调料】酱油10克，料酒5克，盐3克，味精2克，红油、辣豆瓣酱、豆粉、葱花各适量，姜蓉、蒜蓉、植物油各50克。

【做法】1.豆腐切1厘米的小块；蘑菇、五香豆腐干分别切粒。

2.炒锅下植物油烧热，下葱花、姜蓉、蒜蓉各适量爆香，加入五香豆腐干拌炒，然后加豆腐块、蘑菇及酱油、料酒、盐、味精、红油、辣豆瓣酱，拌匀烧滚，改小火煮5分钟后，加调稀的豆粉水打芡，推匀即可起锅。

八珍豆腐盒

【食材】豆腐500克，刺参20克，鸡脯20克，笋20克，鲍鱼20克，青鱼肉20克，香菇20克，大白菜心12棵。

【调料】泡辣椒50克，姜5克，葱15克，蒜10克，酱油2克，白糖10克，高汤150克，料酒5克，鸡精3克，淀粉7克，醋5克，盐2克，植物油75克。

【做法】1.豆腐切成长方块，将豆腐块中间掏空，成为豆腐盒。

2.刺参、鲍鱼、鸡脯、青鱼肉、笋、香菇分别切成细丁；泡辣椒剁蓉；姜、蒜切末；葱切花；大白菜心洗净备用。

3.将八珍细丁放在一起，加盐、料酒、鸡精、姜末、葱花、淀粉渍味上浆。

4.炒锅下植物油烧热，下八珍细丁、泡辣椒、蒜末，烹入适量酱油、高汤、醋翻炒均匀，装入豆腐盒中。

5.将装好的豆腐盒上笼蒸，同时将大白菜心用沸高汤汆一下。

6.另取高汤放入盐、料酒、白糖、豆粉勾成汁，淋在蒸好的豆腐盒上，再将菜心围于四周即成。

豆腐炖狗肉

【食材】豆腐500克，熟狗肉100克。

【调料】煮狗肉清汤750克，油炸辣椒20克，盐8克，味精3克，料酒15克，胡椒粉2克，花椒水10克，香油5克，葱花15克，香菜30克。

【做法】1.将熟狗肉顺丝撕成条；豆腐切2厘米见方块；香菜切1厘米长段。

2.锅内放清水烧开，下豆腐焯透，除净豆腥味捞出，控净水。

3.锅内放入狗肉清汤、狗肉、豆腐、料酒、盐、花椒水烧开，撇净浮沫，中火炖透入味，加味精、胡椒粉、油炸辣椒，盛入大汤钵中，淋香油，撒上葱花、香菜段即成。

番瓜豆皮卷

【食材】豆皮250克，番瓜500克，鲜红辣椒35克，西红柿20克，面粉50克。

【调料】植物油500克，盐5克，味精1.5克，湿淀粉30克，香油15克。

【做法】1.将西红柿去籽去皮，切成3片；鲜红辣椒去蒂去籽，切成米粒状；用面粉和湿淀粉调成面粉糊，待用。

2.将番瓜去瓤，切块，上锅蒸熟，挤干水分碾成泥，加盐、味精、香油、鲜红椒粒、面粉和湿淀粉调成糊。

3.将豆皮铺在砧板上，抹上面粉糊，将番瓜糊铺在豆皮上，再将豆皮卷成筒，用面粉糊将接口粘住。

4.炒锅置旺火上，放入植物油，烧至六成热，下入豆皮卷，炸呈金黄色捞出，斜切成1厘米长的段，摆入盘中成花瓣形，中间以西红柿片点缀即可。

蔬菜清洗小窍门 从市场上购买的叶类蔬菜上面往往有些小虫子，这些小虫很不容易洗掉。如果先用盐水（一盆水中放半小匙盐即可）浸泡一下，小虫受到盐的刺激，便会很快从菜叶上掉下来。另外，盐水的比重较大，小虫脱离菜叶以后，便漂浮在水面上，很容易地就从盆中倒出来了。

Tips

巧手制作辣酱 辣酱爽口好吃，是人们日常生活中不可缺少的酱料，这里教你一个自制辣酱的好办法：将鲜红辣椒10只、鲜姜2块、蒜2头、葱和香菜各2棵洗净碾碎放入容器内，加入酱油、香油、白糖、味精适量，充分调拌均匀后即可食用。如果有现成的熟芝麻亦可碾碎加入，味道更佳。

厨房小窍门

豆腐盒

【食材】豆腐600克，鸡蛋100克，猪肉200克。

【调料】葱花5克，姜末5克，盐6克，味精4克，胡椒粉10克，辣椒粉30克，面粉10克，鸡汤100克，湿淀粉100克，植物油1000克，酱油50克。

【做法】1.将豆腐改刀切成8个小方块；猪肉剁成蓉盛碗中，打入一个鸡蛋，加味精、盐，湿淀粉、胡椒粉、辣椒粉、葱花、姜末拌匀成馅。

2.炒锅置旺火上，倒入植物油烧至六成热，放入豆腐块炸到八成熟时捞出。

3.将炸好的豆腐块，用小刀在侧面的一方挖空四分之三，然后均匀地填入肉馅，用湿淀粉封口。

4.将余下的鸡蛋打入碗中，加湿淀粉、面粉拌匀，将填了馅的豆腐拖入，挂糊上浆。

5.炒锅置旺火上，下植物油烧至六成热，将豆腐逐块下锅炸3分钟，至金黄色时捞出盛盘中。

6.炒锅置旺火上，倒入鸡汤、酱油烧沸，用湿淀粉勾芡，起锅淋在豆腐块上即成。

豆腐圆子

【食材】豆腐100克，猪五花肉200克，糯米150克，净鱼肉100克。

【调料】盐2克，酱油10克，葱花25克，姜末5克，海米10克，鸡蛋60克，胡椒粉2克，辣椒粉20克，味精2克，植物油少许。

【做法】1.将豆腐用纱布包起来，放在筲箕内沥水。

2.将糯米淘洗干净，煮熟捞出，以清水浇淋，直至冷却。

3.将猪五花肉切成肉丁，拌入适量味精、姜末、盐腌制入味；将净鱼肉剁成蓉；海米用温水浸涨胀发后，沥干水分。

4.将沥干水的豆腐倒入盆中，搅细搅散，放入鱼蓉、味精、胡椒粉、辣椒粉、盐、鸡蛋、姜末、酱油海米合拌，再放入肉丁搅拌均匀，然后将糯米和适量葱花放入，继续拌匀。

5.将蒸笼格用植物油擦抹一遍，洒一点清水，以防粘连，将拌好的原料挤成鸡蛋大的圆子，依顺序码在笼格上，旺火蒸30分钟，取出码入盘中，撒上葱花即成。

炒麻豆腐

【食材】麻豆腐300克，嫩羊肉50克，青豆50克。

【调料】葱10克，姜5克，羊尾油75克，黄酱20克，酱油20克，青韭30克，料酒10克，香油60克，盐1克，干辣椒20克，高汤少许。

【做法】1.嫩羊肉、羊尾油分别切小薄片；青韭切段；干辣椒切段；葱、姜切细末；青豆用开水焯熟。

2.炒锅上旺火，倒入香油适量，放入羊尾油煸炒，待羊尾油化出油汁，羊尾片呈黄色时，放入羊肉片、葱末、姜末煸炒，待肉片变色，烹入料酒、黄酱，炒出酱香味，加酱油、盐，倒入麻豆腐和焯好的青豆，加高汤少许，用勺不间断在炒锅中推动，使麻豆腐在锅中受热均匀，不粘锅底，至炒熟、炒透即可出锅装盘，然后撒上青韭。

3.炒锅置旺火上，下香油炸干辣椒至出辣香味且呈紫红色时，炒锅离火，稍凉浇在已装盘的菜上即成。

美味腐竹

【食材】水发腐竹750克，净冬笋50克。

【调料】干辣椒15克，豆瓣酱50克，葱15克，姜3克，盐5克，酱油15克，料酒25克，白糖50克，味精3克，香油25克，醋5克，高汤500克，植物油1000克。

【做法】1.水发腐竹切成粗丝，用开水汆透，捞出沥去水分；干辣椒切成细丝；冬笋切成粗丝；葱、姜切细丝；豆瓣酱剁成细泥。

2.锅置火上，加植物油，烧七成热时，投入腐竹，炸至金黄色，倒入漏勺，沥净油。

3.锅置火上，加植物油，烧至六成热，投入干辣椒丝，炒至深红色，投入豆瓣酱、葱丝、姜丝煸出香味，油色变红时，加高汤、白糖、料酒、盐、酱油、腐竹丝、冬笋丝和醋烧沸，移小火上，加盖焖烧至汤汁不多时，起盖，移至旺火，加味精，边烧边转动锅，边淋熟植物油至汁收浓、色红亮时，淋入香油，炒匀出锅，装盘即成。

青椒素肉丝

【食材】素肉丝150克，青椒60克，红辣椒15克。

【调料】盐10克，味精15克，淀粉12克，植物油40克，香油5克。

【做法】1.青椒、红辣椒洗干净后分别切成丝；素肉丝加水泡软。

2.素肉丝捞起沥干后加淀粉拌匀。

3.放植物油于锅中烧热后，放入所有食材及盐、味精翻炒至熟，再淋上香油即可。

海鲜搭配的禁忌(一) 海鲜不能和富含单宁或酸性过强的水果同吃，如柿子、葡萄、石榴、山楂、青杏等，以免蛋白质和钙与水果中的单宁类物质发生作用刺激胃肠。大量吃海鲜之后，胃肠消化能力往往下降，如果马上吃油腻煎炸食物，也会引起胃肠不适。

Tips

蔬菜

辣白菜虾仁

【食材】白菜400克，虾仁100克。

【调料】干辣椒50克，红油20克，盐8克，鸡精20克，葱10克，姜10克，香菜20克。

【做法】1.将白菜洗净撕成小块；虾仁洗净，去掉虾线，用沸水焯熟。

2.坐锅点火，倒入红油，待油热后放入干辣椒、葱、姜煸出香味，倒入白菜块，用锅铲拍软，加入水、盐、鸡精、虾仁翻炒，最后倒入香菜即可。

炒茭白绿蚕豆

【食材】茭白400克，绿蚕豆100克。

【调料】红辣椒75克，花椒粒5克，盐10克，排骨酱100克，鸡精15克，高汤200克，葱、姜末各15克，水淀粉100克，植物油300克。

【做法】1.将茭白洗净切成片，放入器皿中用开水烫一下，捞出沥干水分；红辣椒洗净切成片。

2.坐锅点火放植物油，油四成热时放入葱、姜末及花椒粒，炒出香味后倒入绿蚕豆、红辣椒片、茭白片煸炒，再加入排骨酱、盐、鸡精、适量高汤翻炒均匀，用水淀粉勾薄芡，炒匀即可。

香辣薯丝

【食材】红薯400克，香菜段100克，青红椒丝50克。

【调料】干辣椒段15克，葱丝75克，盐5克，味精3克，香油3克，植物油750克。

【做法】1.红薯去皮，切成6厘米长的丝。

2.净锅上火，注入植物油烧至六成热，将红薯丝抖散入锅，炸至色呈金黄且酥脆时，捞出沥油。

Tips

海鲜搭配的禁忌(二) 海鲜不能和维生素C同食。因为甲壳类动物和软体动物(如虾、贝壳等)都具有极强的富集污染能力，吸收水中砷等毒性物质之后，会以“五价砷”的形式贮存在体内。“五价砷”对人体的毒性较小，但它可以被维生素C还原成有毒的“三价砷”，这种物质对人体危害极大。因此海鲜不宜与富含维生素C的蔬果同食。

厨房小窍门

3.锅留底油，投入干辣椒段煸香后，放入葱丝、红薯丝、青红椒丝、香菜段，调入盐、味精、香油，翻炒均匀，起锅装盘即成。

鲜辣脆元葱

【食材】元葱500克。

【调料】盐3克，五香粉、味精各适量，红油20克，酱油15克，醋5克，植物油适量。

【做法】1.将元葱剥去老皮，洗净，切丝装入盘内。

2.将炒锅置于火上，放入植物油，热后投入元葱丝，加红油、五香粉、盐、酱油、醋煸炒片刻，加味精翻匀后即可食用。

蒜香圆白菜

【食材】圆白菜300克。

【调料】盐3克，老抽5克，味精2克，蒜、干辣椒各20克，植物油适量。

【做法】1.蒜切片；干辣椒切段；鲜嫩圆白菜切块。

2.炒锅放植物油烧热，放蒜片、干辣椒段稍炒，待干辣椒呈紫红色，放入圆白菜块迅速翻炒，烹入盐、老抽翻炒均匀，再撒上味精炒匀即可。

蔬菜扒素肠

【食材】油菜200克，黄瓜300克，水面筋200克。

【调料】盐10克，味精1.5克，葱花15克，姜末15克，红油25克，白酱油20克，湿淀粉2.5克，鸡汤1000克，熟猪油10克。

【做法】1.黄瓜洗净，将水面筋从黄瓜的一头缠到另一头，厚约 0.6 厘米。

2.锅内加入鸡汤，将缠好水面筋的黄瓜下入锅内，用慢火煮3分钟后捞出，放入冷水中冷却后将黄瓜抽出，将水面筋切为马蹄块。

3.将油菜洗净，用开水烫一下捞出。

4.锅烧热后放入红油和葱花、姜末爆香，加白酱油、鸡汤，下入面筋，煨2分钟，再加盐、味精、油菜，烧开后，用湿淀粉勾芡，淋上熟猪油，装盘即可。

香炒苦瓜

【食材】苦瓜120克，小鱼干75克，肉丝50克。

【调料】蒜15克，白糖5克，酱油3克，，干辣椒20克，植物油25克，盐、味精各适量。

【做法】1.将苦瓜洗净，切成片，放入锅内，加少许盐和水略煮片刻，水开后捞出备用。

2.将小鱼干洗净后投入油锅内，与干辣椒、蒜同时爆香，再将肉丝放入，最后放入苦瓜片、酱油、白糖、盐、味精翻炒数下即可。

Tips

海鲜搭配的禁忌（三） 海鲜食品不能与洋葱、菠菜、竹笋同食。海鲜食品含有丰富的蛋白质和钙，而洋葱、菠菜、竹笋等蔬菜含有较多的草酸。食物中的草酸会分解、破坏蛋白质，还会使蛋白质发生沉淀，凝固成不易消化的物质。海味中的钙元素还会与蔬菜中的草酸形成草酸钙结石，不利人体吸收钙质。

厨房小窍门

冬菜苦瓜

【食材】苦瓜500克，冬菜100克。

【调料】白酱油25克，干辣椒20克，花椒粉5克，盐5克，味精3克，植物油适量。

【做法】1.将苦瓜去蒂对剖开，去瓤，洗净，切成1厘米见方的丁；将冬菜选嫩尖洗净，挤干水分，切1厘米长的段；将辣椒去蒂、籽，切1厘米长的段。

2.将炒锅洗净置中火上烧热，下苦瓜丁，加盐，煸干水分铲起。

3.原锅洗净下植物油烧至六成热，放入辣椒段、花椒粉炸至呈金黄色时，倒入苦瓜丁，加白酱油、冬菜段、盐、味精翻炒熟透后起锅即成。

冬瓜素咸烧白

【食材】冬瓜500克，芽菜100克。

【调料】辣椒末25克，盐2克，豆豉20粒，红酱油2.5克，白酱油5克，甜酱2.5克，猪油25克，味精1克，植物油少许，花椒5克。

【做法】1.用小刀刮去冬瓜的瓜霜及瓜瓤，在开水锅内煮过后即捞起，抹上甜酱及红酱油稍晾一下。

2.炒锅下植物油，将冬瓜和芽菜爆黄捞起，

Tips

巧手贮藏香油 把香油装进一小口玻璃瓶内，每500克油加1克精盐，将瓶口塞紧不断地摇动，使盐溶化，放在暗处3日左右，再将沉淀后的香油倒入洗净的、干燥的棕色玻璃瓶中，拧紧瓶盖，置于避光处保存，随吃随取。要注意的是，装油的瓶子切勿用橡皮等有异味的瓶塞，否则将影响香油的香味及品质。

厨房小窍门

冬瓜切成厚的片共20片，放在蒸碗内排成万字形，放入盐、猪油、白酱油、豆豉、辣椒末、味精、花椒等调料。

3.芽菜淘净，尽量挤出水分切成末，放于蒸碗内的冬瓜片上，上笼蒸10分钟扣于盘中即可。

鸡油蚕豆

【食材】鲜蚕豆250克，豌豆苗50克。

【调料】盐5克，味精1克，胡椒粉1克，红辣椒20克，料酒15克，猪油25克，葱、姜、水淀粉各适量，鸡汤250克，鸡油50克。

【做法】1.鲜蚕豆剥去两层皮，用开水焯一下；豌豆苗洗净；葱切成2厘米长的段；姜拍松；红辣椒切粒。

2.锅内放猪油烧热，下葱、姜煸出味，注入鸡汤，烧开，捞出葱、豌豆苗、姜，投入蚕豆、红辣椒粒，放盐、味精、料酒、胡椒粉、鸡油拌匀，再用水淀粉勾芡即成。

清炒红菜苔

【食材】红菜苔400克，鲜红辣椒30克。

【调料】盐5克，鸡精2克，白醋5克，香油10克，

植物油20克，葱、姜各适量。

【做法】1.将红菜苔洗净切段；红辣椒切丝；葱、姜切末。

2.沙锅下植物油，放入姜末、葱末炒香。

3.加入红菜苔段、盐翻炒，滴白醋、香油，放入鸡精翻炒均匀即可。

剁椒芥蓝

【食材】芥蓝300克。

【调料】剁椒酱35克，盐、味精、植物油各适量，葱末少许。

【做法】1.将芥蓝摘洗干净，切末。

2.炒锅置中火上，下植物油适量，烧热后下葱末炒香，投入芥蓝末翻炒，加盐和适量清水，待芥蓝末渐渐变软后，下剁椒酱和味精，翻炒均匀即可出锅。

青椒面筋丝

【食材】生面筋200克，青尖椒100克，胡萝卜50克，冬笋50克。

【调料】植物油100克，料酒10克，盐2.5克，味精2.5克，黄豆芽汤100克，湿淀粉25克，香油少许。

【做法】1.把生面筋团成4个球，放开水锅内微火焐透，捞出过凉水，取出切粗丝，放碗内加入适量的盐、味精和湿淀粉，抓匀，浆上劲；青尖椒去蒂、籽，胡萝卜去皮，与冬笋都切成细丝。

2.锅上火，放入植物油烧至五成热，倒入面筋丝略炒，起锅滤去油。

3.原锅留底油烧热，投入冬笋丝、胡萝卜丝、青尖椒丝和面筋丝煸炒几下，加入盐、料酒、黄豆芽汤、味精，烧开，用湿淀粉勾芡，淋入香油，盛入盘中即可。

煎焖苦瓜

【食材】大白苦瓜500克。

【调料】味精2克，大蒜50克，葱10克，植物油150克，豆豉15克，盐10克，香油10克，红油25克。

【做法】1.苦瓜切成4.5厘米长的筒，放入开水锅中焯过，捞出来放到冷水内，去籽，挤干水分，切成3厘米宽的块。

2.大蒜剥去皮，洗净切片；葱切花；豆豉用开水泡出味。

3.将植物油烧沸，下入苦瓜煎至两面呈金

烹调失误巧补救 1.植物油可防止粥沫外溢：煮稀饭时，往锅里滴几滴香油或者花生油，并改用文火，稀饭就不会有沫子外溢了。2.白糖、醋可解菜咸：炒菜时不小心把盐放多了，加入适量白糖，就可解咸；或再洒一点醋，也有明显减淡菜味的效果。3.白酒可以减酸味：烹调菜肴时，如果加醋过多，味道太酸，只要再往菜里洒一点白酒，即可减轻酸味。

厨房小窍门

Tips

Tips

调味出错补救法 1.太辣：炒菜时加辣椒太多了，可迅速将一个鸡蛋打散，将蛋液倒入菜里一起炒，辣味可以减少。2.太苦：滴入少许白醋，可将苦味除去或减轻。3.太腻：汤过于油腻，将少量紫菜在火上烤一下，撒入汤中，可除腻。4.酱油太多：若酱油放多了，在菜中加入少许牛奶，可使味道变美。

厨房小窍门

黄色后，放入大蒜片、盐、红油、味精、豆豉和适量水，收干汁，放香油和葱花，装盘即成。

豆豉烧苦瓜

【食材】苦瓜500克，豆豉15克。

【调料】盐6克，味精2克，大蒜50克，葱10克，植物油150克，香油10克，红油15克。

【做法】1.苦瓜切4.5厘米长的筒，放入开水锅中焯过，捞出投凉水，去籽，挤干水分，改成3厘米宽的块。

2.大蒜切片；葱切花；豆豉用开水泡出味。

3.将植物油烧沸，下入苦瓜煎至两面呈金黄色后，放大蒜片、盐、红油、味精、豆豉和水烧入味，收干汁，放香油、葱花，装盘即成。

肉末冬瓜

【食材】去皮冬瓜400克，猪五花肉75克，榨菜末35克。

【调料】盐2克，香油10克，酱油30克，干辣椒末35克，水淀粉15克，葱末、姜末、蒜末各少许，植物油20克。

【做法】1.将去皮冬瓜切成长方块，在瓜皮面剞成十字花刀(深度为瓜肉五分之三)，然后切成4块，用热植物油将冬瓜块煎成金黄色。

2.将猪五花肉剁成肉末后下锅煸炒，肉末变色时投入葱末、姜末、蒜末，散发香味后放入酱油、盐、干辣椒末、榨菜末，最后放冬瓜块，烧3~4分钟后淋入水淀粉勾芡，最后淋调味品上香油即成。

双椒菜瓜

【食材】菜瓜300克，青椒、红椒各50克，牛肉末50克，洋葱片少许。

【调料】盐5克，料酒15克，鸡精3克，生抽20克，香辣酱30克，姜末、蒜末、淀粉、植物油各适量。

【做法】1.将菜瓜去皮、籽，洗净切成片，蘸上淀粉待用；青椒、红椒去籽、蒂，洗净切成菱形块。

2.坐锅点火放植物油，烧至四成热时放入菜瓜片，待两面煎至变色后捞出，再放入牛肉末、洋葱片、姜末、蒜末，炒出香味时烹入料酒，放入盐、鸡精、香辣酱，放入生抽、青椒、红椒、菜瓜片翻炒均匀，出锅即可。

三丝莴笋尖

【食材】莴笋头1000克，红辣椒50克，青辣椒50克，绿豆芽150克，鸡蛋100克。

【调料】盐75克，味精1克，香油25克，湿淀粉10克，植物油少许。

【做法】1.把红辣椒和青辣椒均去蒂去籽，清洗干净，切成细丝；绿豆芽摘去两端，在开水锅中氽熟捞出，放入适量盐和香油拌匀，晾凉；鸡蛋放小碗中打散，放入适量的盐和湿淀粉及水搅匀，在油锅中摊成蛋皮，切成丝。

2.将红、青辣椒丝和绿豆芽、蛋皮丝加入盐、味精、香油拌匀，待用。

3.莴笋头削去皮筋，切成4厘米长的筒，用盐腌软后，洗一下，再用滚刀片成极薄的片，铺开在砧板上，将拌好的配料放在上面，卷成食指粗的筒形，切去两头的伸出部分，如此将原料卷完为止。

4.上桌时，摆入盘中，淋上香油，即可食用。

八味瓤笋

【食材】嫩春笋300克，笋干嫩尖15克，榨菜15克，油烤麸15克，素火腿15克，蘑菇15克，水发香菇15克。

【调料】料酒10克，酱油15克，红辣椒50克，白糖10克，绿蔬菜50克，味精3克，植物油500克，湿淀粉25克，香油25克。

【做法】1.取春笋段，剥净笋衣。将香菇、蘑菇、素火腿、笋干嫩尖、榨菜、油烤麸、红辣椒均切成粒，加香油、味精、湿淀粉一起拌匀，分别镶入笋内。

2.炒锅置旺火上烧热，下植物油烧至五成热时，将笋入锅，移至中火上，炸至淡黄色时，捞出沥油。

3.原锅内放入笋、料酒、酱油、白糖、水，以浸没笋为准，用小火焖，至汤汁剩下五分之二，加入味精，淋上香油，起锅装盘晾凉，切成斜块，在盘内叠成花形，缀上绿蔬菜，在笋上浇些原汁即成。

拌三丝

【食材】芹菜250克，莴笋200克，五香豆腐干500克。

【调料】生抽、香油各45克，红油15克，盐3克。

【做法】1.将芹菜撕去筋，洗净切丝。

2.将莴笋去皮切丝；五香豆腐干切丝。

3.将水烧滚，放五香豆腐干丝、莴笋丝、芹菜丝氽熟，捞出控干水分，加调料拌匀上碟，热冷均可。

食盐受潮巧预防 食盐是烹饪中最常用的调料，可它却不易存放，很容易受潮变苦，要想使食盐不易受潮，这里教你一个小妙招：将食盐放在锅里炒一下，也可将一小茶匙淀粉倒进盐罐里与盐混合在一起，这样，食盐就不会再受潮变苦了，可让你放心使用。不过盐罐平时还是要盖严盖子的。

Tips

厨房小窍门

炒辣味丝瓜

【食材】鲜嫩丝瓜350克。

【调料】鲜红辣椒15克，盐适量，味精、料酒少许，猪油40克，葱、姜、高汤少许。

【做法】1.将嫩丝瓜去皮、去瓤，洗净，切薄片。

2.鲜红辣椒去蒂、去籽，洗净，切成菱形片；将葱切段、姜切丝。

3.锅放旺火上，下入猪油，油热时将葱段、姜丝、鲜红辣椒片一起炝锅，炸出香味，下入丝瓜片翻炒片刻，即放入盐、料酒、味精和高汤少许，将菜翻炒均匀，出锅盛盘食用。

红油拌芦笋

【食材】鲜芦笋650克，胡萝卜100克。

【调料】红油10克，盐5克，素高汤200克，淀粉10克，生抽10克，植物油60克。

【做法】1.鲜芦笋削去老皮，并切成段备用，用素高汤煨透入味；胡萝卜部分煮熟，剁碎，少部分刻成花。

2.锅烧热放植物油，将芦笋爆透，淋上红油、盐、淀粉、生抽和适量高汤做成的芡汁，装盘。

3.把熟胡萝卜剁碎撒在芦笋上，旁边用胡萝卜花装饰即成。

辣汁茄丝

【食材】茄子500克，鲜红辣椒25克。

【调料】植物油60克，干辣椒10克，蒜泥20克，酱油、糖、料酒适量，葱丝、姜丝各少许。

【做法】1.将茄子去蒂洗净，切成长 4 厘米的细丝；将鲜红辣椒和干辣椒切成细丝。

2.炒锅中放入植物油，小火烧至微热，下干辣椒丝炸出红油，撇去干辣椒丝，红油留用。

3.将红油继续加热，炒葱丝、姜丝和鲜红辣椒丝，倒入茄丝炒熟，加入料酒、酱油、糖、蒜泥和适量水，用旺火将汁收浓出锅即可。

炒茄泥

【食材】茄子400克，香菇50克，青尖椒20克。

【调料】盐4克，白糖5克，味精2克，姜末、湿淀粉、香油各适量。

【做法】1.茄子洗净去蒂，在笼内用旺火蒸 10 分钟，取出后去掉皮和筋，用刀压成泥；青尖椒、香菇洗净后均切成细末。

2.炒锅放入香油，烧热后下青尖椒、香菇、

Tips

酱油防霉小窍门 夏天酱油易发霉，霉变的酱油对人体有害。防止发霉一般有以下几种方法，大家不妨一试：1.家中夏季少存酱油，吃完后再买。2.在酱油瓶中倒点生清油或香油，把酱油和空气隔开，即可有效防止酱油发霉。3.在酱油中放几瓣大蒜，也可倒入几滴白酒，都能防止酱油发霉。

厨房小窍门

姜末煸炒；然后放入茄泥，加盐、白糖、味精，再用湿淀粉勾少许芡，淋热香油出锅。

火腿炒茄条

【食材】茄子150克，三文治火腿50克，青、红辣椒各15克。

【调料】猪油30克，盐10克，味精8克，白糖2克，蚝油5克，生抽5克，姜、湿淀粉、香油适量。

【做法】1.三文治火腿切片；茄子去皮切条；青、红辣椒切片；姜切片。

2.炒锅下猪油烧热，放入姜及青、红辣椒片爆香，下盐、三文治火腿片炒至入味断生，再加入茄子、味精、蚝油、生抽、白糖，用大火爆炒，然后用湿淀粉打芡，淋入香油，翻炒几下，出锅即成。

香辣大白菜

【食材】大白菜帮500克，芝麻30克。

【调料】白糖10克，姜15克，五香粉2克，盐30克，蒜瓣15克，香油50克，辣椒粉30克。

【做法】1.将大白菜帮洗净沥干，切成5厘米长的段，再切成0.2厘米宽的丝，置太阳下晒至半干，收起备用。

2.姜、蒜去皮切末；芝麻在小火上用炒锅炒出香味，颜色微黄，盛出碾成碎末。

3.将盐、白糖、姜末、蒜末放入盆中与大白菜丝拌匀，轻揉几下，视菜丝出汁即可加入五香粉、辣椒粉、芝麻末搅拌均匀，淋上香油，用牛皮纸和绳子将盆口封严扎紧，20天后取出装盘，即可食用。

Tips

芥末的调制 用芥末拌菜，如果调制不当，不但没有通窍的辣味，还会有难吃的苦味。下面介绍两种芥末的调制方法：1.芥末用水调匀，先放到火上去烤热，然后再放到蒸锅内稍微蒸一下，辣味即可充分释放出来。2.用滚开水冲入芥末调和拌匀，然后加盖，放于阴凉处几小时，也可出辣味。

厨房小窍门

节节高升

【食材】笋片300克，肉片适量，蒜苗8克。

【调料】红辣椒50克，味精2克，酱油适量，植物油适量。

【做法】1.首先将笋片切薄片、蒜苗切段、红辣椒切丝备用。

2.炒锅下植物油烧热，将笋片下锅爆炒，至香后，加入红辣椒丝、酱油、味精调味，并加入少量开水继续翻炒。

3.将肉片下锅与笋片一同爆炒至熟，最后洒上蒜苗段翻炒均匀即可。

椒乳通菜

【食材】通菜（空心菜）500克。

【调料】白糖10克，干辣椒丝25克，味精2克，蒜泥10克，香油10克，白腐乳25克，湿淀粉25克，盐5克，熟猪油50克。

【做法】1.将通菜除去黄叶、老茎，择段洗干净。然后用开水加猪油焯至近熟，捞出，控净水分。

2.炒锅用旺火烧热，下入熟猪油，放蒜泥、干辣椒丝、白腐乳爆香，再下通菜、白糖、味精炒熟，用湿淀粉勾芡，加香油炒匀，上盘即成。

香辣菇笋

【食材】金针菇500克，水发冬菇30克，冬笋30克。

【调料】盐、胡椒粉各2克，青椒、红泡椒各25克，味精1克，黄豆芽汤150克，湿淀粉15克，植物油50克，香油、料酒各10克。

【做法】1.水发冬菇洗净去蒂切丝；冬笋、青椒、红泡椒均切丝备用；金针菇洗净沥干水分。

2.炒锅上火，注入植物油，油烧热放入金针菇，煸炒几下，随即放入冬笋丝、水发冬菇丝、青椒丝、红泡椒丝下锅煸炒，烹入料酒，加盐、味精、黄豆芽汤、胡椒粉，烧开后用湿淀粉勾薄芡，淋香油少许，起锅装盘即可。

辣酱猴菇

【食材】鲜猴菇500克，青椒50克，红辣椒20克，玉米笋35克，胡萝卜20克。

【调料】味精10克，豆瓣酱20克，酱油12克，香油5克，植物油150克。

【做法】1.用热水将猴菇烫过，捞起后一朵一朵剥开；将青椒、胡萝卜、红辣椒、玉米笋切成小丁。

2.将植物油倒入锅中烧热，再将鲜猴菇下锅炸至金黄色，捞出。

3.炒锅留底油，将青椒丁、胡萝卜丁、红辣椒丁、玉米笋丁下锅略炒片刻，再放入猴菇炒1分钟，随即加入豆瓣酱、酱油、味精、香油，翻炒均匀，起锅即可。

芥蓝腰果炒香菇

【食材】芥蓝300克，腰果50克，香菇16克。

【调料】红辣椒圈50克，盐5克，味精2克，白糖适量，植物油50克，水淀粉、香油各适量，蒜片少许。

【做法】1.将芥蓝改成花状，串上红辣椒圈。

2.将芥蓝、香菇分别焯水；腰果炸熟。

放味精的最佳时机 炒菜时不宜过早放味精，一般应在菜肴快熟时或者刚出锅时加入，因为这时菜温在70℃~90℃，是味精溶解度最好的温度，鲜味也最浓。相反，当温度超过120℃时，味精中的谷胺酸钠会焦化，焦化的谷胺酸钠不但失去了原有的鲜味，还具有一定的毒性，食用后对人体健康十分不利。

厨房小窍门

Tips

鸡精的鉴别 1.包装:合格的鸡精包装应该采用三层铝箔包装。2.颜色:如果颜色过黄,是添加色素的缘故,优质鸡精的颜色不会加入色素。3.沉淀物:将鸡精放在玻璃杯中,加入开水,过一会,溶液变清淡,杯底沉淀物较多的为假冒或劣质的鸡精;真正的鸡精溶液则会保持较浓的状态,沉淀物较少。4.香味:真正的鸡精加热后香味持久,晾凉后仍有香味。

厨房小窍门

3.炒锅下植物油烧热,将辣椒圈芥蓝、香菇、腰果倒入锅中翻炒,放入蒜片、盐、白糖、味精炒匀,用水淀粉勾芡,淋香油出锅即成。

扒盒菜

【食材】绿豆芽100克,韭菜30克,瘦肉丝10克,木耳30克,菠菜30克,黄瓜30克,粉丝100克。

【调料】红油20克,香油10克,盐7克,酱油15克,植物油50克,味精1克,蒜泥15克,醋15克。

【做法】1.将绿豆芽、黄瓜、韭菜、菠菜、木耳分别择洗干净。

2.将黄瓜切丝,菠菜、韭菜切段,粉丝切成10厘米长段,待用。

3.将绿豆芽、菠菜段、韭菜段、木耳、粉丝分别用开水氽熟,捞出过凉,沥干水分,装入容器中待用。

4.炒锅置火上,注入植物油烧热,下入瘦肉丝煸炒,放少许酱油,肉丝炒熟倒出。

5.将熟肉丝放入黄瓜丝、粉丝、韭菜段、菠菜段、木耳一起调拌均匀,再加入盐、味精、醋、蒜泥、红油、香油,拌匀即可装盘供食。

三鲜黄瓜香

【食材】黄瓜香(荚果蕨)500克,冬笋20克,口蘑20克,油菜20克。

【调料】味精1克,红油20克,料酒6克,香油10克,盐5克。

【做法】1.将黄瓜香用盐水泡3小时,用清水漂洗5次,然后沥去水分,下入沸水锅中氽一下,捞出过凉,待用。

2.将口蘑、冬笋、油菜分别片成片,用开水焯一下过凉。

3.将过凉的黄瓜香、口蘑、冬笋、油菜沥去水分,放入容器中,加入盐、味精、料酒、红油、香油调拌均匀,码入盘中即可。

豆瓣茄子

【食材】茄子200克。

【调料】素火腿10克,面肠20克,香菇8克,芹菜50克,姜5克,植物油100克,素高汤200克,郫县豆瓣酱60克,西红柿酱20克,酱油10克,鸡粉8克,白糖5克,白醋8克,淀粉20克,香油15克。

【做法】1.茄子去皮,切长7厘米的小段,放入水中浸泡(防变色)。

2.香菇泡软,与素火腿、面肠、姜分别切成细末状,芹菜切花。

3.茄子沥干水分,下锅以八九成的热植物油高温炸1分钟,捞出。

4.锅中留底油,爆香郫县豆瓣酱、姜末、素火腿末、面肠末、香菇,加入素高汤100克,放入炸过的茄子微焖3分钟,再加入剩余所有调料炒匀起锅,撒芹菜花点缀增香。

鸡丝蕨菜

【食材】鸡脯肉100克,蕨菜300克。

【调料】红辣椒丝35克,盐5克,味精2克,白糖少许,植物油30克,葱花少许。

【做法】1.鸡脯肉切丝;蕨菜切段。

2.炒锅下植物油烧热,炒散鸡脯肉丝,加入葱花,倒入蕨菜及红辣椒丝,放剩余调料翻炒均匀,出锅即成。

清炒蕨菜

【食材】蕨菜400克,鲜红辣椒18克。

【调料】盐5克,鸡精2克,白醋10克,植物油20克,葱、姜各适量。

【做法】1.将蕨菜掐去硬梗,洗净后放入沸水中焯一下,捞出过凉,切段;鲜红辣椒切丝;葱、姜切末。

2.烧锅下植物油,放入姜末、葱末炒香。

3.然后加入蕨菜段、鲜红辣椒丝、盐翻炒,滴少许白醋、香油,放入鸡精翻炒均匀即可。

笋干炒蕨菜

【食材】蕨菜300克,水发笋干100克,鲜红辣椒30克。

【调料】盐5克,鸡精2克,白糖3克,酱油10克,水淀粉10克,料酒15克,植物油50克,香油10克,高汤60克,葱、姜各适量。

【做法】1.将蕨菜掐去硬梗,洗净后放入沸水中焯一下,捞出过凉,切段;葱切花;姜切成细末;水发笋干切丝。

2.炒锅烧热放入植物油,烧五成热时,投入姜末、葱花煸出香味,下入水发笋干丝煸炒片刻,加入高汤(量以浸没笋干为准),调入盐、酱油、味精、白糖、料酒,用中火烧至汤汁不多时,加蕨菜翻炒至变色,用水淀粉勾芡,淋上香油出锅即成。

Tips

巧用调料(一)——生姜、花椒 1.生姜有“植物味精”之称。炖鸡、鸭、鱼、肉时放入一些姜,肉味醇香;做甜酸汤时放一点姜汁,可使其有特殊的甜酸味;冷冻肉加热前用姜汁浸渍,可使肉“返鲜”。2.花椒的妙用:炒菜时,在锅内热油中放几粒花椒,发黑后捞出,留底油炒菜,菜香扑鼻;用花椒、植物油、酱油烧热,浇在凉拌菜上,清爽可口;腌制萝卜时放入花椒,味道绝佳。

厨房小窍门

海米炒蕨菜

【食材】蕨菜400克，水发海米50克。

【调料】盐2克，料酒15克，白糖20克，味精2克，姜10克，水淀粉10克，鸡汤50克，辣椒粉25克，酱油10克，香油5克，芝麻15克，植物油50克。

【做法】1.将蕨菜择去老茎，用开水焯过，切成6厘米长的段。

2.水发海米，洗净，放入瓷碗内，加适量料酒及清水上蒸锅蒸软。

3.姜去皮，洗净，切成细末，待用。

4.炒锅烧热放入植物油，烧五成热时，投入姜末、辣椒粉炸出香味，下入蕨菜段略煸，将蒸好的海米及其汤汁倒入，加入盐、白糖、酱油炒匀，放鸡汤烧开，待蕨菜段稍变软时，加味精，用水淀粉勾薄芡，淋香油，出锅，入盘，撒匀焙好的芝麻即可。

青椒玉米

【食材】鲜玉米粒250克，青辣椒100克。

【调料】盐10克，植物油少许。

【做法】1.将鲜玉米粒洗净，沥干；青辣椒去蒂，洗净，切成丁。

2.将净锅置微火上，放入青辣椒丁，炒蔫铲起；再将玉米入锅炒至断生铲起。

3.炒锅下植物油烧热，先下玉米粒，再加青辣椒丁、盐炒匀，起锅即成。

青椒毛豆

【食材】毛豆300克，肉末200克，青辣椒30克。

【调料】白糖10克，盐5克，老抽15克，水淀粉10克，味精、香油各少许，姜丝、蒜末各50克，植物油500克。

【做法】1.毛豆洗净，沥干水分，加盐抓匀，腌10分钟后用洁净餐布充分吸去水分；青辣椒切成与毛豆大小相仿的小片；肉末放适量老抽和水淀粉抓匀。

2.炒锅加植物油，中火烧至七成热，投入毛豆翻炸，见毛豆完全碧绿，再炸5分钟，迅速捞出，控干油分。

3.炒锅离火，油凉至五成热，下肉末至没有血色捞出，控干油分。

4.炒锅留少许油烧热，加姜丝、蒜末爆香，再加青辣椒片炒出辣香后加入白糖、老抽、味

巧用调味料（二）——大料 1.做厚味菜：炖肉时，肉下锅就放入大料，大料的香味可充分水解溶入肉内，使肉味更加醇香。2.腌菜：如腌鸡鸭蛋、香椿、香菜时放入大料，腌制的成品有一种特殊的风味。3.做荤味素菜：如做汤白菜用，可在白菜中加入盐、大料同煮，最后放些香油，这样做出的菜有浓郁的荤菜味。4.浇汁：如做红烧鱼的汁，油沸后投入大料少许，发出香味时再放其他调料，最后放入炸好的鱼。

厨房小窍门

Tips

精和一小勺水略烧，加炸好的毛豆和肉末翻炒30秒，淋上香油即可。

干煸四季豆

【食材】四季豆300克，海米20克，榨菜20克，肉馅30克。

【调料】红辣椒20克，姜末10克，蒜末10克，葱花15克，酱油10克，盐12克，料酒10克，鸡精15克，醋8克，香油5克，红油25克，植物油50克。

【做法】1.四季豆撕除蒂、筋，切长段；海米、榨菜洗净与辣椒均切末。

2.锅中入植物油烧至中温，将四季豆炸至酥香，表皮微皱后捞出。

3.锅留底油，爆香姜末、蒜末、葱花、海米、榨菜、红辣椒，并把肉馅炒香、炒熟，再放入四季豆段及酱油、盐、料酒、鸡精炒至水分收干。

4.起锅前滴入醋、香油及红油即可。

干煸蒿子杆

【食材】蒿子杆500克。

【调料】葱、姜、蒜、盐各10克，白糖、料酒各20克，醋10克，鸡精8克，植物油200克，腊肉50克，香干10克，青、红辣椒100克，香菇50克。

【做法】1.将腊肉、香干、香菇、青红辣椒、葱、姜切丝，蒿子杆切段。

2.锅中放植物油待5~6成热，下入腊肉煸炒出香味，放入香干丝、葱丝、姜丝、蒜，煸酥，放蒿子杆段、料酒、白糖、盐、待煸至略微发干时放入青、红辣椒丝、醋、鸡精、香菇丝出锅。

干煸黄豆芽

【食材】黄豆芽750克，青大蒜段50克。

【调料】盐5克，白糖、味精各2.5克，辣椒粉15克，植物油50克，香油5克。

【做法】1.将黄豆芽去根须，洗净，捞出沥干水分。

2.将锅烧热、加油，将黄豆芽下锅，用旺火煸干水分盛起，待用。

3.锅内加植物油，先将辣椒粉下锅略炒一下，放黄豆芽，加盐、白糖、味精炒匀后，下青大蒜段翻炒片刻，淋上香油，翻炒几下，盛起装盘便成。

Tips

巧手制作红油 原料：花椒、芝麻、葱花、姜末、辣椒粉。做法：(1)用一个布袋把花椒，芝麻包起来，以便过滤。(2)拿一大碗放入辣椒粉(2杯的量)，再加入鸡粉，用来调味；(3)烧锅热油(通常来说，2杯量的辣椒粉要放5杯量的油)，油烧热后，把葱花、姜末放入，煸香，改小火，把花椒、芝麻放进去炸一炸(注意：此时不宜烧太久，否则会变苦，是因为花椒焦了)；(4)把油趁热冲入辣椒粉中即成。

厨房小窍门

Tips

巧手制作甜面酱 取4000克面粉放入盆中，加入适量的清水做成饼状，放在蒸笼里蒸熟透，取出放在竹箩里，上面盖上稻草，放在密封的室内发酵。7天后待其长出白毛时，将其搓成碎粉，放在瓦缸里，再把1000克精盐用2500毫升沸水溶化，冷却后加入缸内，每天早晨搅拌一次，晒40天左右即成。

厨房小窍门

干煸芦笋

【食材】鲜芦笋300克，油酥肉粒60克。

【调料】干辣椒18克，花椒1克，盐3克，味精2克，大蒜8克，葱白25克，香油4克，植物油800克。

【做法】1.鲜芦笋撕除老筋、洗净，一剖为二，切成段；干辣椒切段；蒜切粒；葱白切段。

2.锅内加油烧至六成热，放入芦笋段过油捞出。

3.锅内留底油少许，放入干辣椒段、花椒、蒜粒、葱白段、油酥肉粒炒香，放入芦笋段、盐翻炒均匀，加香油、味精炒熟入盘。

干炒平菇

【食材】平菇400克，里脊肉100克，青辣椒50克。

【调料】盐5克，鸡蛋清40克，味精2克，酱油15克，蒜瓣、蚕豆水粉、熟猪油适量。

【做法】1.平菇削去根部的泥土，洗净切小块；里脊肉洗净切片；青辣椒洗净，切为指甲片；蒜瓣切片。

2.里脊肉片放入碗内，加入鸡蛋清、蚕豆水粉拌匀上浆。

3.炒锅置旺火，注入熟猪油，待油烧至三成热，将里脊肉片放入锅内，用筷子拨动滑熟，捞起沥油。

4.炒锅内留底油，先将蒜片放入微煸，再放入青辣椒片炒熟，然后放入平菇块、里脊肉片、盐、酱油煸炒入味，用蚕豆水粉勾芡，放入味精，浇入少许熟猪油推匀即成。

红椒金菇炒豆芽

【食材】金针菇180克，榨菜25克，黄豆芽350克。

【调料】素高汤100克，姜片5克，红辣椒末50克，盐、糖各2克，植物油60克，生抽5克，胡椒粉、香油各少许，湿淀粉适量。

【做法】1.金针菇、黄豆芽切去根部，洗净沥干；黄豆芽用锅炒好待用；榨菜切蓉。

2.炒锅下植物油烧热，爆香姜片、红辣椒末，黄豆芽回锅炒透，下所有调料炒至将干时，加入金针菇、榨菜蓉翻炒数下，湿淀粉勾芡即成。

炒脆丝

【食材】西瓜皮300克，青辣椒60克。

【调料】小葱8克，盐、白糖各3克，植物油15克，味精少许。

【做法】1.用刀削去西瓜皮外层绿色外皮和靠

近瓤的白色软层，将紧靠外皮的浅绿色的一层，用刀片成薄片，再切成细丝。

2.小葱洗净去根，切成葱末；青辣椒去蒂和籽，洗净，切成细丝。

3.炒锅上火烧热，倒入植物油，烧热后，放入葱末炒出香味，倒入辣椒丝和瓜皮丝煸炒几下，加入盐、白糖炒匀，再翻炒几下离火，加入味精炒匀即可盛出。

红烧茭白

【食材】茭白200克，云腿50克。

【调料】咸酱油10克，甜酱油10克，青尖椒50克，香油10克，盐5克，鸡清汤70克，味精2克，熟猪油100克，湿淀粉20克。

【做法】1.茭白削皮，切为滚刀块；熟火腿切成3厘米见方的块；青尖椒去籽，洗净，切成块。

2.炒锅置旺火上，注入猪油，烧至五成热，下茭白，滑至五成熟起锅，倒入漏勺沥油。

3.炒锅回中火，留底油烧热，下入云腿、青尖椒，煸出香味后，下入茭白，注入鸡清汤、甜酱油、咸酱油、盐，烧1分钟，转为旺火收汁，下味精，用湿淀粉勾芡，淋香油，装盘即成。

烧青头菌

【食材】鲜青头菌600克，猪脊肉100克。

Tips

炒出蔬菜好营养（一） 烹调蔬菜时，加适量菱粉类淀粉，不但可使食品美味可口，而且由于淀粉含谷胱甘肽，对维生素有保护作用。烧荤菜时，加些酒和醋，菜就会变得香喷喷的。烧豆芽之类的素菜，适当加点醋，不但味道好，营养也好，因为醋对维生素也有保护作用。

厨房小窍门

【调料】香油10克，咸酱油20克，盐7克，湿淀粉20克，味精3克，蒜20克，胡椒粉2克，鸡蛋清20克，甜酱油30克，熟猪油500克，青尖椒50克。

【做法】1.青头菌去根洗净，切成滚刀块；青尖椒洗净，去蒂和籽，切成块；蒜、猪脊肉切成薄片。

2.将脊肉片、蛋清、盐、湿淀粉入碗，拌匀上浆。

3.炒锅置中火，注入猪油，至四成热时，依次下脊肉、青头菌滑透，倒入漏勺沥油。

4.炒锅回中火，注入猪油20克，下青尖椒、蒜片炒香，下青头菌、猪脊肉、盐、味精、胡椒粉和甜、咸酱油，烧2分钟，用湿淀粉勾芡，淋上香油即成。

三丝藜蒿

【食材】藜蒿500克，火腿50克，鸡脯肉100克，鲜红辣椒50克。

【调料】味精3克，胡椒粉2克，湿淀粉10克，香油5克，鸡蛋清15克，熟猪油500克，盐5克。

【做法】1.藜蒿去根，去尖，洗净，切为段；鸡脯肉切成细丝，加入鸡蛋清和湿淀粉拌匀上浆；

火腿切丝；红辣椒去籽，切丝。

2.炒锅置旺火，注入猪油，烧至四成热，下鸡丝过油，滑熟后倒入漏勺沥油。

3.炒锅留底油烧热，下火腿丝，炒出香味，下藜蒿段、辣椒丝翻炒几下，再下鸡丝，边炒边加入盐、胡椒粉、味精，用湿淀粉勾芡，翻炒均匀，淋入香油即成。

三丝干巴菌

【食材】鲜干巴菌600克，鸡脯肉10克，熟云腿80克，青辣椒60克。

【调料】蒜20克，湿淀粉8克，盐10克，鸡蛋清35克，味精2克，熟猪油150克，面粉20克。

【做法】1.干巴菌用小刀刮去泥土，拣去杂质，用手撕成细丝，入盆，放少许盐揉捏一遍，放在清水中淘洗干净，再撒少许面粉搓揉，放清水中漂洗至沙土全无，挤去水分。

2.青辣椒切成丝；云腿切成3厘米长的细丝；鸡脯切成丝，蛋清入碗，加湿淀粉调匀，下鸡脯丝上浆；蒜切成粒。

3.炒锅上火，注入熟猪油，烧至七成热，下鸡丝滑熟，沥去油。

4.炒锅回旺火，注入熟猪油烧热，下干巴菌炒熟，起锅入盘。

5.炒锅复上火，下适量熟猪油，热时下蒜、辣椒丝，炒香，出锅放在菌中央。就锅下鸡丝、盐、味精，快速翻炒，置于椒丝外沿，用熟云腿丝围边即成。

瓦块茄鱼

【食材】茄子300克。

【调料】鸡蛋清10克，水发香菇50克，盐5克，辣椒酱20克，酱油10克，醋2克，高汤100克，白糖10克，味精5克，姜丝5克，植物油1000克，淀粉15克，香油5克。

【做法】1.将茄子去皮切成长块，两面剞上一字花刀；香菇切成丁；鸡蛋清和淀粉调成蛋清糊，待用。

2.炒锅置旺火，下入植物油，烧至五成热，将茄块逐块挂上蛋清糊下锅，炸呈金黄色，出锅沥油。

3.炒锅留底油，下姜丝、辣椒酱、味精、盐、酱油、醋、白糖，煸炒入味，再下茄块、香菇丁和高汤，小火焖4~5分钟，待汁收浓，淋上香油即成。

炒出蔬菜好营养(二) 西红柿用油炒三四分钟，维生素保存率达94%；而大白菜炒15分钟左右，维生素C的保存率仅剩57%。所以蔬菜应尽量采用旺火快炒，可减少维生素C的损失。为使菜梗易熟，可在快炒后加少许水闷熟。如要整片长叶下锅炒，可在根部划上刀痕。

厨房小窍门

其他香辣类

香辣田鸡腿

【食材】田鸡腿200克，花生米50克。

【调料】盐10克，味精2克，酱油30克，白糖20克，干辣椒25克，葱、姜末若干，花椒水15克，淀粉100克，蛋清50克，植物油、香油各100克。

【做法】1.将田鸡腿剁去小爪，洗净装碗内，加盐、味精拌匀腌渍片刻，放入蛋清、淀粉少许抓匀挂糊；辣椒去籽、蒂，切成小片。

2.用碗加入盐、酱油、味精、淀粉、花椒水、白糖兑成芡汁待用。

3.锅内加植物油烧至六成热时，将田鸡腿下锅滑散滑透，捞出。

4.将花生米放入油内炸熟捞出。

5.原锅留底油，放入葱、姜末煸香，放入辣椒片炸一下，再放入田鸡腿、花生米，倒入兑好的芡汁推匀，淋香油，出锅装盘即可食用。

蒜瓣烧田鸡腿

【食材】田鸡腿250克。

【调料】蒜瓣25克，葱2根，姜5克，酱油20克，白糖20克，味精7克，料酒50克，湿淀粉100克，猪油25克，花椒水10克，红油30克，肉汤200克，香油适量。

【做法】1.田鸡腿洗净去爪，剁成两块；蒜瓣剥皮洗净；葱、姜切成末。

2.田鸡用酱油抓匀。

3.锅内放猪油，把田鸡腿煸炒一下，加入料酒、白糖、酱油、味精、蒜瓣、葱末、姜末、花椒水、红油、肉汤，烧开后用小火焖透，用湿淀粉勾芡，淋香油出锅即成。

油泡田鸡腿

【食材】田鸡腿400克，土豆50克。

Tips

巧手制作黄豆酱 把5000克黄豆用水浸透后蒸至熟烂，待冷却至35℃左右时拌入1500克面粉和15克发酵曲，摊在簸箕上，放温暖处保温发酵。待黄豆长出黄绿毛后，把“霉豆”倒入缸内。将2000克盐泡成10000毫升盐水煮沸，冷却后倒入缸内，将盐水和“霉豆”拌匀，然后连缸放在露天处曝晒，晒两个月即成。

厨房小窍门

Tips

巧手制作豆瓣酱 将500克蚕豆去皮，250克干辣椒去蒂柄；二者均洗净切碎，与300克盐、100克白酒、500克水一起放进锅里煮；等到蚕豆烂了，水被吸干时，再加进一些花椒末和100克花生油炒热、拌匀起锅，然后盛放在密封性较好的容器里，放3~4天后即可食用。

厨房小窍门

【调料】味精10克，盐5克，蒜末8克，鱼露15克，香油10克，湿淀粉8克，胡椒粉3克，料酒8克，高汤15克，尾油8克，猪油80克，香菜5克，红辣椒末20克。

【做法】1.将土豆去皮，然后刨薄片，用清水洗干净，再用清水浸漂几次，倒落漏勺，沥干水分。

2.起锅下猪油，下薯片炸至呈淡金黄色时倒回漏勺，滗干油分，用碟盛起，加入少许盐、味精，把薯片拌匀，放在碟的两端，香菜放在薯片旁。

3.起锅再下少量油，把蒜末用文火炒至呈金黄色，用碗盛起，加入味精、盐、鱼露、胡椒粉、红辣椒末、香油、湿淀粉、高汤等拌匀做芡汁。

4.起锅下猪油，田鸡腿加入湿淀粉拌匀，炸至熟，倒回漏勺，铲净油锅，把田鸡腿倒回锅略炒，烹料酒，投入芡汁抛锅，加尾油，装碟即成。

香辣凉粉

【食材】白豌豆1000克。

【调料】冰糖20克，酱油180克，盐15克，味精4克，红油100克，葱花2克，大蒜50克，香油2克，姜汁50克，花椒油10克，植物油60克。

【做法】1.将白豌豆洗净，用清水泡发后，换清水，磨成细浆，用双层纱布过滤，去渣取粉浆。

2.锅置火上，烧热后放入植物油，加入水，待沸后下入粉浆不断搅拌，待粉浆逐渐浓稠后，用力搅拌至用搅棒挑浆时能呈片状流下，即已成熟。将成熟的粉糊舀入容器中，冷却后即成凉粉，然后，把凉粉置冰箱中冷冻。

3.大蒜去皮捣蓉，加入熟植物油和适量冷开水，调成蒜泥。

4.冰糖粉碎后，加酱油溶化。

5.吃时将冷冻的凉粉切成薄片或用凉粉刮子，刮成旋子粉，分盛碗内，淋入冰糖、酱油、红油、盐、味精、花椒油、香油、蒜泥、姜汁，再撒上葱花即可。

凉拌粉丝

【食材】银丝粉100克。

【调料】芥末汁5克，红油20克，醋5克，白酱油20克，花椒油5克，香油10克，姜汁2克，盐2克，蒜泥2克，味精1克，葱花2克。

【做法】1.将银丝粉用温水发软洗净，置沸水锅内煮3~5分钟，然后捞入筲箕中，沥出水分，码上盐拌匀后，盛入盘内。

2.将白酱油、红油、香油、味精、芥末汁、姜汁、蒜泥、花椒油和醋，调匀后淋入盛粉丝的盘中，再撒上葱花即成。

八宝辣酱

【食材】上浆虾仁50克，熟嫩鸡丁75克，猪腿肉丁50克，鸭肫片50克，熟肚子丁25克，净栗肉丁50克，浸发海米10克，笋丁50克。

【调料】酱油10克，豆瓣酱25克，辣糊酱20克，白糖25克，味精1克，肉汤75克，水淀粉40克，熟猪油150克，料酒100克。

【做法】1.将鸭肫片、熟嫩鸡丁、猪腿肉丁、熟肚丁、笋丁、浸发海米、净栗肉丁放在同一碗内拌匀。

2.锅置火上，放入猪油烧热，下入上浆虾仁滑熟，倒入漏勺沥油。

3.锅内留底油烧热，放入辣糊酱煸出红油，放入已拌原料煸炒，煸透炒熟，再加入料酒、酱油、白糖、豆瓣酱、肉汤，烧开后改用小火烧3分钟成辣酱，再改用旺火，加入味精，淋入熟猪油，出锅装入盘中。

4.炒锅洗净，下已滑熟的上浆虾仁、倒入肉汤烧开，用水淀粉勾芡，淋入熟猪油，将虾仁盖在辣酱上，即可上席。

香辣白筋

【食材】水面筋250克，松仁50克，青红辣椒丁25克。

【调料】胡椒粉2克，湿淀粉40克，香油10克，高汤50克，植物油500克，味精3克，盐5克。

【做法】1.水面筋切成2.5厘米见方小丁，放在碗里加少许盐、胡椒粉、味精拌匀，用湿淀粉上浆。

2.锅里放植物油适量，烧至三成热，放入松仁，炸至呈金黄色捞起；锅中再倒入面筋丁滑油炸透，随即倒漏勺里沥油。

3.锅里留余油，放入青红辣椒丁、熟面筋丁，煸炒后放盐、味精、高汤、香油、松仁略加翻炒即可起锅。

拨霞供

【食材】去骨净野兔肉250克。

【调料】葱花50克，韭菜头50克，盐25克，香菜50克，韭菜花50克，榨菜50克，芥菜花50克，虾油50克，蒜苗花50克，料酒50克，虾酱50克，醋50克，香油50克，芝麻酱50克，红油50克，腐乳汁50克。

【做法】1.将兔肉洗净片成薄片，放在盘内，火锅内添入开水，将火锅内木炭点燃，火锅下垫一大水盘放桌上。

2.将所有调料和匀后，按食客人数分装小碗随火锅上桌。

3.锅中水煮开，用筷子夹着兔肉片在锅里涮几下，肉变色即可蘸着调料食用。

三丁炒玉米

【食材】嫩玉米300克，云腿50克，青尖椒30克，鸡肉50克。

巧制西红柿酱 选择充分熟透的西红柿，挖去果蒂及黑斑，用清水洗净，放入盆内用开水烫2~3分钟，然后剥去外皮。将果肉捣碎，用漏斗将其放入小口的玻璃瓶内，装至距瓶口1~2厘米处，盖上胶皮盖，并在盖上插一根针，再把瓶子放入锅中煮20分钟。取出瓶子晾凉后，把针拔下，然后用蜡将针眼封住，随吃随取。

厨房小窍门

Tips

防西红柿酱变质 日常生活中常常遇到这种情况：西红柿酱罐头打开后，一次吃不完，只好放在冰箱里，可过一段时间后就发现还是变质了。怎么办呢？这里教你一个小窍门：如果把西红柿酱罐头开个小口，先入锅蒸一下，这样不但可放心食用，而且吃剩下的西红柿酱放在冰箱里，可在较长时间内不易变质。

厨房小窍门

【调料】味精2克，鸡蛋清35克，熟猪油500克，盐5克，湿淀粉6克。

【做法】1.嫩玉米洗净，剥下细粒后，不用水洗；云腿、鸡肉、青尖椒分别切成方丁，鸡肉丁入碗，放入鸡蛋清、湿淀粉中拌匀上浆。

2.炒锅置旺火，注入熟猪油，四成热时，下鸡肉丁过油，捞出沥油，原锅下玉米粒过油，取出沥油。

3.炒锅留底油烧热，下云腿丁、青尖椒丁，翻炒几下，再放入玉米粒、鸡丁翻炒，下盐、味精，翻拌均匀装盘。

面丝煸芹菜

【食材】水面筋20克，芹菜100克。

【调料】姜丝5克，豆瓣酱15克，辣椒粉15克，花椒粉3克，酱油10克，白糖7克，盐2克，料酒15克，味精2克，香油50克。

【做法】1.将面筋切成一分厚的薄片，再切成细丝，放入沸水煮两分钟捞出，再入清水浸泡片刻，沥水待用。

2.芹菜洗净，撕去老筋切成寸段，用沸水焯一下，沥干；豆瓣酱斩碎。

3.炒锅洗净置火上，放入香油，烧至六成热时，放入面筋丝煸炒，加入盐，继续煸炒至面筋丝呈浅黄色，再加入豆瓣酱、辣椒粉，在锅内翻拌均匀，然后加入盐、白糖、酱油、料酒、芹菜段、姜丝、味精，翻拌均匀后，撒上花椒粉即可装盘上桌。

烧牛肝菌

【食材】鲜牛肝菌350克，红灯笼椒30克，猪脊肉片60克，腌卷心菜50克。

【调料】盐5克，青辣椒30克，咸酱油15克，蒜10克，香油10克，甜酱油15克，白糖5克，胡椒粉1克，湿淀粉30克，鸡蛋清10克，味精2克，肉清汤40克，葱2克，姜2克，猪油400克。

【做法】1.牛肝菌去根部，洗净，切成块；红灯笼椒、青辣椒洗净去籽，分别切成块；腌卷心菜切成小片；蒜、里脊肉、姜均切片；葱切段。

2.猪脊肉片入碗，加鸡蛋清、味精、胡椒粉、湿淀粉，拌匀上浆。

3.炒锅置中火，注入猪油，烧热，分别下肉片、牛肝菌块滑透，倒入漏勺控油。

4.炒锅留底油烧热，下蒜片、姜片、葱段煸香，下灯笼椒块、青辣椒块炒透，倒入牛肝菌块、肉片、盐、腌卷心菜和甜、咸酱油以及白糖、味精、胡椒粉、肉清汤烧，用湿淀粉勾芡，翻炒均匀，淋入香油即成。

酸辣菜

酸辣菜香味浓厚，酸辣咸鲜，用醋及酸菜来突出酸，以泡椒、胡椒等来加强辣，风味醇正，开胃适口，有健胃、解腻、去腥的作用，令人食欲大开。

酸辣菜

猪肉

酸辣里脊

【食材】生猪里脊250克。

【调料】醋25克，盐5克，花椒粉2克，干辣椒15克，酱油25克，葱白10克，香油、大蒜、姜末各5克，水淀粉225克，熟猪油1000克，明油10克，清汤100克。

【做法】1.将猪里脊除去筋膜，改刀为方丁，加熟猪油、酱油、姜末和花椒粉各适量，用水淀粉搅拌成硬糊状。

2.再用适量水淀粉、清汤、盐、酱油调成味汁；葱白切马耳形；大蒜切片；干辣椒泡软，切丝。

3.炒锅置火上，加入剩余熟猪油，烧至六成热，将拌好的猪里脊分散投入炒锅，变色即捞出。待油温升至八成热时，下入里脊炸至熟透，捞出。视油温升至十成热时，再将猪里脊下炒锅炝色，急速捞出，滗油待用。

4.炒锅内留底油烧热，将辣椒丝、葱白、大蒜片入炒锅，烹入醋，然后将兑好的味汁倒入，待沸后，加香油，随即将炸好的猪里脊倒入锅内，翻炒几下，使里脊全部粘上芡汁即可。

酸辣排骨

【食材】猪排骨250克。

【调料】蛋清淀粉40克，湿淀粉20克，醋20克，香辣酱28克，胡椒粉3克，特鲜酱油12克，姜12克，葱白25克，白糖4克，味精3克，香油4克，盐3克，松肉粉5克，大蒜14克，葡萄酒50克，植物油1000克。

【做法】1.猪排骨洗净，斩成3厘米长的段，放入盆内加盐、胡椒粉、松肉粉、蛋清淀粉抓匀；姜切片；葱白切段；大蒜切粒。

2.炒锅内加植物油，烧至六成熟放入排骨，用勺推散浸炸，炸至色呈棕红色，起锅。

3.炒锅置火上，加油烧至五成热，放入大蒜粒、姜片、葱白段炒香，加入香辣酱略炒，放入葡萄酒、盐、胡椒粉、特鲜酱油、白糖、味精、炸排骨，翻炒几下，淋香油、醋，起锅装盘。

Tips

巧辨池藕和田藕 藕有田藕、池藕之分，田藕生长在水田中，品质较差；池藕生长在池塘中，质量较好。两者的区别是：田藕身形较短，有11个孔，上市较早；池藕上市迟，身长，有9个孔。但不论池藕、田藕，选购时应挑选藕节粗短的为好。

厨房小窍门

酸辣佛手排骨

【食材】排骨600克，猪瘦肉200克，猪肥肉50克，湿冬菇25克，菠萝肉50克，冰肉(白糖、烧酒腌制而成)30克。

【调料】葱10克，白醋15克，香油15克，面粉30克，味精10克，盐10克，植物油200克，白糖15克，五香粉5克，湿淀粉8克，白酒15克，浅色酱油15克，香菜20克，红辣椒30克，鸡蛋70克。

【做法】1.将排骨用刀刮堆到一端，用碟盛起。加入白酒、浅色酱油、味精，腌一会儿。

2.把猪瘦肉剁小丁，肥肉切细丁，加入五香粉、盐、味精、白糖，拌匀成肉馅。

3.将排骨的肉卷起，然后放入肉馅。

4.用碗盛面粉、鸡蛋，慢慢加水调成蛋面浆。

5.将菠萝肉、冰肉、红辣椒、葱、冬菇等切丁，用碗盛白醋、香油、白糖、湿淀粉调匀成糖醋芡。

6.起锅下油，将排骨涂蛋面浆下锅炸至呈金黄色时，捞起摆入盘中。

7.把调料略炒，加放糖醋芡，淋入盘中间，撒入香菜即成。

酸辣白肉丝

【食材】猪坐臀肉300克，胡萝卜100克，净莴

Tips

巧保存鲜藕 买回鲜藕一时吃不完，可以用浸水法保存。方法是：用清水把沾在藕上的泥洗净，根据藕的多少选择适当的盆或木桶，把藕码放整齐，然后在容器中加满清水，把藕浸没水中，每隔1到2天换凉水1次，冬季一定要保持水不结冰。用这种方法可以保持鲜藕1到2个月不霉烂、不变质。

厨房小窍门

笋100克。

【调料】红油30克，香辣酱20克，醋15克，生抽20克，熟芝麻10克，白糖2克，香油4克，味精3克，姜汁油16克，盐4克，葱白段30克，姜片20克，葱白25克。

【做法】1.猪坐臀肉去尽残毛洗净，放入沸水锅内汆除腥味，捞起放入盆内，加姜片、葱白段，加盖入笼，蒸至熟透取出晾凉，切成肥瘦相连的粗丝。

2.胡萝卜、净莴笋洗净分别切成粗丝。葱白段切颗粒。碗内加入红油、香辣酱、醋、生抽、白糖、香油、味精、姜汁油、盐调成味汁。

3.盘内抓入莴笋丝、胡萝卜丝、猪肉丝、葱白粒、熟芝麻，垒成宝塔形，将碗内味汁调匀，浇上即成。

鱼香肉丝

【食材】猪肉350克，水发玉兰片100克。

【调料】泡辣椒15克，盐3克，味精2克，酱油10克，高汤30克，醋5克，白糖15克，淀粉25克，姜5克，蒜10克，葱10克，植物油50克。

【做法】1.猪肉切成长粗丝，加盐、淀粉拌匀；

水发玉兰片洗净，切成丝，泡辣椒剁细；姜、蒜切细末，葱切成花。

2.用酱油、醋、白糖、味精、淀粉、高汤、盐兑成芡汁。

3.炒锅置旺火上，放植物油烧热，下猪肉丝炒散，放入泡辣椒、姜末、蒜末炒出香味，再放水发玉兰片丝、葱花炒匀，烹入芡汁，迅速翻颠，起锅装盘即成。

尖椒肉丝

【食材】猪肉200克，青尖椒70克。

【调料】花生油75克，盐2克，料酒、面酱、葱各13克，酱油20克，湿淀粉15克，味精3克，姜8克。

【做法】1.将肉、葱、姜和青尖椒(去籽和蒂)均切成丝，肉丝用少许酱油、料酒、盐拌匀，然后浆上湿淀粉，再抹些花生油。

2.用酱油、料酒、味精、葱、姜、湿淀粉兑成汁。

3.炒锅烧热注油，油热后即下肉丝，边下边用勺推动，待肉丝散开，加入面酱，待散出味后加青尖椒炒几下，再倒入兑好的汁，待起泡时翻匀即成。

鱼香碎滑肉

【食材】猪肉350克，水发木耳50克，水发玉兰片50克。

【调料】泡辣椒15克，盐3克，酱油20克，料酒20克，姜10克，蒜10克，葱15克，白糖30克，醋15克，味精2克，淀粉30克，高汤30克，植物油50克。

【做法】1.猪肉切成指甲大小的薄片，加盐、酱油、料酒、淀粉拌匀码味；水发木耳、玉兰片洗净切小片，放开水中氽透，沥干；泡辣椒去籽，剁细；姜、蒜切细；葱切花。

2.用盐、酱油、料酒、味精、白糖、醋、淀粉、高汤配成芡汁。

3.锅置火上，下植物油烧热，放入肉片炒散，下泡辣椒、姜、蒜稍炒几下，再下水发木耳、玉兰片、葱花炒匀，烹入芡汁，翻炒均匀，起锅装盘即成。

鱼香酥肉

【食材】猪肥瘦肉200克。

【调料】干淀粉15克，郫县豆瓣酱15克，白糖8克，醋10克，酱油15克，料酒8克，盐5克，味精5克，湿淀粉8克，植物油

刮芋艿止手痒 吃芋艿时须先去皮，但刮皮时芋艿中有一种乳白色汁液会渗出，它有很强的刺激性，手碰到奇痒难受，用水洗也洗不掉。教你一个小窍门，如果觉得手痒，立刻到炉火上烤一下，手就不痒了。手上沾的白色乳液叫皂角甙，这种物质怕火。

厨房小窍门

200克，葱8克，姜5克，蒜10克，鸡蛋120克。

【做法】1.将肉切成2厘米见方块，用盐腌过；将葱、姜、蒜去皮，洗净，切末；将豆瓣酱剁细；将鸡蛋打散，与干淀粉和在一起，调成蛋糊。

2.用白糖、醋、酱油、料酒、味精和湿淀粉调成汁。

3.将炒锅内植物油烧热，先将肉块放蛋糊中蘸匀，依次下锅炸焦黄，捞出沥油。

4.炒锅留底油烧热，将葱末、蒜末、姜末一同放锅内煸炒出香味，烹入调好的汁，炒几下，将酥肉块放锅内拌匀即可出锅。

酸辣肉丝

【食材】肥三瘦七的猪肉200克，净冬笋50克，水发木耳50克。

【调料】泡红辣椒20克，醋10克，盐5克，葱花25克，酱油1克，蒜粒15克，白糖10克，姜粒10克，湿淀粉25克，肉汤25克，植物油60克。

【做法】1.把猪肉切粗丝，加少许盐和湿淀粉拌匀；净冬笋、水发木耳切成丝；泡红辣椒剁蓉。

2.另取一碗放白糖、盐、醋、酱油、肉汤、湿淀粉兑成味汁。

3.炒锅置旺火上，下植物油烧至六成热，下入肉丝炒至散亮发白，加入泡红辣椒蓉、姜粒、蒜粒炒香上色，再加入冬笋丝、木耳丝、葱花炒匀，烹入味汁翻炒几下，收汁起锅装盘即成。

鱼香丸子

【食材】猪肥瘦肉末200克。

【调料】郫县豆瓣酱15克，白糖8克，醋8克，酱油15克，料酒8克，味精5克，盐10克，湿淀粉15克，姜5克，葱8克，蒜10克，植物油1000克。

【做法】1.肉末加盐，用湿淀粉拌好；郫县豆瓣酱剁细；姜去皮、洗净、切末；葱去皮、洗净、切末；蒜去皮、洗净、切末。

2.将白糖、醋、酱油、料酒、味精、盐和湿淀粉调成汁。

3.锅中放植物油烧热，用左手将肉馅挤成直径2厘米的丸子，依次下锅炸熟捞出。

4.锅中留少许余油，将郫县豆瓣酱、葱末、姜末、蒜末一同下锅煸炒，待出香味后烹入调好的汁，将丸子下锅炒匀即可。

Tips

贮存花生米的窍门 1.在盛花生米的容器中，放上一二支香烟，把口封紧，别漏气。这样，花生米在三年之内不会被虫蛀。2.用清水将花生米淘净、捞出后沥干炒热，均匀地拌上细盐和五香粉，然后摊开晾晒，干后装入密封容器中。如此处理后，即使过夏，花生米也不会变质。

厨房小窍门

山东酥肉

【食材】猪腿肉750克。

【调料】盐25克，味精2克，料酒4克，醋25克，酱油10克，花椒粉2克，辣椒粉30克，葱丝1克，姜丝1克，香菜段1克，植物油750克，香油1克，鸡蛋70克，鸡蛋皮25克，水发木耳15克，面粉75克，湿淀粉75克，葱姜块各10克，清汤适量。

【做法】1.将猪腿肉切块装盆，加上鸡蛋、面粉、湿淀粉、花椒粉、盐、味精、料酒，抓匀，挂上一层薄糊。

2.锅内放入植物油，烧至五六成热时将猪肉放入，炸成金黄色时捞出，装在大碗内，加上清汤、酱油、葱块、姜块，上屉蒸40分钟取出，拣去葱、姜块。

3.水发木耳、鸡蛋皮切丝。

4.将蒸肉的汤倒在大锅内，将肉装在汤盆内。

5.将汤烧开，加上盐、辣椒粉、醋、料酒、味精、葱丝、姜丝、鸡蛋皮丝、木耳丝、香菜段，呈酸辣口味，再烧开，淋上香油，倒入汤盆内即成。

泡菜炒肉末

【食材】猪肥瘦肉150克，四川泡菜300克。

【调料】料酒5克，酱油15克，干辣椒20克，味精2克，花椒粒10克，香油10克，葱白15克，植物油75克，姜末5克。

Tips

巧手煮花生米 煮花生米是有技巧的，一定要掌握得当：花生米煮到七成熟，再放入花椒、大料，并加适量盐。继续煮一会儿，在八成熟时放点碱面（每1斤花生米放入碱1.5克），搅匀后继续煮5分钟即可捞出。这样煮的花生米粒大，颜色红润，香酥可口，而且存放时间比较长。

厨房小窍门

【做法】1.泡菜剁碎，挤干水分；猪肉洗净，剁成细末；葱白切成花；干辣椒带籽剁碎；花椒粒洒少许清水发湿。

2.炒锅烧热，放入植物油，烧至五成热，下干辣椒、花椒粒翻炒数下，再加入猪肉末、姜末，炒至肉末水干吐油时加入酱油上色，加料酒、泡菜末、味精，翻炒出香味，最后淋入香油、葱白花，和匀起锅入盘。

红豆肉末

【食材】猪肉末50克，熟红豆400克，酸腌菜末20克。

【调料】料酒2克，甜酱油10克，咸酱油10克，香油5克，干辣椒段15克，熟猪油1000克，盐3克，味精2克，青蒜苗40克。

【做法】1.炒锅置旺火，注入熟猪油，烧至七成热，下红豆炸1分钟，锅离火口，继续炸2分钟，再上旺火，炸至豆漂浮在油面上时，起锅捞出沥油。

2.炒锅留底油，下干辣椒段炸焦，下肉末炒至八成熟，下青蒜苗煸炒至熟，下红豆、酸腌菜末略炒，加入甜酱油、咸酱油，盐，拌炒均匀，放入味精、料酒，淋上香油，出锅装盘。

酸辣肥肠

【食材】猪肥肠1000克。

【调料】淀粉40克，鸡蛋清70克，湿淀粉20克，醋60克，姜汁酒20克，生抽10克，盐10克，葱白30克，香叶15克，胡椒粉3克，泡红辣椒30克，味精3克，高汤30克，红葡萄酒30克，植物油80克。

【做法】1.将猪肥肠放入清水盆内，洗净，加盐、醋、姜汁酒搓揉，洗净腥膻味，捞出切成长条；葱白切段，待用；泡红辣椒切马耳片，待用。

2.锅置火上，加植物油烧热，放入猪肥肠条，煸皱皮，加清水、葱白、盐、姜汁酒、香叶烧沸，改用小火加盖焖熟，至软糯捞出，晾凉。

3.将鸡蛋清、湿淀粉放入盆内，加淀粉调成糊，放入肥肠条拌匀。

4.锅内加植物油烧热，将肥肠条逐条放入油锅内，炸黄捞出。

5.锅内留底油，烧热后，放葱白段、泡红辣椒片炒香，加高汤、盐、红葡萄酒、胡椒粉、生抽烧沸，加湿淀粉勾芡，加醋推匀，浇在肥肠条上即成。

酸辣肚丝

【食材】鲜猪肚500克。

【调料】泡野山椒30克，醋14克，花椒油3克，盐3克，味精3克，姜18克，鱼露14克，

Tips

油炸花生米保脆法 许多人都会有这样的经验：一般的油炸花生米，放12个小时后，再吃就不酥脆了。其实有种简单的方法即可有效防止这种现象：如果将油炸花生米趁热洒上少许白酒，搅拌均匀，晾凉后撒上少许食盐即可放心食用。经过这样处理的花生米不易回潮，放上几天都酥脆如初。

厨房小窍门

特鲜酱油20克，植物油30克，小香葱20克，葱白段30克，姜片25克。

【做法】1.将猪肚撕除油筋洗净，入沸水锅内氽一下捞出，刮洗干净后剖开成两块。

2.锅内加清水，放入猪肚煮沸，撇尽浮沫，加入姜片、葱白段用小火煮熟，捞出晾凉，再切成粗丝，放入盘内。

3.泡野山椒去蒂，剁成末；姜除尽皮洗净，切成末；小香葱洗净，切成葱花。

4.碗内加入泡野山椒末、醋、植物油、盐、味精、姜末、鱼露、特鲜酱油、花椒油兑成味汁，浇在肚丝上，撒上小香葱花即成。

耳丝拌凉粉

【食材】熟猪耳朵100克，豌豆凉粉200克。

【调料】小香葱25克，油炸花仁粒20克，香辣酱30克，辣酱油16克，醋14克，豉油皇20克，花椒粉2克，盐3克，香油4克。

【做法】1.豌豆凉粉用凉开水洗净，切成粗丝；熟猪耳朵去尽残毛，除去耳心，切成同样粗细的丝；小香葱去根，洗净切粒。

2.碗内加入香辣酱、辣酱油、醋、豉油皇、花椒粉、盐、香油调成味汁待用。

3.盘内装入凉粉丝、猪耳丝，撒入油炸花仁粒、小香葱粒，浇上味汁即成。

泡莲白煎猪肝

【食材】猪肝350克，泡酸莲花白40克。

【调料】红辣椒30克，特鲜酱油10克，胡椒粉3克，葡萄糖30克，白糖4克，醋6克，盐2克，鸡精3克，大蒜20克，葱白25克，鸡清汤40克，湿淀粉35克，花椒油3克，植物油100克。

【做法】1.猪肝除尽筋膜，洗净，切成片，放入盆内加盐、鲜味汁酱油、湿淀粉抓匀；泡酸莲花白洗去部分盐分，切成菱形片；红辣椒切成片；大蒜切粒；葱白切片。

2.碗内加入特鲜酱油、胡椒粉、葡萄酒、白糖、醋、盐、鸡清汤、湿淀粉、鸡精兑成味汁。

3.煎锅置火上，加少许植物油烧至五成热，放入猪肝片慢火煎至两面色金黄，起锅。

4.炒锅内加植物油烧至六成热，放入蒜粒、红辣椒片、葱白片、泡莲白片略炒，放入猪肝片翻炒，烹入味汁，推匀，加花椒油，起锅装盘。

鱼香腰花

【食材】猪腰200克，笋片40克，冬菇片20克。

【调料】盐5克，白糖15克，味精3克，胡椒粉、花椒粉各2克，醋10克，酱油15克，料酒30克，红油、泡辣椒丁各20克，葱、姜、蒜泥共50克，干菱粉、湿菱粉适量。

【做法】1.先将猪腰切半，去掉腰心杂物，洗净，打梳形花刀，切成小条，用少许盐、料酒、胡椒粉抹一下，用干净布挤干，放入干菱粉内翻滚，再放入油锅溜一下捞出（把握时间，保持鲜嫩）。

2.泡辣椒丁、冬菇片、笋片放入油锅内炒拌，同时将准备好的鱼香味料（即姜、葱、酱油、盐、花椒粉、胡椒粉、红油、味精、蒜泥、白糖、醋、湿菱粉）和猪腰条倒入一炒即好。

酸辣腰花

【食材】猪腰600克，泡菜100克，冬笋50克，水发香菇50克。

【调料】大蒜50克，料酒25克，盐3克，酱油25克，小红辣椒50克，味精2克，猪油500克，香油15克，湿淀粉50克。

【做法】1.猪腰撕去皮膜，片成两半，再片去腰臊洗净，在表面斜剞一字花刀，翻过来再斜剞一字花刀，切成斜方块，装入盘内，用盐拌匀，

防豆类生虫妙法 绿豆、蚕豆、红小豆保存一段时间，特别是春天以后，就容易生虫。为了防止生虫，可将买来的豆类先放到烧开的沸水里，烫半分钟，其间不断用筷子等器具搅拌。捞出后再用冷水浸泡一下，然后摊开晒干，最后放入容器中加盖封严，经过这样处理的豆类就不会生虫了。

加湿淀粉浆好。

2.泡菜、冬笋、香菇、小红辣椒分别洗净，香菇去蒂，小红辣椒去蒂、去籽，上述都切成末；大蒜择洗净切片。

3.将猪油烧沸，下入腰花，滑至八成熟时，即倒入漏勺滤油。

4.锅内留底油，下入冬笋、泡菜、香菇、小红辣椒、大蒜片炒一下，烹料酒，加入盐、酱油、味精，湿淀粉调稀勾芡，即倒入滑熟的腰花，翻炒几下，淋香油，装盘即成。

风肝

【食材】鲜猪肝200克。

【调料】料酒50克，五香粉5克，红曲25克，辣椒粉30克，酱油20克，鸡蛋清15克，盐20克，葱花10克，醋15克，味精3克。

【做法】1.取一容器，放入料酒、红曲、盐、五香粉，鸡蛋清调搅均匀，待用。

2.将猪肝清洗干净，然后把猪肝放在墩面上，用一节竹管插入肝管内，然后加气，边加气边灌入调料汁，如此反复几次将调料灌完，剩少许将肝抹均匀，待用。

3.将肝管扎紧，然后放在太阳下晒30分钟，再撕去苦胆，挂放在阴凉通风的地方，贮存。

4.食用时将风肝放入锅中煮熟、晾凉、切片，整齐地码在盘中，然后将葱花、辣椒粉、酱油、醋、味精放入碗中兑成汁，与码放整齐的肝片一同上桌，蘸食。

鱼香肝片

【食材】猪肝250克。

【调料】姜5克，蒜25克，葱8克，盐5克，酱油8克，醋适量，料酒8克，湿淀粉8克，味精5克，白糖8克，高汤8克，植物油60克，泡辣椒20克。

【做法】1.将猪肝切成片，加盐及一半湿淀粉拌匀；姜、蒜去皮，切成菜籽大的小粒；葱切葱花；泡辣椒剁成碎末。

2.用碗把剩下的湿淀粉、料酒、酱油、醋、白糖、味精及高汤调成味汁。

3.炒锅置旺火上，下植物油，烧至七成热时，放进猪肝片炒散后倒入泡辣椒末、姜粒、蒜粒，待猪肝炒伸展时下葱花，烹味汁，炒匀起锅。

湘西酸肉

【食材】湘西酸肉750克。

【调料】肉清汤200克，青蒜25克，植物油100克，干辣椒15克。

【做法】1.将酸肉上的玉米粉扒放在瓷盘里，酸

Tips

防大米生虫妙法 大米有丰富的营养，又有一定水分，因此容易感染虫卵，虫卵遇到合适的温度、湿度，就要孵化出许多虫子，淘米时不易除去，而且会损失大米的营养成分。用纱布小口袋装上花椒，放在米里，如大米较多，可多放几个口袋，把米袋扎紧（或米缸盖严），经过这种处理，就可以有效防止大米生虫。

厨房小窍门

肉切成片；干辣椒切细末；青蒜切成段。

2.炒锅置旺火上，放入植物油烧至六成热，先将酸肉片、干辣椒末下锅煸炒，当酸肉片渗出油时，用铲扒在锅边，下玉米粉炒成黄色，再与酸肉片合并，倒入肉清汤焖2分钟，待汤汁稍干，放入青蒜段炒几下，盛入盘中即成。

牛 肉

酸辣百叶

【食材】 水发牛百叶400克，泡菜条(萝卜)50克。

【调料】 干辣椒末20克，香菜末20克，料酒10克，白醋20克，香油5克，猪油50克，水淀粉15克，鸡汤、盐、味精各适量。

【做法】 1.牛百叶洗净切丝，锅内放清水及少许盐，烧开，将百叶焯一下，沥干水。

2.锅放猪油烧热，投入干辣椒末、泡菜条、牛百叶丝、料酒、白醋、盐、味精、鸡汤炒匀，水淀粉勾芡，淋香油、撒香菜末即成。

酸辣牛肉羹

【食材】 黄牛里脊肉400克，泡酸青菜40克。

【调料】 鸡蛋清80克，湿淀粉50克，鸡清汤750克，胡椒粉3克，姜18克，葱白25克，醋6克，红油30克，盐3克，味精3克，料酒10克，虾油18克，姜汁12克，葱汁20克。

【做法】 1.黄牛里脊肉洗净，放在菜墩上，除尽油筋，剁蓉；泡酸青菜洗一下切成粒；姜切片；葱白切段。

2.盆内加牛肉蓉、姜汁、葱汁、清水适量，加蛋清打散，放适量湿淀粉和盐搅匀成蓉待用。

3.炒锅内加鸡清汤、姜片、葱白段、料酒烧沸，打尽浮沫料渣，改用微火，用勺搅转清汤，将牛肉蓉慢慢倒入，用微火煮至牛肉蓉浮于汤面，呈现出豆花状，加入胡椒粉、味精、盐、虾油、酸青菜粒煮入味至熟，加湿淀粉30克勾芡，轻轻推动后，放醋、红油，舀入汤碗内即成。

选购苦瓜的诀窍 苦瓜身上一粒一粒的果瘤，是判断苦瓜好坏的特征。颗粒愈大愈饱满，表示苦瓜肉质越厚；颗粒愈小，苦瓜肉质相对较薄。选苦瓜除了要挑果瘤相对较大、果形直立的以外，还要选洁白漂亮的，因为如果苦瓜出现黄化，就代表已经成熟过度，果肉变得柔软不够脆，失去苦瓜应有的口感。

Tips

厨房小窍门

酸辣牛肉

【食材】鲜牛腿肉200克，香菜25克。

【调料】小香葱25克，盐4克，熟油辣椒40克，花椒粉2克，醋20克，味精3克，生抽20克，鱼露8克。

【做法】1.牛腿肉洗净，入沸水锅内汆去血腥味，捞出。

2.锅内加清水放入牛腿肉，煮沸，去浮沫，加盖用小火煮透，起锅晾凉，切成薄片。

3.香菜、小香葱洗净切粒，碗内加入盐、熟油辣椒、花椒粉、醋、味精、生抽、鱼露调成味汁，待用。

4.盘内放入牛肉片，摆成桥梁形，撒上香菜粒、小香葱粒，将碗内调好的味汁浇在牛肉片上即成。

酸辣牛筋

【食材】熟牛蹄筋250克，香菜25克。

【调料】小香葱20克，盐4克，生抽20克，醋25克，花椒粉2克，味精3克，熟油辣椒40克，大蒜20克。

【做法】1.熟牛蹄筋除尽油膜，用刀切成薄片；香菜、小香葱分别洗净，小香葱切花，香菜切段；大蒜剁细末。

2.碗内加入盐、生抽、醋、花椒粉、味精、熟油辣椒、蒜末调成味汁待用。

3.圆盘内放入香菜段、小香葱花、牛蹄筋片，摆成馒头形，将碗内调好的味汁浇在牛蹄筋片上即成。

酸辣牛筋煲

【食材】牛筋1200克，甘笋240克，西红柿60克。

【调料】干葱4粒，姜数片，鲜葱20克，陈皮8克，白醋10克，小红椒40克，茄汁、辣椒酱各15克，片糖20克，蒜蓉、盐、香油、生抽各5克，清水400克，植物油40克。

【做法】1.牛筋用姜、鲜葱汆水，加入白醋，用清水浸2小时以上，倾出水分，冲洗干净。

2.甘笋去皮切块；西红柿洗净切块；干葱去衣；陈皮浸软刮瓤；小红椒洗净切细粒。

3.炒锅下植物油烧热，爆香干葱、姜片、葱，下牛筋略炒，再下甘笋、陈皮、小红椒、西红柿和其余所有调味料，用中火煮10分钟，后改用慢火煮20分钟，熄火10分钟，重复3~4次（如水分不足可注入滚水补充），即可食用。

泡椒牛肉卷

【食材】黄牛里脊肉200克，芹黄40克，熟鸡腿菇40克，熟腊肉50克。

【调料】泡野山椒25克，松肉粉10克，蛋清淀粉60克，葡萄酒16克，盐3克，鸡精3克，鸡清汤60克，湿淀粉18克，胡椒粉2克，醋5克，生抽8克，植物油1000克。

【做法】1.牛里脊肉洗净，片成片，加盐、胡椒

Tips

苦瓜除苦味法 1.水漂：将苦瓜剖开、去籽，切成丝条，然后再用凉水漂洗，边洗边用手轻轻捏，洗一会儿后换水再洗，如此反复漂洗三四次，苦汁就随水流失，苦味也就去除。这样处理好的苦瓜炒熟后，味道鲜美，微带苦味。2.混合炒：如果把苦瓜和辣椒在一起炒，即可大大减轻苦味。

厨房小窍门

粉、松肉粉拌匀；泡野山椒剁细；芹黄切成段；熟鸡腿菇切成粗丝；熟腊肉切成丝。

2.取牛肉片，铺平，放入芹黄段、鸡腿菇丝、腊肉丝在一端，卷成卷，封口处抹上蛋清淀粉粘牢。

3.锅置火上，加植物油烧热，将牛肉卷拖上蛋清淀粉，放入油内炸黄，起锅。锅内留油少许，烧热，放入野山椒略炒，加鸡清汤、盐、胡椒粉、生抽、葡萄酒、牛肉卷，焖入味，至汤汁浓稠时加湿淀粉勾芡、推匀，放鸡精、醋推匀，起锅入盘。

鱼香牛肉丝

【食材】牛肉丝200克，笋丝65克。

【调料】红油4克，泡辣椒丝13克，鸡蛋60克，醋20克，干菱粉10克，白糖12克，酱油50克，葱花8克，料酒15克，姜末10克，盐10克，蒜泥8克，花椒粉12克，湿菱粉8克，味精4克，植物油适量。

【做法】1.将牛肉丝放入用鸡蛋、干菱粉、盐调的卤内拌均匀，下热植物油锅炒一下取出。

2.另将笋丝、泡辣椒丝下油锅炒一下，放入牛肉丝，用旺火炒十多秒钟（必须将牛肉丝搅散，不被粘住），沥去油。

3.将准备好的鱼香味料（即姜末、蒜泥、糖、料酒、醋、红油、湿菱粉、花椒粉、葱花、酱油、味精）放入锅中，汁开时浇在牛肉丝上即成。

菜心烧牛蹄筋

【食材】鲜牛蹄筋600克，鲜香菇50克，小白菜心100克。

【调料】牛清汤800克，料酒14克，盐4克，姜16克，葱白25克，湿淀粉20克，酸青菜30克，香辣酱30克，大蒜20克，味精3克，醋5克，花椒油2克，植物油100克。

【做法】1.鲜牛蹄筋削除油膜后，剖成两片，切成段，放入沸水锅内氽一下，捞出，洗净浮沫，放入沙锅内，加清水、料酒、盐烧沸后，加盖，用小火煨柔软捞出；鲜香菇去蒂，洗净，切成条，入沸水氽一下捞出；小白菜心洗净，根部削成橄榄形，放入沸水锅内焯断生捞出，围放菜盘一周。

2.姜切末；葱白切段；酸青菜切粒；大蒜切粒。

3.锅内加植物油烧热，放入姜末、蒜粒、酸青菜粒、香辣酱炒香，加牛清汤、葱白段、盐、味精、香菇条烧沸，改用小火烧熟，待汤汁浓稠时，加湿淀粉勾芡，推匀，放醋、花椒油入盘即可。

烧牛板筋

【食材】鲜牛板筋600克。

【调料】泡野山椒35克，姜18克，葱白25克，

Tips

慧眼选购青菜 青菜的品种很多，可分为大青菜、小青菜、鸡毛菜。青菜以江、浙、沪一带的为最佳，以春秋季上市的青菜最好。好的青菜，叶瓣完整，呈墨绿、青绿色，无虫害、无农药味，菜梗饱满。反之，其质量就差。

厨房小窍门

生抽14克，大蒜20克，鸡精3克，玫瑰露酒16克，湿淀粉18克，柱侯酱10克，大香2克，牛清汤1000克，花椒油2克，植物油100克，醋5克，盐适量。

【做法】1.牛板筋洗净，放入沸水锅内除尽腥膻味起锅，切成块；野山椒去蒂；姜切片；葱白切段；大蒜切成粒。

2.沙锅置火上，加牛清汤、牛板筋块、葱白段、姜片、大香，烧沸后打尽浮沫，下玫瑰露酒、盐，加盖，用微火煨软至熟。

3.炒锅内加植物油烧至六成热，放入泡野山椒、蒜粒略炒，加柱侯酱、牛板筋块、原汤汁、生抽烧入味，至汤汁稠浓时，加湿淀粉勾芡，放鸡精、醋，推匀，淋花椒油，起锅入盘上桌。

泡椒牛柳

【食材】牛里脊肉350克，泡辣椒40克。

【调料】洋葱50克，姜汁酒14克，大蒜20克，醋8克，花椒粒3克，味精3克，盐3克，白糖2克，湿淀粉35克，鸡清汤60克，蚝油20克，香油适量，胡椒粉2克，植物油100克。

【做法】1.牛里脊肉洗净，除尽油筋，切成片放入盆内，加盐、姜汁酒、湿淀粉抓匀；泡辣椒切成菱形片；洋葱切成斧楞片；大蒜切成粒。

2.碗内加入姜汁酒、醋、味精、盐、白糖、湿淀粉、鸡清汤兑成味汁，待用。

3.炒锅置火上，加植物油烧至六成热，放入牛肉片炒散，加入蒜粒、泡辣椒片、花椒粒、洋葱片翻炒，加入胡椒粉、蚝油炒入味，烹入味汁，翻炒均匀，淋香油起锅上桌。

Tips

慧眼选购绿豆芽 市场上常有用化肥发制的绿豆芽，如食用者不加小心，会引起食物中毒。现介绍一种鉴别方法：正常的绿豆芽略呈黄色，不太粗，水分适中，无异味；不正常的绿豆芽颜色发白，豆粒发蓝，芽茎粗壮，水分较大，有化肥的味道。另外，购豆芽时选择6厘米左右长度的为最好。

厨房小窍门

三色百叶

【食材】鲜牛百叶300克。

【调料】青豆5克，香菇2克，鲜红辣椒5克，干辣椒20克，酱油2克，盐2克，醋10克，味精2克，料酒4克，水淀粉3克，清油5克，香油1克，鸡汤适量，植物油50克。

【做法】1.牛百叶切成象眼片，开水焯后用鸡汤煨透，码在盘中；香菇、鲜红辣椒切丁。

2.起锅放植物油烧热，投入干辣椒爆香，放入青豆、香菇、鲜红辣椒和所有调料，用水淀粉勾芡，淋少许香油，将芡汁浇在百叶上即可。

酸辣黄喉

【食材】水发黄喉300克。

【调料】泡洋葱50克，大蒜20克，姜12克，盐3克，味精3克，红油25克，辣酱油16克，香油

4克，蚝油16克，醋10克，生抽14克。

【做法】1.水发黄喉撕尽筋膜，洗净，切成粗丝，放入沸水锅内烫熟，捞出，沥去水分；泡洋葱切成粗丝；大蒜、姜分别剁成末。

2.碗内加入大蒜末、姜末、盐、味精、红油、辣酱油、香油、蚝油、醋、生抽，调成味汁。

3.盘内放入泡洋葱丝、黄喉丝，摆成馒头形，浇上调味汁即成。

羊 肉

酸辣红烧羊肉

【食材】羊肉300克。

【调料】羊肉汤500克，盐8克，酸泡菜50克，青蒜25克，香菜50克，鲜红辣椒25克，姜片15克，干辣椒20克，料酒20克，酱油30克，湿淀粉50克，香油、味精各1克，植物油适量。

【做法】1.羊肉洗净，剔去粗骨，烙去绒毛，放入冷水中刮洗干净，再下冷水锅煮，除去腥膻味，剁成方块；酸泡菜和青蒜洗净，切成细末；鲜红辣椒洗净，切成细末。

2.锅置旺火，放植物油烧热，下羊肉块煸炒，烹入料酒，加酱油、盐，再炒2分钟。

3.取瓦钵，用竹子垫底，将煸过的羊肉块，整齐排放在竹子上，放入姜片、干辣椒，加羊肉汤，烧开，改小火煨烂，离火后去掉姜片、干辣椒，翻扣在瓷盘中。

4.锅置旺火，放植物油烧热，放入酸泡菜、鲜红辣椒煸炒一下，再倒入大瓦钵里的原汤，烧开后，放入青蒜，用湿淀粉勾芡，加味精、香油，浇在羊肉块上面，饰以香菜即成。

炒羊肉丝

【食材】熟羊腿肉300克。

【调料】泡红辣椒15克，大蒜16克，盐2克，生

慧眼选购菠萝 挑选菠萝要注意色、香、味，三个方面。首先，果实青绿、坚硬、没有香气的便是不够成熟。如果菠萝的色泽已经由黄色转褐色、果实已经变软，溢出浓香的便是果实成熟过度了。另外，要注意捏捏果实，如果有汁液溢出，就说明果实可能已经变质，不可以再食用了。

抽7克，味精3克，湿淀粉30克，高汤50克，姜汁16克，醋6克，葱白20克，植物油100克。

【做法】1.羊腿肉洗净，切成8厘米长的细丝放入盆内，加姜汁、味精、盐、湿淀粉抓匀；泡红辣椒切成3厘米长的丝；大蒜切粒；葱白切丝。

2.碗内加盐、生抽、味精、湿淀粉、高汤、姜汁、醋兑成味汁待用。

3.炒锅置火上，加植物油烧至七成热，放入羊肉丝滑散，加入大蒜粒、泡红辣椒丝翻炒至熟，烹入味汁推匀，颠勺几下，加入葱白丝，起锅装盘即成。

炒羊肚丝

【食材】熟羊肚350克，泡萝卜100克，侧耳根100克。

【调料】干辣椒15克，大蒜16克，盐2克，味精3克，红糟汁16克，湿淀粉18克，高汤20克，果汁20克，姜12克，香油3克，植物油80克。

【做法】1.熟羊肚削除油筋，切成粗丝；泡萝卜洗净，切丝；干辣椒去蒂，切成丝；侧耳根洗净，切成段；大蒜切成粒，姜切成丝。

2.碗内加盐、味精、红糟汁、湿淀粉、高汤、果汁兑成味汁待用。

3.炒锅置火上，加植物油烧至七成热，放入姜丝、蒜粒、干辣椒丝炒香，加入羊肚丝翻炒几下，放入侧耳根段、盐、泡萝卜丝颠几下匀，烹入味汁推匀，淋香油起锅入盘即成。

狗　肉

酸辣狗肉

【食材】鲜狗肉400克。

【调料】香菜200克，泡菜100克，干辣椒15只，冬笋50克，料酒50克，小红辣椒15克，盐5克，青蒜50克，酱油25克，味精1.5克，醋15克，胡椒粉1克，湿淀粉25克，桂皮10克，香油15克，葱15克，熟猪油100克，姜15克。

【做法】1.狗肉去骨，泡洗干净，放入沙锅，加入葱、姜、桂皮、干辣椒、料酒和清水适量，煮烂后切成条；泡菜、冬笋、小红辣椒分别切末；青蒜切花；香菜洗净切段。

2.锅置旺火上，放入适量熟猪油，烧至八成热时下入狗肉爆出香味，烹料酒，加入酱油、胡椒粉、盐和原汤，烧开后倒在沙锅内，用小火煨至酥烂，收干汁，盛入盘内。

3.锅内放适量熟猪油烧热，下入冬笋、泡菜和小红辣椒煸几下，倒入狗肉原汤烧开，放入味精、青蒜，用湿淀粉调稀勾芡，淋入香油和醋，浇盖在狗肉上，撒上香菜段即成。

Tips

慧眼选购香蕉 优质香蕉果实丰满、肥壮，果形端正，单果香蕉体弯曲，排列成梳状；梳柄完整，无缺只和脱落现象；体形大而均匀，每千克在25只以下；色泽新鲜、光亮，果皮鲜黄色或青黄色；果面光滑，无病斑、无虫疤、无霉菌、无创伤；果皮易剥离，果肉感觉稍硬者为好。

厨房小窍门

兔 肉

腿菇兔丝

【食材】熟兔里脊肉150克，鸡腿菇100克。

【调料】小香葱25克，干辣椒16克，盐4克，味精3克，醋14克，特鲜酱油20克，海鲜酱16克，姜14克，花椒油3克，植物油少许。

【做法】1.熟兔里脊肉切成粗丝；鸡腿菇洗净，切成同样的丝，放入沸水锅内煮熟，捞出沥去水分。

2.小香葱洗净，切成段；姜刮去粗皮，洗净，切成末；干辣椒切成段。

3.锅内加植物油少许，烧至三成热，放入干辣椒段烘脆，起锅放在菜墩上，用刀铡成末。

4.碗内加入盐、味精、醋、特鲜酱油、海鲜酱、姜末、花椒油兑成味汁待用。

5.盘内放入鸡腿菇丝、兔肉丝、干辣椒末，浇入味汁，撒上小香葱段即成。

兔蛙相约

【食材】鲜兔里脊肉160克，净牛蛙腿肉160克。

【调料】蛋清淀粉35克，干辣椒16克，盐3克，玫瑰露酒10克，白糖3克，醋10克，生抽10克，姜12克，大蒜20克，湿淀粉16克，葱白25克，胡椒粉2克，植物油500克。

【做法】1.鲜兔里脊肉、净牛蛙腿肉洗净，分别斩成方丁，放入盆内加盐、生抽、胡椒粉腌渍4分钟，加蛋清淀粉抓匀；干辣椒切段；姜、大蒜切粒；葱白切段。

2.碗内加盐、玫瑰露酒、白糖、醋、生抽、湿淀粉、胡椒粉兑成味汁待用。

3.炒锅置火上，加植物油烧至五成热，放入兔肉丁、蛙肉丁滑油至断生，捞出。

4.锅内留底油少许，烧至五成热，放入干辣椒段、姜粒、大蒜粒炒香，放入兔肉丁、蛙肉丁炒熟，烹入味汁推匀，放葱白段、淋热植物油起锅入盘。

选购草莓诀窍 用过激素的草莓生长过快，很容易形成皮包水，有的草莓一碰就是一滩水。挑选的时候应该尽量挑选结实、手感较硬的草莓。草莓大多有鸽子蛋大小，或略大一些，建议太大的草莓最好不要买；过于水灵的草莓也不能买。最好尽量挑选表面光亮、有细小绒毛的草莓，比较安全。

Tips

酸辣兔丝

【食材】鲜兔腿肉500克，腰果40克。

【调料】香辣酱25克，黑胡椒粉4克，生抽20克，醋25克，姜汁油30克，香油4克，盐4克，味精3克，姜片25克，葱白段30克，植物油50克，葱白丝30克。

【做法】1.鲜兔腿肉洗净，放入沸水锅内汆除血腥味，起锅。锅洗净重新加清水，下兔腿肉煮沸，去浮沫，加姜片、葱白段，用小火加盖煮熟，捞出晾凉，切成粗丝。

2.锅内下植物油，烧至四成热，放入腰果炸香捞出，在菜墩上用刀铡成粒；锅内留底油少许，烧至五成热，放适量香辣酱略炒，加黑胡椒粉炒香后起锅。

Tips

巧辨桂圆与龙荔 桂圆是养血安神的营养佳品。龙荔又名疯人果，形似桂圆，但果核果肉都有毒。所以一定要注意识别桂圆与龙荔。从外表皮加以区分：桂圆外表光滑，有纹理（从蒂部向上）；龙荔外表皮粗糙，有小刺，没有纹理。

厨房小窍门

3.碗内加入香辣酱、生抽、醋、姜汁油、香油、盐、味精、葱白丝调成味汁。

4.盘内放入兔丝、葱白丝、油炸腰果粒，浇入碗内兑好的味汁上桌。

禽肉、蛋

山椒焖鸡翅

【食材】鲜鸡翅500克。

【调料】沙嗲酱40克，大蒜20克，姜14克，盐2克，葱白25克，红糟汁16克，特鲜酱油6克，白糖5克，醋8克，高汤850克，湿淀粉20克，香油4克，植物油70克，野山椒30克。

【做法】1.鲜鸡翅去除残毛，洗净，放在菜墩上斩除翅尖，放入沸水锅内汆除血水，起锅；野山椒去蒂；大蒜切成末；姜切粒；葱白切段。

2.炒锅置火上，加植物油烧至五成热，放入野山椒、沙嗲酱、蒜末、姜粒、葱白段炒香，加入高汤、鸡翅、盐、红糟汁、特鲜酱油、白糖，烧沸后打尽浮沫，用小火焖至软糯，收浓汤汁，加湿淀粉勾芡，放醋、香油，推匀起锅，装入盘中即成。

仔姜炒鸡脯

【食材】仔鸡脯肉200克，泡仔姜100克。

【调料】蛋清淀粉40克，盐3克，红糟汁16克，鸡精3克，鸡清汤40克，湿淀粉18克，生抽8克，胡椒粉2克，醋7克，鲜红辣椒20克，葱白25克，植物油80克。

【做法】1.仔鸡脯肉洗净，沥尽水分，放入菜墩上，切成柳叶片，放入盆内，加盐、胡椒粉、蛋清淀粉抓匀；泡仔姜洗净，切成薄片，入清水内浸泡后捞出，沥尽水；鲜红辣椒切成马耳片；葱白切成片。

2.碗内加鸡清汤、盐、红糟汁、鸡精、湿淀粉、生抽、胡椒粉、醋兑成味汁待用。

3.炒锅置火上，加植物油烧至四成热，放入鸡片，拨散，待肉白油亮时，加入泡仔姜片翻炒，放鲜红辣椒炒断生，烹入味汁炒匀，加入葱白片，颠炒几下，起锅入盘。

蜇皮鸡片

【食材】鲜鸡脯肉100克，海蜇皮500克，熟鸡腿菇50克。

【调料】鲜红辣椒40克，蛋清淀粉20克，大蒜20克，姜12克，湿淀粉18克，胡椒粉2克，醋10克，料酒14克，鸡清汤500克，味精3克，植物油100克，盐适量。

【做法】1.海蜇皮撕去黑膜，洗净，切成片，放入清水中泡至回软，捞出，沥尽水分；鲜鸡脯肉切片，放入盆内，加盐、胡椒粉、蛋清淀粉抓匀；熟鸡腿菇切成斜刀片；鲜红辣椒去蒂、籽，切菱形片；姜、蒜分别切成片。

2.碗内加入湿淀粉、胡椒粉、醋、料酒、鸡清汤、味精兑成味汁。

3.锅内舀入鸡清汤烧沸，放入蜇皮片略烫，捞出。

4.炒锅置火上，加植物油，烧至六成热，放入鸡片滑散，待肉白油亮时加入姜片、蒜片、鲜红辣椒片炒香，放鸡腿菇翻炒，加海蜇皮略炒，烹入味汁，推匀，起锅装盘。

侧耳根拌鸡丝

【食材】熟鸡脯肉200克，侧耳根（鱼腥草）70克。

【调料】盐3克，特鲜酱油20克，醋10克，姜10克，味精3克，红油30克，花椒油3克，虾酱16克，香油4克，小香葱25克。

【做法】1.熟鸡脯肉切成粗丝；侧耳根择除根须，洗净，放入盆内，加沸水略烫捞出，沥尽水分；姜刮去粗皮、洗净，切成细末；小香葱洗净切段。

2.碗内加盐、特鲜酱油、醋、姜末、味精、红油、花椒油、虾酱、香油兑成味汁待用。

3.盘内放入侧耳根、鸡丝、小香葱段，摆成馒头形，浇入味汁即成。

酸辣鸡丁

【食材】净仔公鸡肉300克，青辣椒120克。

【调料】豆瓣酱25克，红糟汁18克，醋10克，生抽12克，盐3克，湿淀粉18克，高汤30克，果汁30克，鸡精3克，姜粒12克，葱白30克，花椒油3克，植物油800克。

选购木瓜诀窍 木瓜有公母之分。“公瓜”呈椭圆形，身重，核少、肉结实，味甜香。“母瓜”身稍长，核多、肉松，味稍差。生或半生的木瓜比较适合煲汤；作为水果直接食用的应选比较成熟的。木瓜成熟时，瓜皮呈黄色，味特别清甜。皮呈黑点的，已开始变坏，甜度、香味及营养都已被破坏了。

厨房小窍门

Tips

【做法】1.净仔公鸡肉除去残毛、肺叶，洗净，斩成2厘米见方的丁，放入盆内加盐、生抽，腌渍5分钟。

2.青辣椒切成斧楞块；葱白切段。

3.碗内加入红糟汁、醋、盐、湿淀粉、高汤、果汁、生抽、鸡精，兑成味汁。

4.炒锅置火上，加植物油烧到六成热，放入鸡丁用勺推散，炸至棕红色断生时捞出。

5.锅内留底油少许，烧至五成热，加入豆瓣酱、鸡丁翻炒，放入生抽炒香，加青辣椒块、葱白段、姜粒炒入味，翻炒几下，烹入味汁推匀，淋花椒油起锅入盘。

泡椒炒鸡丁

【食材】鸡肉300克，荸荠100克，泡辣椒50克。

【调料】葱段10克，姜片12克，盐20克，蚕豆水粉50克，味精8克，猪油100克，高汤200克。

【做法】1.将鸡肉洗净切丁，摆入碗内，加盐、蚕豆水粉，搅匀上浆；荸荠削去皮，切为丁；泡辣椒去籽，切块。

2.炒锅烧热后下猪油，三成热时，将鸡丁、荸荠丁放入，推动，鸡肉呈白色时起锅，倒入漏勺沥油。

3.炒锅内留熟猪油烧热，先将葱段、姜片煸香，后下入泡辣椒块、鸡丁、荸荠丁煸炒。用高汤调开蚕豆水粉，放入盐、味精勾芡，浇上猪油作亮油，翻炒两下即成。

泡莴笋炒鸡丁

【食材】鲜鸡脯肉300克，泡莴笋80克。

【调料】鸡精3克，蛋清淀粉25克，湿淀粉18克，鸡清汤30克，生抽10克，醋6克，胡椒粉2克，鱼露10克，植物油80克，鲜红辣椒30克，盐适量。

【做法】1.鸡肉洗净，斩成丁，放入盆内，加盐、生抽、蛋清淀粉抓匀；泡莴笋切成丁；鲜红辣椒切成粒。

2.碗内加入鸡精、湿淀粉、鸡清汤、生抽、醋、胡椒粉、鱼露兑成味汁待用。

3.炒锅置火上，加植物油烧至六成热，放入鸡丁炒散，加入红辣椒粒略炒，加入泡莴笋丁翻炒至熟，烹入味汁推匀，起锅装盘即成。

茶干鸡丁

【食材】熟鸡肉150克，采石矶茶干5块。

Tips

如何分辨"盐水"桃 所谓"盐水"桃，就是经过盐、味精、甜蜜剂、明矾等混合液体处理的桃子。识别它的关键是用手摸，表面毛茸茸、有刺痛感的是没有被浇过水的，以稍用力按压时硬度适中不出水的为宜，太软则容易烂。颜色红的桃子不一定甜，桃核与果肉分离的不要买，核与肉粘在一起的，果肉才比较甜。

厨房小窍门

【调料】青蒜10克，醋10克，花生米50克，酱油5克，芝麻酱10克，白糖5克，清汤10克，红油15克，植物油适量。

【做法】1.将熟鸡肉、采石矶茶干分别切成1.5厘米的方丁，置盘中待用。

2.花生米用热水浸泡2~3分钟，沥干水分，下温植物油锅中炸熟。

3.青蒜用开水烫一下，切成粒状，同芝麻酱、酱油、醋、白糖、清汤、红油一起调成卤汁。

4.将熟鸡肉丁、采石矶茶干丁、花生米拌在一起，浇上卤汁，拌匀即可。

辣子鸡丁

【食材】嫩公鸡脯肉250克，荸荠70克。

【调料】湿淀粉25克，泡红辣椒20克，盐8克，料酒10克，酱油10克，味精1克，醋3克，肉汤35克，白糖2克，姜片10克，蒜片10克，香油5克，葱15克，猪油100克。

【做法】1.将鸡脯肉剞成十字花纹，再切成丁，盛入碗内，加入湿淀粉、盐、料酒拌匀；荸荠去皮，切成方丁，葱切粒。

2.取一只碗放入酱油、料酒、白糖、醋、肉汤、湿淀粉、味精兑成味汁。

3.炒锅置旺火上，下猪油烧至六成热，放入鸡丁炒散，再放入泡红辣椒（剁碎），炒至鸡丁呈红色时，加入姜片、蒜片、荸荠丁、葱粒炒出香味，烹入味汁，淋香油，翻炒几下即成。

Tips

夏食瓜果消毒有方 1.开水消毒。个体较大，且有光滑外皮的水果，如苹果、梨等，先在清水中洗净，然后放在沸水中烫泡30秒钟再吃，就可确保安全无患了。2.盐水消毒。对难清洗易破皮的水果，如草莓、樱桃等，可先将其放在盐水中浸泡10分钟左右，取出后再用凉开水冲洗干净，就可放心吃了。

厨房小窍门

碎末鸡丁

【食材】鸡脯肉200克。

【调料】花生仁25克，泡红辣椒10克，猪油150克，盐8克，料酒20克，味精1克，葱10克，蒜10克，酱油10克，白糖5克，醋5克，豆粉20克，高汤50克，蛋清10克。

【做法】1.鸡脯肉轻拍后，切成小丁，入碗加盐、料酒、味精拌匀；泡红辣椒去蒂、籽，剁细；花生仁剁成粗粒；葱切细花；蒜切细粒。

2.另取小碗，用盐、酱油、白糖、醋、料酒、味精、豆粉、高汤兑成味汁。

3.炒锅置旺火上，下猪油烧热，将鸡丁用蛋清、豆粉上浆后入锅，滑透，倒入漏勺沥干油。

4.锅内留少许底油烧热，下泡红辣椒，炒至油呈红色时，下葱花、蒜粒炒香，下鸡丁炒匀，烹入味汁，推炒至散开亮油，撒上花生仁，推匀，起锅装盘即成。

鱼香碎滑鸡

【食材】鸡肉300克。

【调料】泡辣椒15克，盐3克，姜5克，蒜10克，葱10克，植物油50克，酱油10克，醋10克，白糖15克，味精1克，淀粉25克，胡椒粉5克，豆瓣酱和料酒适量。

【做法】1.鸡肉剁碎，加盐、料酒、淀粉浆好。

2.姜剁细，蒜剁蓉，葱切花；泡辣椒剁细，豆瓣酱剁细。

3.碗中用酱油、胡椒粉、盐、味精、白糖、醋调成汁。

4.炒锅下植物油上火，烧至八成热，下鸡肉炒至七成熟，盛出。

5.锅中下植物油，用中小火烧热，下豆瓣酱、泡辣椒炒香，油呈红色时，改大火，下葱花、姜、蒜蓉炒香，放鸡肉，再将碗中的调料汁倒入，淀粉勾芡，撒葱花，出锅即成。

姜汁热窝鸡

【食材】笋鸡400克。

【调料】盐5克，味精5克，香油25克，酱油、醋各15克，葱10克，姜25克，汤250克，湿淀粉、红油适量。

【做法】1.将鸡开膛去内脏，洗净后用白水煮透捞出，然后去腿骨剁成条状，撒上少许盐，盛入碗中，注入汤，上屉用旺火蒸十分钟左右取出，改刀剁块。姜捣成汁。

2.炒锅烧热后注入香油，下葱稍炒，再下鸡肉，随将蒸鸡的原汁倒入，再加入酱油、味精、姜汁、醋翻炒均匀，用湿淀粉勾芡，浇上红油即可。

Tips

水果催熟有窍门 有的水果没熟透，吃起来有涩味；有的水果虽已成熟，但糖化过程慢，吃上去也不甜。我们可用下面方法催熟水果。将不熟或将要熟的水果，如桃、李、香蕉、青西红柿等入坛或入罐，喷上白酒，盖紧盖子，经过2~3天，青色变成鲜艳的红色，甜味也增加，从而美味可口。

厨房小窍门

鱼香芽菜鸡丝

【食材】鸡胸脯肉250克，豆芽50克，干辣椒12克。

【调料】盐4克，料酒15克，生抽10克，醋10克，姜末、香菜、植物油各适量。

【做法】1.鸡胸脯肉切丝，用料酒、生抽、姜末、醋腌半小时。

2.豆芽用开水焯过；香菜切成比鸡丝短的段；干辣椒切丝。

3.炒锅下植物油，急火爆炒鸡丝，盛出。

4.重新下植物油，烧热，下豆芽、香菜段、干辣椒丝，加盐，加鸡胸脯肉丝，迅速翻炒均匀即成。

焖鸡翅

【食材】鸡翅300克。

【调料】干辣椒25克，花椒2克，咖喱粉7克，白糖10克，味精3克，胡椒粉2克，姜20克，香油8克，醋20克，干细淀粉18克，湿淀粉12克，洋葱25克，盐4克，生抽20克，高汤750克，植物油100克，尾油2克。

【做法】1.鸡翅去除残毛洗净，斩成4厘米长的段，放入盆内，加盐、干细淀粉抓匀，入沸水锅内略煮起锅，沥尽水分。

2.干辣椒切成段；姜切片；洋葱切粒。

3.锅内加植物油少许，烧至三成热，放入干辣椒段、花椒烘脆，铡成细末。

4.锅内加植物油烧至五成热，放入姜片、洋葱粒，炒香，加高汤、鸡翅、咖喱粉、白糖、胡椒粉、盐、生抽烧沸，打尽浮沫，改用微火，加盖焖软糯至熟，用小火收汁，加湿淀粉勾芡推匀，放尾油、醋、味精、干辣椒段、花椒末、香油，起锅入盘。

什锦酸辣汤

【食材】熟鸡丝30克，熟鸡血50克，水发海参30克，水发鱿鱼30克，冬菇30克，鸡蛋15克，豆腐40克，鱼肚30克，熟猪肉丝30克。

【调料】葱花10克，醋15克，猪油20克，酱油10克，盐15克，辣椒粉35克，味精5克，湿淀粉30克，鸡汤500克。

【做法】1.将豆腐、鸡血、鱼肚、冬菇、海参、鱿鱼等均切成长丝，同熟猪肉丝、熟鸡丝放入锅内，加鸡汤、盐、味精、酱油烧滚，再放湿淀粉勾芡，鸡蛋打成蛋花。

2.将辣椒粉、醋、葱花及猪油装在汤碗内，等加了蛋花的肉丝滚起，冲入汤碗内即好。

仔姜炒鸭片

【食材】鲜鸭脯肉400克，嫩仔姜100克。

【调料】泡红辣椒30克，特鲜酱油10克，白糖6克，醋8克，大蒜16克，味精3克，盐3克，玫瑰露酒10克，葱白25克，湿淀粉35克，鸡清汤50克，香油3克，小苏打粉8克，植物油1000克。

【做法】1.鸭脯肉洗净，切成柳叶片，放入盆内加小苏打粉、湿淀粉抓匀；嫩仔姜片成片；泡红辣椒切成马耳片；大蒜切粒；葱白切成片。

2.碗内加入特鲜酱油、白糖、醋、味精、玫瑰露酒、湿淀粉、鸡清汤兑成味汁待用。

3.炒锅置火上，加植物油烧至五成热，放入鸭片推散，炸断生起锅。

4.锅内留底油少许，烧至五成热，放入蒜粒、泡红辣椒片、嫩仔姜片炒香，放入炸鸭片翻炒，加入盐、葱白片炒入味，烹入碗内味汁，推匀，加入香油入盘。

苹果的妙用(一) 1.利用苹果贮存土豆。把需要贮存的土豆放入纸箱内，里面同时放入几个青苹果，然后盖好放在阴凉处。由于苹果自身能散发出乙烯气体，故将其与土豆放在一起，可使土豆保持新鲜不烂。2.将柿子和苹果混装在封闭的容器里，5~7天，可除去柿子的涩味。

厨房小窍门

Tips

鸡腿菇炒鸭

【食材】烤鸭脯250克，鸡腿菇150克。

【调料】红辣椒30克，盐2克，生抽8克，醋10克，鸡精3克，香油3克，鸡清汤50克，白糖3克，湿淀粉18克，葱白25克，胡椒粉2克，红糟汁12克，植物油80克。

【做法】1.烤鸭脯顺肉纹，切成片；鸡腿菇洗净，入沸水锅内汆断生，捞出切成斜刀片；红辣椒切菱形片；葱白切片。

2.碗内加入盐、生抽、醋、香油、鸡精、鸡清汤、白糖、湿淀粉、胡椒粉、红糟汁兑成味汁待用。

3.炒锅置火上，加植物油烧至六成热，放入红辣椒、葱白片略炒，加入鸡腿菇、烤鸭脯片炒匀，烹入味汁推匀，翻炒几下，起锅装盘。

烤鸭酸菜汤

【食材】熟烤鸭肉200克，泡酸青菜100克，黄瓜60克，鸡腿菇60克。

【调料】盐1克，胡椒粉3克，鸡精3克，红油30克，鸡清汤750克，姜12克，葱白25克，料酒10克，植物油40克。

【做法】1.烤鸭肉放到菜墩上，切成粗丝。

2.泡酸青菜洗去部分盐分，同净黄瓜分别切成同样粗细的丝；鸡腿菇洗净，入沸水锅内汆断生捞出，切成丝；姜切片；葱白切段。

3.炒锅置火上，加植物油烧至五成热，放入泡酸青菜丝略炒起锅。

4.锅置火上，加入鸡清汤、姜片、葱白段烧沸，煮出味后打尽浮沫、料渣，加入泡酸青菜丝、黄瓜丝、鸡腿菇丝、盐、胡椒粉、料酒、鸭丝、鸡精煮入味，放红油起锅，装入汤碗内上桌。

酸辣鸭舌

【食材】鲜鸭舌300克，泡酸萝卜30克，泡红辣椒25克，水发冬菇50克。

【调料】姜12克，葱白段25克，生抽10克，盐3克，醋4克，鸡清汤150克，湿淀粉20克，料酒8克，植物油80克。

【做法】1.泡酸萝卜、泡红辣椒分别剁细；葱白段切末；姜切末；鲜鸭舌除尽软骨，洗净，入沸水锅汆出血水后捞出，刮尽粗皮入盆，加盐、姜末、葱末、鸡清汤，入笼蒸熟取出；水发冬菇切块，入沸水锅汆一下捞出。

2.碗内加入生抽、盐、醋、蒸鸭舌原汤、湿淀粉兑成味汁待用。

苹果的妙用(二) 3.将未熟的香蕉和苹果混合装入塑料口袋里，扎紧口，约几个小时后，绿香蕉即可变黄，这说明已经被催熟，可放心食用。4.铝锅用的时间长了，锅内会变黑。这时，可将新鲜的苹果皮放入锅中，加水适量，煮沸15分钟，然后再用清水冲洗干净，铝锅就会变得光亮如新。

厨房小窍门

Tips

苹果贮存法（一） 水缸贮存法　把水缸洗净晾干，放在阴凉处，缸底放一个盛满净水的罐头瓶，瓶不加盖。早晨低温时，将包好的苹果层层装入缸内，装满后，用厚塑料膜封闭缸口。贮存 4~5 个月，好果率可达 90% 以上。也可在水缸内放半瓶 75%的酒精，酒瓶开口，缸内装满苹果后，用棉絮盖紧缸口，再蒙上一层塑料布，将缸口封闭，随吃随取，取完再次盖紧。

厨房小窍门

3.炒锅置火上，加植物油烧至六成热，放入姜末、剁细的泡红辣椒和泡酸萝卜炒香，加入水发香菇块略炒，加入鸭舌、料酒炒入味，烹入味汁推匀，加入葱白段末起锅装盘。

酸辣鸭翅

【食材】鲜鸭翅600克，泡酸萝卜50克，青辣椒70克。

【调料】姜20克，盐5克，红糟汁20克，湿淀粉20克，葱白25克，大蒜20克，鸡精3克，特鲜酱油14克，高汤1000克，蚝油20克，植物油60克。

【做法】1.鲜鸭翅去尽残毛，洗净，从关节处斩成段，放入沸水锅内氽除血水，捞出；青辣椒去蒂、籽，切成滚刀块；泡酸萝卜切成滚刀块；姜切片；葱白切段；大蒜切粒。

2.沙锅置火上，加入高汤、姜片、葱白段、鸭翅烧沸，撇去浮沫，改用微火加盖焖熟。

3.炒锅置火上，加植物油烧至六成热，放入青辣椒块、泡酸萝卜块炒香，倒入沙锅内的鸭翅、原汤，放盐、红糟汁、大蒜粒、特鲜酱油，用小火烧入味，至鸭翅软糯，放蚝油、湿淀粉，勾芡推匀，加鸡精起锅装盘。

凉拌鸭肠

【食材】净鸭肠500克。

【调料】香菜30克，葱50克，盐5克，料酒30克，味精3克，醋10克，红椒250克，香油5克，红油20克。

【做法】1.把洗好的鸭肠下入开水中烫熟，捞出后放入凉水盆中过凉，然后改刀切成段。

2.将葱、香菜、红椒洗净，切成与肠长短相等的丝，放入鸭肠、醋、盐、味精、料酒、香油、红油等，一起调拌均匀，即可装盘。

泡椒鸭片

【食材】净鸭600克，泡椒100克，鲜青辣椒25克。

【调料】料酒30克，盐8克，鸡精3克，酱油20克，白糖5克，植物油适量，豆瓣酱15克。

【做法】1.鸭去骨，切成片；豆瓣酱用刀斩细；青辣椒去籽，洗净，撕净内部白筋，切成柳叶花片。

2.炒锅置火上，热后下入植物油，将鸭片煸透，倒出沥油。

3.炒锅中留少许底油，下入泡椒，略煸，再将青辣椒片、豆瓣酱下入炒透，然后下入鸭片，再用料酒、盐、鸡精、酱油、白糖调好口味，翻炒均匀，出锅装盘即可。

酱椒鸭肠

【食材】鸭肠300克，水发玉兰片50克，水发香菇25克。

【调料】醋40克，酱辣椒25克，酱油15克，湿淀粉75克，味精0.5克，青蒜15克，盐2.5克，清汤50克，香油1.5克，熟猪油750克。

【做法】1.将鸭肠剪开洗净，以醋和盐搓揉洗净，后投入沸水中氽一下，再用醋和盐搓揉，投入清水中漂洗二次，去掉腥臭味，切成5厘米长的段；把酱辣椒去蒂、籽，洗净攥干水；水发香菇、水发玉兰片洗净切成米粒状；青蒜切成3厘米长的段。

2.炒锅置旺火，放入熟猪油，烧至六成热时放入用湿淀粉抓匀上浆的鸭肠炸一会儿，迅速倒入漏勺沥油。

3.锅内留底油，烧至八成热，下水发香菇、水发玉兰片炒几下，再下鸭肠段、盐、酱油炒匀，接着下酱辣椒、青蒜、醋，味精、清汤炒几下，用湿淀粉勾芡，淋入香油即成。

鱼香荷包蛋

【食材】鸡蛋500克。

【调料】植物油50克，葱、湿淀粉各15克，姜5克，蒜瓣5克，泡辣椒20克，酱油35克，白糖20克，料酒25克，味精5克，汤50克，醋15克。

【做法】1.葱切葱花；姜、蒜均切末；泡辣椒剁碎；用所有调料(除泡辣椒和植物油)兑成汁。

2.炒锅下植物油烧热，将鸡蛋分次打入，两面煎成黄色，取出放入盘中。

3.锅内留底油少许，把泡辣椒下入稍炒，倒入兑好的汁，汁开时把明油浇在鸡蛋上即成。

Tips

苹果贮存法(二) 纸箱或木箱贮存法　要求箱子清洁无味，箱底和四周放两层纸。将包好的苹果装入塑料袋，一小塑料袋装5~10个苹果。早晨低温时，将装满袋的苹果，两袋口对口挤放在箱内，一层一层地将箱子装满，上面先盖2~3层软纸，再覆上一层塑料布，然后封盖。放在阴凉处，这样一般可贮存半年以上。

厨房小窍门

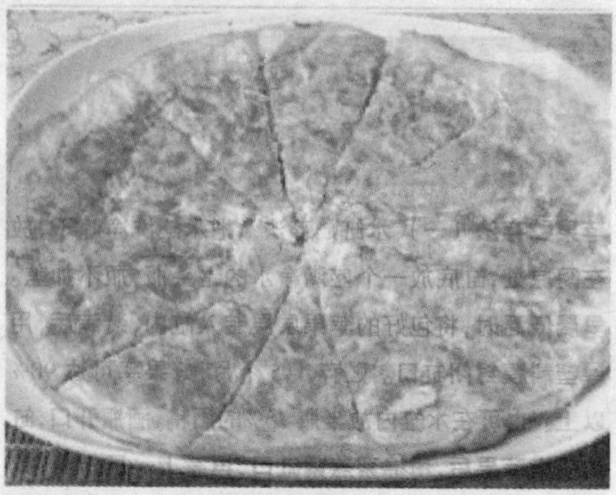

鱼香烘蛋

【食材】鸡蛋300克，猪肉蓉150克，荸荠120克，水发木耳15克。

【调料】盐20克，料酒15克，淀粉100克，豆瓣酱50克，葱花10克，姜10克，蒜8克，白糖20克，醋15克，植物油300克，酱油适量。

【做法】1.将鸡蛋打入小碗，加适量的盐、料酒、淀粉和清水调匀；将荸荠洗净，削去皮，剁碎；水发木耳洗净，剁碎。

2.将锅烧热，放入植物油，将蛋液倒入，用中火煎2分钟，见蛋起泡，改用小火，烘至蛋面呈金黄色，翻身略烤，取出切成小斜方块，摆放盘中。

3.用白糖、醋、料酒、酱油和水兑成小半碗糖醋汁，待用。

4.另起油锅，烧热，爆炒猪肉蓉，放豆瓣酱、姜、蒜、木耳、荸荠等同炒，加入糖醋汁，烧开后用淀粉勾稀芡，撒上葱花，浇到蛋上即成。

香菜拌皮蛋

【食材】皮蛋250克，香菜200克。

【调料】蒜蓉50克，酱油25克，红油30克，醋45克，香油5克，盐10克，味精2克。

【做法】1.香菜洗净切段，铺在盘内；皮蛋切瓣后整齐码放在香菜上；蒜蓉撒在皮蛋上。

2.将用酱油、醋、盐、味精、红油兑成的汁浇在皮蛋上，淋上香油即可。

拌蛋皮粉丝

【食材】鸡蛋150克，干粉丝50克，嫩黄瓜120克。

【调料】盐适量，熟火腿少许，醋10克，辣酱油25克，白糖5克，红油10克，香油10克，味精少许。

【做法】1.将干粉丝放水中泡软，放沸水中煮熟，捞出放凉水中漂凉，捞出沥水，切段放盘中；将嫩黄瓜洗净，切成细丝，撒在粉丝段上，加入盐、白糖、味精，拌匀；将熟火腿切碎末或切丝，撒在粉丝上。

2.将鸡蛋磕在碗内，打散；炒锅下红油，烧热，将鸡蛋液摊成厚薄均匀的蛋皮。

3.将蛋皮切成长3厘米、宽2毫米的蛋皮丝，撒在粉丝段上，淋上醋、辣酱油和香油即可上桌。

水 产

酸辣鲫鱼

【食材】鲫鱼450克。

【调料】鸡蛋清160克，盐5克，姜末20克，葱白段20克，胡椒粉3克，鸡精3克，鸡清汤250克，醋10克，特鲜酱油12克，辣椒油30克，姜汁酒8克，植物油60克。

【做法】1.鲫鱼除去内脏，洗净，横划4刀，放入盆内，加盐、姜汁酒腌渍5分钟。

2.碗内加鸡蛋清打散，放入胡椒粉、鸡精、特鲜酱油、姜末调匀，加盐、鸡清汤搅为一体，入笼用小火蒸至蛋白凝固即熟。

3.炒锅内放少许植物油，烧至五成热，放入鲫鱼煎至两面色金黄，起锅。

4.炒锅置火上，加植物油少许放入葱白段爆香，加清水，放入鲫鱼烧沸，撇尽浮沫，取出葱白段，用小火慢煮，加盐、胡椒粉、特鲜酱油、姜汁酒、醋，将鱼翻面烧熟，至汤浓稠时，

新鲜水果保鲜窍门 不管是什么水果，只要水果新鲜，就可以用淀粉、蛋白质、动物油混合液体喷洒水果，干后在水果表面形成一层薄膜，对水果有保鲜作用，水果能贮藏半年不坏不腐。还可用重亚硫酸钠5克，柠檬酸少许，倒入凉开水1公斤，配成溶液，浸没水果，可放置数十天不腐败。

Tips

将鲫鱼以及汤汁倒入蛋白内，放辣椒油，入笼蒸6分钟，取出上桌。

酸菜鲤鱼

【食材】鲤鱼350克，酸菜250克。

【调料】鸡蛋清15克，植物油40克，汤1000克，盐4克，味精3克，胡椒粉4克，料酒15克，泡辣椒末25克，花椒粒10克，姜片3克，蒜瓣7克。

【做法】1.将鲤鱼去鳞、鱼鳃，剖腹，去内脏洗净，用刀取下两扇鱼肉，把鱼头劈开成块。酸菜洗后切段。

2.将锅置火上，放植物油烧热，下入花椒粒、姜片、蒜瓣炸出香味后，倒入酸菜段煸炒出味，加汤烧沸，下鱼头、鱼骨，用大火熬煮，撇去汤面浮沫，滴入料酒去腥，再加入盐、胡椒粉备用。

3.将鱼肉斜刀片成鱼片，加入盐、料酒、味精、鸡蛋清拌匀，使鱼片均匀地裹上一层蛋浆。

4.将锅内汤汁熬出味后，把鱼片抖散入锅。

5.用另一锅入植物油烧热，把泡辣椒末炒出味后，倒入汤锅内煮1至2分钟，待鱼片断生至熟，加入味精，倒入汤盆中即成。

煳辣鱼

【食材】青鱼肉300克。

【调料】干辣椒16克，姜14克，葱白25克，花椒1克，盐3克，料酒8克，白糖4克，醋8克，蛋清淀粉26克，大蒜16克，鸡精3克，胡椒粉2克，高汤30克，湿淀粉10克，植物油1000克。

【做法】1.青鱼肉洗净，切成一字条，放入盆内加盐、料酒、蛋清、淀粉、胡椒粉抓匀。干辣椒切段，姜和大蒜切粒，葱白切段。碗内加高汤、鸡精、料酒、盐、醋、白糖、湿淀粉兑成味汁，待用。

2.锅内加植物油烧至七成热，放入鱼条炸至色黄，捞出，待油温升高，再放入鱼炸至色金黄，捞出。

3.锅内加植物油烧至六成热，放入姜粒、大蒜粒、花椒、干辣椒段炸香，烹味汁，加入鱼条，推匀，放葱白段起锅即成。

醋椒鱼

【食材】桂鱼450克。

【调料】姜末5克，香菜10克，白胡椒粉2.5克，鸡汤1000克，熟猪油50克，葱10克，醋50克，料酒10克，味精2.5克，姜汁5

Tips

切开的苹果如何保鲜 1.苹果切开后，切面容易变色，在苹果切面上滴点柠檬汁，不但不变色，还能保持原来的风味。其他切开容易变色的水果也可仿此方法处理，效果不错。2.将削掉皮的苹果浸于凉开水里，既可防止氧化而保持鲜艳，还可使苹果清脆香甜。这个方法也适用于其他的削过皮的水果。

厨房小窍门

Tips

柑橘保鲜妙法两种 1.箱存法：先阴干柑橘表面上的水分，再将柑橘果蒂朝上码放在纸箱或木箱里，码一层柑橘上面放一层松针，直到箱子装满为止，上面加盖封严。2.用小苏打水浸泡保鲜：把柑橘放在小苏打水里浸泡1分钟，捞出沥干，装进塑料袋里把口扎紧，可使柑橘味甜，且能久放不坏。

厨房小窍门

克，香油10克，盐3.5克，辣椒粉50克。

【做法】1.桂鱼去鳞、鳃、鳍，开膛去内脏，洗净后，用开水烫一下，刮去黑衣。

2.在鱼身的两面剞上花纹：一面剞成十字花刀；另一面则剞成一字刀。

3.香菜洗净，切成长2厘米的段；葱一半切成长细丝，一半切成末。

4.将熟猪油倒入炒锅里，置于旺火上烧热，依次放入白胡椒粉、辣椒粉、葱末和姜末，煸出香味后，倒入鸡汤，下入姜汁、料酒、盐和味精。

5.将桂鱼在开水里烫四五秒钟，使刀口翻起，除去腥味，随即放入汤中（花刀面朝上），待汤烧开后，移到微火上，炖20分钟，放入葱丝、香菜段和醋，再淋香油即成。

泡菜鲫鱼

【食材】鲫鱼600克。

【调料】泡仔姜4克，泡青菜100克，酱油5克，泡红辣椒25克，蒜末15克，葱花15克，湿淀粉30克，醪糟汁20克，肉汤300克，醋5克，植物油500克。

【做法】1.将鲫鱼身两面各剞3刀，泡青菜控干水分，切成细丝；泡红辣椒剁碎；泡仔姜切成粒。

2.炒锅置中火上，下植物油烧至六成热，放入鱼炸呈黄色时捞出。

3.锅内留底油，放入泡红辣椒、泡仔姜粒、蒜末、醪糟汁炒出香味，再掺入肉汤，将鱼放入汤内。

4.汤沸后移至小火上，放入泡青菜丝，烧10分钟（中途将鱼身翻一次），盛入盘，原锅内加入醋、酱油、葱花，用湿淀粉勾成薄芡，浇在鱼身上即成。

鲫鱼冻

【食材】活鲫鱼500克。

【调料】姜末10克，葱段15克，香油50克，盐3克，酱油10克，醋10克，干辣椒25克，蒜末5克。

【做法】1.鲫鱼去鳞、鳃，开膛去脏洗净，将头、体内涂一些盐，备用。

2.取一小盆，将姜末、葱段、酱油、醋混合调拌成汁。

3.炒锅上中火下入香油，烧至五成热，下入蒜末、干辣椒和鲫鱼，煎至两面变黄，倒入兑好的汁，加入清水，汤面以没过鱼体为宜，开锅后将锅移至小火上煨，见汤汁变浓时，将鱼倒入扣碗内，汤汁与碗口平即成。晾凉后将扣碗放入冰箱。

4.食用时，将扣碗内的鲫鱼冻翻扣在盘中，葱段用沸水稍烫，控干水分，放在盘的两侧即成。

豉汁酸辣鱼

【食材】活鲈鱼300克。

【调料】永川豆豉40克，泡红辣椒30克，姜汁酒15克，蒜蓉16克，胡椒粉3克，醋10克，猪网油80克，葱白25克，盐4克，味精3克，虾油20克，植物油80克。

【做法】1.活鲈鱼去鳃、鳞、内脏，洗净，用刀在鱼两侧横划4刀，深至鱼骨，放入盆内加盐、姜汁酒、胡椒粉拌匀，腌渍5分钟，放入沸水锅内汆除血水，捞出。

2.泡红辣椒切成圈；葱白切段；猪网油洗净，沥干水分。

3.锅内加植物油少许，烧至五成热，放入永川豆豉、泡红辣椒圈炒香。

4.猪网油平铺在菜墩上，放入腌渍的鲈鱼，加入炒豆豉、泡红辣椒圈、葱白段包好，装盘入笼，用旺火蒸熟，取出，撕去猪网油不用，换净盘盛鱼，撒上胡椒粉待用。

5.炒锅置火上，加植物油，烧至四成热，下蒜蓉、虾油、盐、味精、醋调匀，浇在盘内鱼上即成。

酸辣鱼羹

【食材】鲤鱼300克，水发香菇丝15克，冬笋丝15克。

【调料】姜丝5克，辣椒粉20克，盐3克，醋50克，味精2.5克，酱油10克，湿淀粉50克，高汤1000克，料酒15克，香油10克。

【做法】1.把初步加工好的鲤鱼洗净，上笼蒸熟取出，剔净鱼骨；鱼肉撕成肉条。

2.锅放火上，添入高汤，放入姜丝、冬笋丝、水发香菇丝和鱼肉条，再投入盐、味精、酱油、料酒、辣椒粉，汤沸后，用醋将湿淀粉勾入汤内，出锅前淋入香油即可。

Tips

吃橘子"三不宜" 1.不宜多吃。一天之内吃橘子不宜超过3个，因为3个橘子的维生素C含量已能满足人体每天的需要。2.吃橘子的前后1小时内不宜喝牛奶。因为牛奶中的蛋白质，一遇橘子中的果酸便会凝固，影响消化吸收。3.饭前或空腹时不宜吃橘子。因为橘子中的有机酸会刺激胃壁的黏膜，对胃不利。

厨房小窍门

葱香醋鱼

【食材】活鲈鱼700克。

【调料】葱白35克，姜16克，盐4克，鸡精3克，白糖3克，料酒14克，花椒油3克，醋8克，胡椒粉3克，特鲜酱油8克，鸡香油20克，湿淀粉25克，红辣椒20克。

【做法】1.鲈鱼剖腹，除去鳞、鳃、内脏以及鱼腹黑膜，洗净后从脊背剖开成两片，各斜划4刀。

2.葱白一半切段，一半切成细丝；姜切片；红辣椒去蒂、籽，切成细丝。

3.炒锅置火上，加入清水、姜片、葱白段、鲈鱼烧沸，打尽浮沫，改用小火，加入盐、料酒、特鲜酱油、白糖，将鱼翻面，熟透后，等汤汁剩有三分之一时起锅，将鱼捞入盘内，撒上胡椒粉。

4.原锅汤汁内加湿淀粉勾芡，加入鸡精、醋、鸡香油、花椒油、红辣椒丝推匀，起锅，浇在鱼上，撒上葱白丝即成。

花仁鱼球

【食材】净桂鱼肉200克，花生仁100克。

【调料】青辣椒40克，蛋清淀粉30克，鸡清汤

50克，姜14克，葱白30克，胡椒粉2克，醋7克，生抽8克，盐3克，玫瑰露酒20克，白糖2克，花椒油3克，湿淀粉20克，植物油100克。

【做法】1.净桂鱼肉，斩成1.7厘米见方的丁，放入盆内加盐、胡椒粉、蛋清淀粉抓匀；锅内加植物油，烧至五成热，放入花生仁炸酥脆，起锅，除尽花生仁的外皮；青辣椒去蒂、籽，切成丁；姜切末；葱白切段。

2.碗内加入鸡清汤、胡椒粉、醋、生抽、盐、玫瑰露酒、白糖、湿淀粉兑成味汁。

3.炒锅置火上，加植物油烧至五成热，放入鱼丁，推散，待其发白亮油时，将鱼丁推至一边，放入姜末、青辣椒丁炒断生，烹入味汁，加花椒油、花生仁、葱白段推匀起锅入盘。

姜末鱿鱼

【食材】水发鱿鱼150克，芹黄80克。

【调料】姜20克，盐3克，特鲜酱油20克，醋14克，红油16克，味精3克，蚝油14克，葱白25克，香油5克。

【做法】1.水发鱿鱼撕尽黑膜，洗净，切成粗丝，放入沸水锅内烫熟，捞出沥尽水分；芹黄洗净，切成段，放入沸水锅内氽断生，捞出；姜刮去粗皮，洗净，切成末；葱白切成细丝。

2.碗内加入姜末、盐、特鲜酱油、醋、红油、味精、蚝油、香油、兑成味汁待用。

3.盘内放入芹黄段，加入鱿鱼丝，葱白丝，摆成馒头形，将碗内味汁调匀，浇在鱿鱼丝上即成。

三丝鱿鱼球

【食材】鲜鱿鱼300克，猪肥膘肉60克，芦笋30克。

【调料】面包糠100克，鸡蛋清60克，干细淀粉20克，青辣椒20克，红辣椒20克，盐4克，胡椒粉3克，醋6克，大蒜10克，湿淀粉18克，鸡清汤60克，香油3克，鸡精3克，泡仔姜和植物油适量。

【做法】1.鲜鱿鱼撕去黑膜洗净剁成末，猪肥膘肉除尽筋，剁蓉；盆内加鱿鱼末、猪肥膘蓉、盐、胡椒粉、鸡精、鸡蛋清、干细淀粉，搅成鱼糁；青辣椒、红辣椒、芦笋切成丝；泡仔姜、大蒜切成粒。

2.碗内加盐、胡椒粉、醋、湿淀粉、鸡清汤、鸡精兑成味汁。

香蕉催熟法 香蕉大量上市时，我们不妨买些便宜的未熟的香蕉，这样既可长时间保存，也实惠。将5公斤左右的香蕉置于塑料袋内，再放一个碗或茶杯等容器，容器内装入干沙土或炉灰。用10枝较细的檀香，对半折断，合20枝插入容器内，点燃后扎紧袋口即可。此法简便易行，经济实惠。

Tips

3.锅内加植物油烧热，将鱿鱼糁挤成丸子，沾上面包糠，放入油内炸黄，熟透捞出放入盘内。

4.炒锅内留底油少许，烧至五成热，放入蒜粒、泡仔姜粒炒香，加入青辣椒丝、红辣椒丝、芦笋丝、鱿鱼丸子炒断生，烹入味汁推匀，放香油起锅入盘。

冷吃鳝丝

【食材】净鳝鱼肉300克。

【调料】小香葱25克，大蒜20克，香辣酱25克，醋12克，生抽20克，姜汁油16克，红油16克，香油4克，花椒粉2克，植物油500克。

【做法】1.鳝鱼肉剔尽骨头，洗净血污，放入沸水锅内氽除腥味，捞出，洗净浮沫，切成粗丝；小香葱洗净，切成粒；大蒜剁蓉；芹菜洗净，切段，放入沸水锅内氽断生捞出。

2.炒锅内加植物油烧至六成热，放入鳝鱼肉丝，拨散，炸熟起锅，沥尽油。

3.碗内加入蒜蓉、香辣酱、醋、生抽、姜汁油、红油、香油、花椒粉调成味汁，加入炸鳝鱼肉丝、小香葱粒拌匀，装入圆盘中即成。

沙锅鳝段

【食材】净鳝鱼肉600克，猪后肘200克。

【调料】姜12克，葱白30克，胡椒粉3克，盐4克，泡酸青菜60克，泡野山椒20克，大蒜25克，料酒16克，特鲜酱油10克，高汤800克，味精3克，花椒油3克，植物油30克。

【做法】1.净鳝鱼肉除尽残骨，洗净，斩成段，入沸水锅内氽去血水，捞出；猪后肘刮洗净，切成条，放入沸水内氽断生，捞出；姜切片；葱白切段；泡酸青菜略洗，切成块；泡野山椒去蒂；大蒜切片。

2.锅内加植物油少许，烧至六成热，放入鳝鱼肉段、猪肘，煸干起锅。

3.沙锅内加高汤、鳝鱼肉段、猪肘，烧沸打尽浮沫，加姜片、葱白段、胡椒粉、料酒、盐，加盖用小火煨至鳝鱼肉段软糯、熟透。

4.炒锅置火上，加植物油烧至五成热，放入蒜片、泡野山椒、泡酸青菜块炒香，倒在沙锅内的鳝鱼肉段中，加特鲜酱油煨入味，加味精、花椒油，连沙锅一起上桌。

烧鳝段

【食材】鲜鳝鱼肉500克。

【调料】大蒜30克，鲜藿香叶5片，料酒10克，醋8克，泡仔姜16克，特鲜酱油12克，湿淀粉20克，胡椒粉2克，鸡精3克，盐3克，蚝油12克，鲜红辣椒20克，葱白30克，高汤200克，植物油100克。

【做法】1.将鳝鱼肉洗净，除去残骨，切成3厘米长的段；大蒜切粒；藿香叶洗净，切细丝；泡仔姜、鲜红辣椒分别切成菱形片；葱白切成小粒。

芒果、菠萝忌多吃 芒果里含有果酸等刺激性物质，有些人对这些物质不适应就易引发过敏。一旦吃芒果时会起红斑，或出现呕吐、腹泻等现象，说明会过敏。此外，许多人吃芒果时会将果汁沾到嘴角处，易刺激皮肤，引发红肿、皮炎等。所以，最好将果肉切成小块吃，吃完后马上漱口、洗脸。

厨房小窍门

2.炒锅置火上，加油40克，烧至六成热，放入鳝片煸干，起锅装盆，待用。

3.炒锅洗净置火上，加植物油烧至五成热，放入蒜粒、鲜红辣椒片、泡仔姜片炒香，加入鳝鱼肉段、高汤、料酒、特鲜酱油、蚝油、胡椒粉、盐烧沸，打尽浮沫，改用小火烧熟入味，至汤汁浓稠时，加湿淀粉勾芡，放葱白粒、醋、味精，推匀起锅，装入盘内，撒上藿香叶丝即成。

干煸鳝片

【食材】鳝鱼300克。

【调料】泡姜10克，泡辣椒10克，泡蒜20克，芹菜50克，辣豆瓣酱、酱油、醋、香油各10克，味精2克，白糖5克，湿淀粉15克，高汤50克，葱花、花椒粉适量，植物油100克。

【做法】1.鳝鱼切块；泡辣椒、泡姜、泡蒜切片；芹菜切成段。

2.植物油烧滚，鱼块入锅炸干，沥油。

3.锅中留底油少许，爆炒泡姜、泡蒜、辣豆瓣酱、泡辣椒，再加入鳝片、芹菜段、酱油、味精、白糖同炒，翻炒均匀，注入高汤续煮，待汤汁渐渐收干，加入醋、香油、葱花、湿淀粉勾芡，盛起略撒花椒粉即可。

烧白鳝

【食材】鲜白鳝200克。

【调料】猪网油100克，大独头蒜40克，玫瑰露酒16克，葱白30克，姜16克，醋10克，胡椒粉2克，鲜红辣椒40克，湿淀粉18克，特鲜酱油8克，盐4克，鸡精3克，植物油60克。

【做法】1.将白鳝放入盆内，刷净外膜，放入温水中略烫一下，去尽黏液，剖腹取出内脏，洗去血水，斩成段，放入盆内，加胡椒粉、盐拌匀，腌渍5分钟。

2.姜切片；葱白切段；大蒜去蒂；鲜红辣椒切段。

3.猪网油洗净，铺一半在盆内，将白鳝放入，加姜片、葱白段。然后，用另一半猪网油将白鳝盖严，加盖，入笼，用旺火蒸入味，至熟取出，揭去猪网油不用。

4.锅内加植物油烧热，加入大独头蒜、鲜红辣椒段略炒，滗入蒸白鳝的原汁，放入白鳝、玫瑰露酒、特鲜酱油、鸡精，烧入味，至汤汁浓稠时，加湿淀粉勾芡，放醋推匀，起锅入盘。

泡椒鳝鱼

【食材】鳝鱼肉500克。

Tips

板栗去皮膜妙法 板栗好吃，但其肉上有一层薄皮膜，非常难以处理，这里告诉你一个小技巧，可以方便地去除它的薄皮膜。先用刀把板栗的外壳剖开剥除，再将板栗放入沸水中煮3~5分钟，捞出放入凉开水中浸泡3~5分钟，再用手指甲或小刀就很容易剥去皮膜，而且风味不变，营养不失。

厨房小窍门

Tips

核桃去壳、皮二法 1.将核桃放在蒸锅里用大火蒸8分钟取出，放入凉开水中浸3分钟，捞出逐个破壳，就能取出完整的果仁。再把果仁放入开水中，烫4分钟，只要用手轻轻捻一下，核桃的皮膜即脱落。2.吃核桃时，如果一时找不到东西敲开壳，可用1把螺丝刀插进核桃凹进去的地方，顺势一扭，壳就开了，十分方便。

厨房小窍门

【调料】姜片8克，蒜片8克，葱段8克，酱油8克，醋8克，盐15克，味精5克，料酒8克，白糖8克，高汤500克，泡红辣椒50克，植物油适量。

【做法】1.将经过加工的鳝鱼切成3.5厘米长的段。

2.将锅内植物油烧至七成热，放入鳝段煸干水分，加剁细的泡红辣椒和姜片、蒜片，炒出香味，烹料酒炒匀，加酱油、盐、白糖和高汤，烧开后移微火上将鳝鱼烧软。

3.待锅内汤汁将烧干时，加味精、葱段、醋，收汁亮油，起锅晾凉，装碟即成。

冷汁鳝鱼

【食材】活鳝鱼300克。

【调料】植物油150克，白糖20克，醋25克，酱油20克，葱段50克，姜片20克，花椒粒20克，红油5克，干辣椒25克，盐12克，奶汤100克。

【做法】1.选活鳝鱼，倒入放有少量盐的清水中，喂养2小时，使其吐去污物，涤净，另换清水。

2.将鳝鱼每条都用钉从眼部穿入，钉在案上，刀剖背面，除去头，刮尽内脏，将血污擦试干净，剁成段。

3.醋、白糖、酱油、盐在碗内兑成味汁；干辣椒去蒂、籽，切成短段。

4.锅置旺火上，植物油入锅，烧至八成热时，将鳝鱼片入锅爆炒，并加适量盐，待爆至酥泡时起锅。

5.锅内留底油，先放入花椒粒、干辣椒段，待成红褐色时即放入姜片、葱段，然后将兑好的味汁下锅略加烹制，加奶汤烧开，倒入爆好的鳝鱼，用铲不断翻动，将汁收尽，直至锅内出油时，起锅入盆，焐10分钟，淋红油即可。

小炒鱼

【食材】草鱼肉400克。

【调料】醋15克，干淀粉75克，盐2克，植物油500克，酱油3克，姜5克，料酒4克，葱5克，味精5克，红辣椒25克，清汤150克。

【做法】1.将草鱼刮鱼鳞，去鳃，破腹去内脏，洗净；姜去皮，切片；葱去根，切寸段；红辣椒洗净，去籽，切指甲片。

2.将鱼平放，从尾部下刀，贴着背骨平推至鱼头，竖起将鱼头劈开，分成大小两边，大边皮朝上平放，从尾部下刀，贴着背骨平推至鱼头，再分别将大小两边鱼头垂直下刀，斩下鱼头，取鱼肉切成块状，将鱼块用盐、料酒、酱油腌一下撒上干淀粉拌匀。

3.小碗内放清汤、酱油、味精、干淀粉、料酒、醋做成调味汁待用。

4.炒锅上火，放入植物油，六成热时下鱼块，炸至外略酥、内断生时滗去油，鱼块堆在旁边，锅里放葱段、红辣椒、姜片煸出香味，扒回鱼块加入调味汁，用淀粉勾芡，淋热植物油出锅即可。

生熏鱼

【食材】活鱼350克。

【调料】盐15克，黄醋25克，香菜50克，葱段15克，白糖5克，姜片5克，姜末6克，香油10克，料酒25克，大米50克，花椒粒4克，茶叶8克，味精1克，红油20克。

【做法】1.鱼去鳞、鳃，去内脏洗净，以背部剖刀，盛入盘中，放入葱段、姜片、花椒粒、料酒、味精、盐，腌入味。

2.取锅，将木炭放入锅底，上面放铁箅子，再放一块竹箅子，将鱼放在竹箅子上，盖铁盖。

3.将锅置火上烧，锅烧红后，木炭已红，端锅离火，让木炭燃烧，待鱼烤熟，揭开铁盖，将鱼与铁箅子取出，将大米、茶叶、盐、白糖撒在锅中木炭上，冒烟时，将鱼继续在锅内熏烤，鱼呈熏黄色时，将鱼背朝上盛入大瓷盘中。

4.炒锅置旺火，放入香油烧热，淋在鱼身上，将香菜、红油、黄醋、姜末盛入小碟，随鱼上桌。

葱辣鱼

【食材】鲜鱼肉400克。

【调料】葱段50克，盐5克，料酒20克，姜片15克，植物油500克，泡辣椒段15克，高汤50克，酱油10克，白糖15克，醋10克，香油、红油各5克，胡椒粉2克。

【做法】1.鲜鱼肉洗净，切成长条形，用盐、料酒、姜片、葱段、胡椒粉拌匀，腌渍码味后，去尽汁水和姜、葱。

2.锅置旺火上，下植物油烧热九成左右，下鱼条炸至呈黄色时捞起。

3.倒去锅内油，另放植物油入锅烧热，下葱段煸炒出香味，再下姜片、泡辣椒段稍煸，加入高汤、盐、酱油、料酒和白糖、醋，待沸，下鱼条，用中火烧至汁浓将干时，加入香油、红油，起锅入盘晾凉。

4.食用时以葱垫盘底，上放鱼条，去掉姜片和泡辣椒段，原汁淋于鱼条上即成。

金鱼戏莲

【食材】干鱿鱼200克，虾料子100克。

【调料】鲜红辣椒50克，泡菜50克，鸡蛋清20克，盐5克，味精2克，香菜25克，干淀粉50克，青豆、蒜瓣、醋、香油各10克，猪油3克，植物油适量。

【做法】1.将干鱿鱼去须洗净，在正面剞上十字花刀，另一边切丝，再切成片，即成金鱼形，

挖除大枣核的妙法 选一块小木头(约10厘米见方，4厘米厚，越结实越好)，在正中挖出约与大枣核直径差不多的孔，1厘米深度即可；再用左手竖着拿大枣，对准小眼，右手拿1把小木槌在大枣的顶部向下敲一下；然后再用1根竹筷头在大枣的一端向另一端顶一下，枣核就轻易地顶出了。

置盘中，加盐、干淀粉拌匀。将鲜红辣椒、泡菜、蒜瓣、水发香菇切成米粒丁；将味精、干淀粉、醋加清水兑成汁。

2.鸡蛋清搅匀，拌入虾料子内。取小酒杯，抹上猪油，将拌了鸡蛋清的虾料子放入杯内，周围镶入5粒青豆，中间放一粒青豆，上笼蒸，即成莲蓬。

3.锅置旺火，放植物油烧热，下鱼氽一下，熘至剞刀处捞出。锅内留油，放入红辣椒、蒜、泡菜、水发香菇丁和盐煸炒入味，下鱿鱼卷炒匀，倒入味汁，翻炒几下，淋入香油出锅，夹起鱼卷，摆在盘子一边，再将制好的莲蓬取出，摆在盘子另一边，缀上香菜即成。

小笼斑节虾

【食材】活斑节虾400克。

【调料】豉油皇20克，辣椒粉20克，盐3克，干细淀粉10克，味精3克，姜30克，醋20克，特鲜酱油25克，卡夫奇妙酱25克，香油4克，鸡清汤30克，鲜荷叶1张。

【做法】1.活斑节虾剖开背，去尽沙肠，洗净，沥干水分，放入盆内，加盐、辣椒粉抓匀，腌渍5分钟，加入干细淀粉、豉油皇拌匀。

2.小笼内放上荷叶铺平，将腌渍的斑节虾放在鲜荷叶上摆成风车形，加笼盖，用旺火蒸熟，取出。

3.姜刮去外皮，洗净，放在菜墩上切成细末。

4.碗内加入盐、味精、姜末、醋、特鲜酱油、卡夫奇妙酱、香油、鸡清汤兑成味汁，倒入小碟内，同小笼斑节虾一起上桌蘸食。

海参拌黄瓜

【食材】水发海参200克，嫩青皮黄瓜150克。

【调料】姜14克，特鲜酱油16克，沙茶酱12克，醋8克，盐3克，香辣酱20克，味精3克，葱汁油14克，香油4克，高汤500克。

【做法】1.水发海参除去沙肠，洗净，片成斧楞片，入沸水锅内煮三次，除尽腥味，至柔软时起锅。炒锅置火上，加入高汤，下海参用小火焖熟至软糯，捞出，沥尽水分。

2.嫩青皮黄瓜洗净，放在菜墩上去瓤，切成骨排片装入盆内，加入海参片，摆成馒头形；姜刮去粗皮，洗净，切成末。

3.碗内加入特鲜酱油、沙茶酱、醋、姜末、

Tips

慧眼识别石灰催熟的芒果 1.看果皮：自然成熟的芒果，颜色不十分均匀；而催熟的芒果只有小头尖处果皮翠绿，其他部位果皮均发黄；2.闻果香：自然成熟的芒果，大多在表皮上能闻到一种果香味，催熟的芒果味淡或有异味。3.用手摸：自然成熟的芒果有硬度、有弹性，催熟的芒果整体较软。

厨房小窍门

Tips

巧手洗葡萄(一) 吃葡萄时，先拿剪刀剪到根蒂部分，使其保留完整颗粒，并用稀释过的盐水浸泡，达到消菌的效果。冲洗干净后，表面还残留一层白膜，可挤些牙膏，把葡萄轻轻搓揉，再过清水之后，便能完全晶莹剔透，吃起来更安心。

厨房小窍门

盐、香辣酱、味精、葱汁油、香油调成味汁，浇在海参片上即成。

响铃海参

【食材】水发海参300克，猪肥瘦肉50克，荸荠末50克，冬笋25克，蘑菇25克。

【调料】泡辣椒30克，馄饨皮200克，盐3克，料酒20克，味精0.5克，白糖60克，醋40克，胡椒粉8克，姜、葱、蒜各10克，猪油25克，植物油250克，豆粉10克，高汤250克。

【做法】1.猪肥瘦肉剁成蓉，加荸荠末、盐、胡椒粉、料酒、味精搅匀作馅；水发海参洗净切片，用高汤汆透后沥干；冬笋、蘑菇切片；泡辣椒去籽，切成方形。

2.炒锅中下猪油烧热，下葱、姜、蒜、泡辣椒炒出香味，再下冬笋片、蘑菇片和水发海参片，用盐、料酒、白糖、醋等兑成味汁加适量高汤一起入锅，在小火上煨到入味时，用豆粉勾芡。

3.另用一锅下植物油烧热，下馄饨皮，炸透呈金黄色，捞起装盘，淋上热油少许，迅速将煨好的海参片连汁淋于馄饨皮上，发出响声即成。

泡菜烧海参

【食材】水发海参500克，猪瘦肉100克，泡酸青菜40克。

【调料】高汤500克，清汤200克，红糟汁20克，生抽16克，胡椒粉2克，香辣酱25克，鸡精3克，盐3克，葱白25克，姜2克，湿淀粉20克，醋6克，香油4克，植物油100克。

【做法】1.水发海参剖腹，除去沙肠，洗净，用刀切成斧楞片，放入清水锅内煮三次，除尽腥味；猪瘦肉切成粒；泡酸青菜洗净，去除部分盐分，切成粒；葱白切粒；姜切末。

2.锅内加高汤烧沸，放入海参片，煮软糯捞出；猪瘦肉粒入锅，加少许油，用小火煸干，起锅入盆。

3.炒锅置火上，加植物油烧至六成热，放入泡酸青菜粒、香辣酱、姜末炒香，加清汤、海参片、红糟汁、生抽、胡椒粉、盐、醋烧沸，改用小火慢烧入味，加入猪瘦肉粒烧至汤浓稠，加湿淀粉勾芡推匀，加香油、葱白粒起锅入盘。

鸡片海参

【食材】水发乌参200克，鸡脯肉100克，冬笋40克。

【调料】泡野山椒20克，大蒜20克，特鲜酱油10克，料酒14克，姜片12克，葱白25

Tips

巧手洗葡萄(二) 洗葡萄前，也可先拿剪刀剪到根蒂部分，使其保留完整颗粒，放在水盆里，加入可以盖过葡萄高度的水，往水中撒点面粉，用手在水中搅动几下，然后倒掉浑浊的面粉脏水，用清水冲几次，直至水清澈即可。面粉是很好的天然吸附剂，可以吸掉蔬果表面的脏污及油脂(面粉水也可以洗碗)。

厨房小窍门

克，盐4克，味精3克，高汤800克，豉油皇10克，湿淀粉30克，胡椒粉2克，醋2克，植物油80克。

【做法】1.水发乌参剖腹洗净，切成片，放入锅内，煮软捞出。锅内加清水，下乌参煮沸，改用小火焖软，起锅。锅内放高汤，下乌参、姜片，焖入味，捞出。

2.鸡脯肉洗净，切成柳叶片，放盆内，加盐、湿淀粉抓匀；冬笋切片；野山椒去蒂；大蒜切片；葱白切段。

3.锅置火上，加植物油烧热，放入鸡片炒散，加入姜片、蒜片、泡野山椒炒香，加入冬笋、乌参、高汤、特鲜酱油、料酒、盐、胡椒粉烧沸，加葱白段，改用小火焖入味，加豉油皇、湿淀粉勾芡，放醋、味精起锅，入盘即成。

炸虾球

【食材】鲜虾仁250克，嫩豌豆50克。

【调料】鸡蛋清40克，盐3克，西红柿沙司20克，胡椒粉5克，辣椒粉20克，果汁50克，湿淀粉18克，糯米粉30克，味精2克，植物油500克。

【做法】1.鲜虾仁洗净杂质，用清水漂一下，沥尽水分，用刀切成颗粒放入盆内。嫩豌豆洗净，入沸水锅内煮断生捞出，剥去壳，放在菜墩上用刀铡成粒，放入虾仁盆内，加盐、辣椒粉抓匀，将鸡蛋清入碗，打散倒入，加糯米粉搅均匀成虾馅。

2.炒锅置火上，加植物油烧至五成热，用手将虾馅挤成桂圆大小的球形，入锅炸至色棕黄，熟透捞出。

3.炒锅内留底油少许，烧至五成热，放入西红柿沙司、果汁、盐、胡椒粉、湿淀粉勾芡，加味精推匀，放虾球翻炒几下，起锅入盘。

西芹炒鲜虾

【食材】鲜青虾200克，西芹60克。

【调料】泡红辣椒25克，盐3克，蛋清淀粉40克，湿淀粉16克，胡椒粉2克，醋8克，鸡精3克，姜汁酒16克，柠檬汁5克，白糖3克，生抽7克，高汤30克，植物油600克。

【做法】1.将鲜青虾除尽头、壳，用刀剖开背部取出沙肠，洗净，沥干水分，入盆加盐、蛋清淀粉抓匀，放入冰箱内存放3分钟后取出；西芹洗净，切成斜刀块；泡红辣椒切成马耳片。

2.碗内加盐、湿淀粉、胡椒粉、醋、鸡精、姜汁酒、柠檬汁、白糖、生抽、高汤兑成味汁。

3.炒锅置火上，加植物油烧至五成热，放入虾仁滑散，推动，防止粘连，炸至呈色红时捞出。

4.锅内留底油，烧至五成热，放入泡红辣椒片、西芹块炒香，加入炸虾仁翻炒，烹入味汁推匀，翻炒几下，起锅装盘。

西芹蟹肉

【食材】蟹肉120克，西芹300克。

【调料】泡红辣椒30克，姜片10克，葱白25克，胡椒粉1克，湿淀粉20克，鸡清汤70克，鸡精2克，醋6克，料酒12克，香油3克，盐2克，植物油100克。

【做法】1.西芹洗净，切成菱形块；泡红辣椒切成马耳片；葱白切段。

2.沸水内加入少许盐、植物油，放入西芹，氽断生起锅。

3.炒锅置火上，加植物油烧至五成热，放入姜片、葱白段、泡红辣椒片炒香，加入鸡清汤煮出味，拣去姜片、葱白段，放入西芹块煮入味，用漏勺捞出西芹块，放入盘中摆成馒头形。

4.锅中加盐、胡椒粉、料酒、鸡精、蟹肉，略烫，加湿淀粉勾芡，推匀，放醋、香油浇在西芹块上即成。

珊瑚虾仁

【食材】鲜虾仁400克，泡胡萝卜80克。

【调料】蛋清淀粉50克，西芹40克，盐2克，味精3克，特级清汤50克，醋4克，胡椒粉2克，姜10克，大蒜16克，红油30克，湿淀粉18克，植物油1000克。

【做法】1.鲜虾仁洗净，在菜墩上剖开成大片，放入盆内加盐、蛋清淀粉抓匀；泡胡萝卜洗净，切成斧楞块；西芹切菱形片；姜切末；大蒜切片。

2.锅内加植物油烧至五成热，放入虾片滑散，推动，炸断生捞出。

3.碗内加盐、味精、特级清汤、醋、胡椒粉、湿淀粉兑成味汁待用。

4.炒锅置火上，加植物油适量，放入姜末、大蒜片、泡胡萝卜块、西芹片炒香，加虾仁片翻炒，烹入味汁推匀，放红油起锅入盘。

炒海螺片

【食材】鲜海螺肉300克，泡胡萝卜40克。

【调料】香辣酱30克，大蒜20克，鲜香菇150克，姜片12克，葱白25克，盐2克，味精3克，料酒12克，生抽10克，醋7克，白糖2克，植物油15克，湿淀粉18克，蛋清淀粉30克，松肉粉0.5克。

【做法】1.鲜海螺肉洗净泥沙，片成片，放入盆内，加料酒、姜片拌匀，腌渍，放入松肉粉、蛋清淀粉抓匀。

2.泡胡萝卜洗净，切成片；鲜香菇去蒂，切成片，放入水焯后，起锅；大蒜、姜分别切成粒；葱白切段。

3.碗内加入盐、味精、料酒、生抽、醋、白

选购柚子的诀窍 柚子又名文旦，营养丰富，备受青睐。其特点是果形较大，呈不规则圆球或梨形，似葫芦状，皮质粗糙而肥厚(可达1cm)，皮与肉不易分离，成熟时多为黄色或橙色，肉质有白色和粉红色两种，籽又多又大，汁液少，味酸甜，有时也会稍带苦味，极耐储藏。在我国一般以“沙田柚”为上品。

Tips

糖、湿淀粉兑成味汁。

4.锅置火上，加植物油烧热，放入海螺肉片，滑散，浸炸至断生捞出。

5.锅内留底油少许，烧至五成热，放入姜粒、蒜粒、葱白段、泡胡萝卜片炒香，加入香辣酱略炒，加入香菇片、海螺肉片炒熟，烹入味汁推匀，放植物油起尾油，起锅装盘。

泡菜炒田螺

【食材】田螺600克，泡酸青菜40克。

【调料】郫县豆瓣酱20克，大蒜20克，姜16克，葱白25克，柱侯酱10克，生抽7克，醋4克，料酒12克，鸡精3克，白糖2克，鸡清汤200克，湿淀粉20克，花椒油3克，盐2克，植物油80克。

【做法】1.将田螺放入清水盆内，加入少许植物油静养两天，待其吐尽泥沙后捞出，用剪刀剪除田螺尖，用清水泡洗干净，放入沸水锅内氽除腥膻味，起锅。

2.泡酸青菜洗去部分盐分，切成粒；郫县豆瓣酱剁细；大蒜、姜分别切粒；葱白切段。

3.炒锅置火上，加植物油烧至五成热，放入郫县豆瓣酱、姜粒、大蒜粒、柱侯酱略炒，放入泡酸青菜粒、葱白段炒香，加入鸡清汤、田螺、料酒、盐、生抽、白糖，用小火烧熟，加湿淀粉勾芡推匀，放鸡精、花椒油、醋、植物油15克炒匀，起锅装盘。

芋头烧甲鱼

【食材】活甲鱼200克，芋头500克。

【调料】郫县豆瓣酱40克，盐4克，红糟汁20克，醋10克，葱白30克，姜20克，特鲜酱油12克，湿淀粉20克，鸡精3克，高汤500克，香油4克，植物油100克。

【做法】1.将甲鱼杀后放血，入沸水烫一下，刮去外皮，用刀剐开背壳，取出内脏，洗净，斩成块，放入沸水锅里氽除血腥味，捞出待用。

2.芋头刮净，切成块；郫县豆瓣酱剁细；葱白切段；姜切末。

3.炒锅置火上，加植物油烧至五成热，放入甲鱼块煸干血水，起锅放入盆内。

4.锅洗净，加植物油烧至六成热，放入郫县豆瓣酱、姜末炒香，加入高汤、甲鱼块、芋头块、盐、红糟汁、特鲜酱油、鸡精、醋烧沸，改用小火加盖焖至软糯，加葱白段，轻轻推动，翻匀，焖至入味、熟透，汤汁浓稠时，加湿淀粉勾芡推匀，淋香油，起锅入盘。

Tips

食用菌的选购(一) 香菇：总体要求菌伞圆而肥厚，盖面平滑，质地干但不碎；用手捏菌柄感觉有硬度，菌伞蓬松，其颜色黄褐，远处能闻到香气，无霉变和碎屑。花菇：菌伞面有菌花一样的白色裂纹，其颜色黄褐且有光泽，菌伞厚实，不卷边，质优的香气浓郁。平菇：平顶，浅褐色，菌伞较厚，伞边缘完整，破裂口较少，菌柄较短的质好。

厨房小窍门

青椒鱼丁

【食材】鲜鲅鱼600克，青辣椒60克。

【调料】姜12克，永川豆豉15克，醋10克，特鲜酱油10克，白糖2克，盐4克，鸡精3克，料酒14克，葱白25克，鸡清汤100克，花椒油3克，湿淀粉20克，植物油80克。

【做法】1.鲜鲅鱼剖腹，除尽内脏、鳃，洗净，放入盆内加盐、料酒腌渍5分钟；姜切片；葱白切段；永川豆豉剁成粒；青辣椒切成细丝。

2.蒸盆内放入鲅鱼、姜片、葱白段，入笼用旺火蒸熟，取出放入盘中。

3.炒锅置火上，加植物油烧至六成热，放入青辣椒丝、永川豆豉粒略炒，加鸡清汤、特鲜酱油、白糖、盐、料酒烧沸，加湿淀粉勾芡，推匀，放鸡精、花椒油、醋起锅，浇在鱼上即成。

酸辣鱿鱼猪肉

【食材】鲜鱿鱼300克，猪瘦肉100克，蒜苗100克。

【调料】泡红辣椒30克，醋6克，盐4克，生抽8克，姜12克，胡椒粉2克，湿淀粉20克，鸡汤100克，红糟汁20克，鸡精3克，香油4克，植物油100克。

【做法】1.鲜鱿鱼撕去黑膜，洗净，切成片，放入盆内，加入烧热的温水烫一下，捞出，沥去水分。

2.猪瘦肉切成粒。锅内加少许油烧至五成热，加入猪瘦肉粒，煸干，起锅待用。

3.蒜苗洗净，切成段；泡红辣椒剁细，姜切末。锅内加油烧至六成热，放入泡红辣椒末、姜末炒香，加鸡汤、蒜苗段、盐、生抽、胡椒粉、红糟汁，烧入味至熟，加猪瘦肉粒，湿淀粉勾芡，推匀，加入鲜鱿鱼片，用勺推动，加鸡精、香油、醋，迅速起锅装盘即成。

Tips

食用菌的选购(二) 草菇：分甲乙丙丁四级，等级越高，菇的菌伞越大，肉质越厚；合格的草菇呈灰色，味浓香，表面光滑。木耳：好的木耳一般个体大小均匀，多呈黑褐色，形状好，轮廓分明，无杂质；次的木耳形状大小不一，轮廓不分明，色泽发白。银耳：又称白木耳，好的干品既硬又脆，一般呈米白色或黄色；次的银耳多绵软难嚼，且有一股异味。

厨房小窍门

酸辣鱿鱼萝卜卷

【食材】鲜鱿鱼300克，泡酸萝卜40克。

【调料】泡红甜椒40克，大蒜20克，醋3克，湿淀粉20克，生抽8克，鸡精3克，盐2克，红糟汁20克，胡椒粉2克，特级清汤30克，虾油20克，植物油100克。

【做法】1.鲜鱿鱼撕去黑膜、贼骨，洗净，从中间直切两块，有皮的向下放上菜墩，先直刀，后斜刀，切成0.5厘米见方的十字花纹，刀深为鱿鱼的三分之二，再切成长方块，放入盆内，用七成热的热水烫一下，待鱿鱼成卷再滗出热水，沥尽水分；泡酸萝卜、泡红甜椒分别切成菱形片；大蒜去蒂，切成片。

2.碗内加醋、湿淀粉、生抽、鸡精、盐、红糟汁、胡椒粉、特级清汤兑成味汁待用。

3.炒锅置火上，加油烧至六成热，放入蒜片、泡酸萝卜片、泡红甜椒片炒香，放虾油炒匀，烹入碗内味汁推匀，加入鱿鱼卷，翻炒几下，起锅装盘。

酸辣鱿鱼笋菇卷

【食材】鲜鱿鱼300克，冬笋50克，鸡腿菇60克。

【调料】泡红辣椒30克，鸡清汤60克，姜12克，葱白25克，大蒜20克，盐3克，胡椒粉2克，醋7克，鸡香油30克，湿淀粉20克，植物油800克。

【做法】1.鲜鱿鱼撕去黑膜，洗净，皮向下放在菜墩上，从骨缝中切成两块，用直刀剞成十字花纹，再斩成条，用沸水略焯；冬笋、鸡腿菇分别切成片，放入沸水锅内氽断生起锅；泡红辣椒切成菱形片；姜、蒜切粒；葱白切段。

2.碗内加入鸡清汤、盐、胡椒粉、醋、湿淀粉兑成味汁。

3.锅内加植物油烧至四成热，放入鱿鱼条，拉油后迅速捞出。

4.锅内留底油少许，烧至五成热，放入姜粒、蒜粒、葱白段、泡红辣椒片炒香，加入冬笋片、鸡腿菇片、鱿鱼条略炒，烹入味汁，加鸡香油，推匀起锅入盘。

酸辣笔筒鱿鱼

【食材】水发鱿鱼300克，猪瘦肉末50克。

【调料】泡菜25克，泡辣椒50克，湿淀粉15克，酱油15克，黄醋8克，味精5克，清汤200克，植物油100克，碱水适量。

【做法】1.水发鱿鱼刨十字花刀，切成长方形的片，在热水中焯成笔筒形，放碱水中浸30分钟捞出，漂去碱味，加适量黄醋、味精、湿淀粉入味后下八成热植物油中炸熟，捞出。

2.原锅留底油，下猪瘦肉末、泡辣椒炒出香味，下鱿鱼片、泡菜，加酱油、黄醋、味精合炒，再加清汤，适量湿淀粉勾芡，装盘即可。

红椒鱿鱼丝

【食材】水发鱿鱼250克，红辣椒80克。

【调料】泡仔姜30克，大蒜20克，盐3克，味精3克，胡椒粉3克，特鲜酱油12克，白糖2克，醋6克，湿淀粉20克，鸡清汤60克，葱白25克，姜汁酒14克，植物油100克。

【做法】1.红辣椒洗净，去蒂、籽，切成粗丝；将水发鱿鱼撕去筋膜，也切成粗丝，放入沸水内略烫捞出，沥尽水分；泡仔姜切成丝；大蒜切粒；葱白切粒。

2.碗内加入盐、味精、特鲜酱油、白糖、醋、湿淀粉、鸡清汤、姜汁酒兑成味汁待用。

3.炒锅置火上，加油烧至六成热，放入蒜粒、泡仔姜丝、红辣椒丝炒香，加入鱿鱼丝、胡椒粉、盐，翻炒至熟，烹入味汁推匀，放葱白粒、湿淀粉，装入盘内上桌。

Tips

熟银耳忌久放 有些人为了做菜方便快捷，习惯于先将银耳煮熟，然后保存起来，随吃随取。其实这种做法是不科学的。银耳含有较多的硝酸盐类，煮熟的银耳放置时间过长，在细菌的分解作用下，硝酸盐会还原成亚硝酸盐，这种物质会导致人体血液中的血红蛋白丧失携带氧气的能力，破坏人体造血功能。因此，吃银耳最好是当时煮熟当时食用。

厨房小窍门

山椒鲜鱿卷

【食材】鲜鱿鱼200克。

【调料】西芹50克,泡青野山椒、泡红野山椒各30克,鸡精8克,白糖10克,姜8克,蒜片10克,植物油100克,香油5克,湿淀粉12克,胡椒粉10克,高汤适量。

【做法】1.将鲜鱿鱼洗净,西芹去皮,把鲜鱿鱼散荔枝花刀,改成正方形状,西芹切成小菱形块。

2.炒锅内加入高汤烧开,放入西芹块汆熟,再把鲜鱿鱼块下锅汆透成卷。

3.将另一炒锅放入植物油,烧二成油温,入姜、蒜片,再加入泡青、红野山椒,炒香,加西芹块、鲜鱿卷,最后放入鸡精、胡椒粉、白糖,湿淀粉勾芡,淋香油起锅即可。

椒芹炒鱿鱼

【食材】鲜鱿鱼250克,泡红辣椒30克,西芹100克。

【调料】大蒜12克,姜10克,盐3克,味精3克,蛋清淀粉30克,香油3克,白糖5克,醋10克,生抽12克,料酒8克,鸡清汤50克,葱白25克,湿淀粉18克,植物油100克。

【做法】1.鲜鱿鱼撕去外皮黑膜,洗净,斜刀片成片,入盆加盐、蛋清淀粉抓匀;泡红辣椒、西芹分别切菱形片;大蒜、姜分别切粒;葱白切片。

2.锅内加清水烧沸,放入鲜鱿片,略烫后迅速起锅。

3.碗内加入盐、味精、白糖、醋、生抽、料酒、鸡清汤、湿淀粉兑成味汁,待用。

4.炒锅置火上,加油烧至六成热,放入蒜粒、姜粒、泡红辣椒片、西芹片炒香,烹入味汁推匀,加入鲜鱿片、葱白片略炒,淋香油起锅装入盘中即成。

酸辣江团

【食材】净江团肉800克。

【调料】泡洋葱40克,香辣酱30克,大蒜25克,姜12克,青辣椒40克,葱白20克,白糖12克,醋20克,生抽10克,盐8克,玫瑰露酒10克,鸡精3克,湿淀粉25克,花椒油3克,尾油5克,鸡清汤250克,植物油1000克。

【做法】1.江团肉撕去腹内黑膜,洗净,斩成块,放入盆内加适量的盐、玫瑰露酒腌渍4分钟;泡洋葱洗净;大蒜、姜切末;青椒去蒂、籽,切成滚刀块;葱白切段。

2.炒锅置火上,加植物油烧至五成热,放入江团肉块拉油至色白时起锅。

3.炒锅内留油少许,烧至五成热,放入姜末、大蒜末、泡洋葱、青辣椒块炒香,加入香辣酱、葱白段略炒,加入鸡清汤、江团肉块、白糖、醋、生抽、盐、玫瑰露酒烧熟,放入鸡精烧透入味,加湿淀粉勾芡推匀,起尾油,放花椒油,起锅装盘即成。

蘑菇保鲜小妙法 1.盐水浸泡:将鲜蘑菇根部的杂物除净,放入1%的盐水中浸泡10~15分钟,捞出后沥干水分,装入塑料袋中,可保鲜3~5天。2.清水浸泡:将鲜蘑菇洗净放入容器中,倒入清水淹没蘑菇,此法宜于短期存放。但要求水质含铁量低,不得使用铁器皿浸泡,以免鲜蘑菇变黑。

厨房小窍门

酸辣蜇丝

【食材】海蜇皮300克，净莴笋100克。

【调料】葱白20克，盐4克，熟油辣椒35克，醋15克，特鲜酱油20克，香油4克，白糖2克，味精3克，鱼露8克，姜汁油10克。

【做法】1.海蜇皮洗净，用清水浸漂2小时，捞出切成粗丝，再放入盆内加沸水略烫，捞出沥去水分；葱白切成细丝。

2.莴笋洗净，切成粗丝，放在凉开水中抖散，装入盘内，加海蜇皮丝、葱白丝备用。

3.碗内加入盐、熟油辣椒、醋、特鲜酱油、香油、白糖、味精、鱼露、姜汁油调成味汁，浇在海蜇皮、葱白丝上即成。

芦笋鱼肚

【食材】水发鱼肚500克，芦笋100克。

【调料】泡红辣椒25克，鸡清汤250克，胡椒粉3克，湿淀粉20克，特鲜酱油10克，姜12克，葱白25克，大蒜25克，鸡香油50克，料酒12克，盐4克，醋6克，植物油100克，高汤500克。

【做法】1.水发鱼肚撕除油筋，洗净，切成块，放入沸水锅内煮去腥味，再放入高汤锅内，用微火焖至柔软。

2.芦笋去老筋洗净，切成马兰片，入沸水锅内氽断生，捞出；泡红辣椒切马耳片；姜切菱形片；葱白、大蒜分别切成片。

3.炒锅内加植物油烧至五成热，放入姜片、蒜片、泡红辣椒片炒香，加入鸡清汤、鱼肚块、胡椒粉、特鲜酱油、盐、料酒，用小火慢烧入味，至鱼肚块柔软，加入芦笋片烧熟，放湿淀粉勾芡，加醋、葱白片，推匀，放鸡香油，起锅装入盘中。

酸辣香炒河蚬

【食材】西红柿200克，芹菜20克，河蚬600克。

【调料】辣椒片30克，姜片30克，蒜末20克，盐5克，白糖10克，料酒10克，醋20克，酱油10克，红油50克。

【做法】1.将西红柿、芹菜洗净，切成小丁备用。

2.炒锅下红油烧热，先爆香姜片、蒜末、辣椒片，再加入盐、白糖、料酒、酱油、醋、河蚬、西红柿丁与芹菜丁后，快速拌炒均匀至河蚬全开即可。

陈香菇"返嫩"法 存放过久或保存不当的老化香菇，在食用之前可作如下处理：用清水泡发香菇后，把菇足剪去，多清洗几次，直至去掉苦涩之味。然后把水挤干，用适量的盐、淀粉和鸡蛋清搅拌后，用沸水焯一会儿，再用清水冲凉后，就可以烹制菜肴了。这样做出的香菇菜肴，味道跟新鲜香菇一样美。

厨房小窍门

Tips

白条鸡的检验方法 1.好的白条鸡颈部应有宰杀刀口，刀口处应有血液浸润；病死的白条鸡颈部没有刀口，死后补刀的鸡，刀口处无血液浸润现象。2.好的白条鸡眼球饱满，有光泽，眼皮多为全开或半开；病死的白条鸡眼球干缩凹陷，无光泽，眼皮完全闭合。3.好的白条鸡肛门处清洁，无坏死或病灶；病死鸡的肛门周围不洁净，常常发绿。4.好的白条鸡的鸡爪不弯曲，病死的白条鸡的鸡爪呈团状弯曲。5.最直接的方法是查验有无动检部门出具的动物检疫合格证明，或是否标有检疫合格标志。

厨房小窍门

酸辣蟹

【食材】青蟹600克。

【调料】泡红辣椒25克，蛋清淀粉30克，盐4克，葱白25克，胡椒粉2克，味精3克，姜14克，醋7克，红糟汁25克，生抽10克，湿淀粉20克，植物油700克。

【做法】1.青蟹清水洗净，去除背壳、腹脐，除尽脚毛，切成小块，斩除爪尖，入盆，加胡椒粉、盐抓匀，刀口面抹上蛋清淀粉。

2.炒锅内加油烧至六成热，逐块放入青蟹块，用手推散，翻面，炸至呈棕红色时捞出。

3.泡红辣椒切段，葱白切段，姜切片。碗内加入盐、胡椒粉、味精、醋、红糟汁、生抽、湿淀粉兑成味汁，待用。

4.炒锅置火上，加植物油烧至五成热后，放入泡红辣椒段、葱白段、姜片炒香，放入炸青蟹块翻炒，烹入味汁推匀，起锅装盘即成。

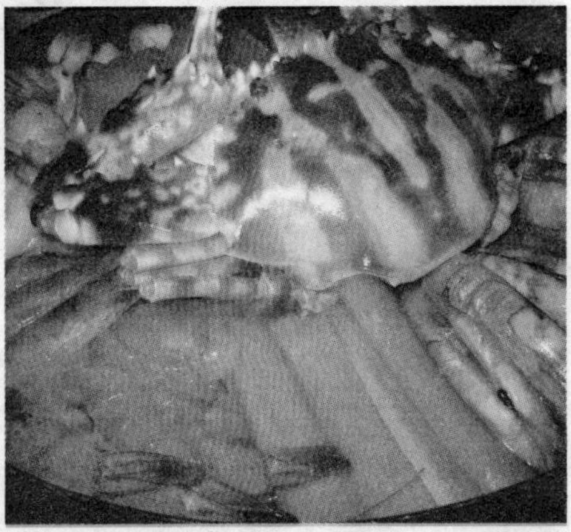

海鲜小火锅

【食材】青鱼片100克，鱿鱼100克，活虾50克，肉蟹50克，水发海参片50克，油炸豆腐条50克，黄瓜条、豌豆尖、莲藕片、冬瓜条、莴笋条、香菜各100克。

【调料】酸青菜80克，泡野山椒40克，大蒜30克，姜20克，胡椒粉、味精、盐、香油、葱白各少许，清汤500克，酱油20克，香辣酱40克，蚝油30克，植物油100克。

【做法】1.鱿鱼撕去黑膜，洗净片成片；活虾、肉蟹洗净；水发海参片入沸水锅内汆除腥味，捞出装盘；豌豆尖、香菜洗净，装盘备用。

2.酸青菜切成条；泡野山椒、大蒜、姜分别切成粒；葱白切段。

3.锅内加植物油烧热，放入姜粒、蒜粒、泡野山椒粒、酸青菜条炒香，加入清汤、葱白段煮入味，加入盐、胡椒粉、鱿鱼片、酱油、香辣酱、蚝油煮成汤汁，舀入火锅内，放味精上桌，置放电磁炉上。将盘中各食材放好，以方便涮食。

豆制品

醋溜素鸡

【食材】素鸡丁200克，荸荠150克。

【调料】大葱10克，大蒜5克，姜5克，味精2克，泡红辣椒25克，植物油100克，白糖5克，水淀粉25克，醋10克，汤100克，盐5克。

【做法】1.荸荠洗净去皮，切滚刀块；姜、大蒜切成粒；大葱切成花；泡红辣椒剁成蓉；盐、白糖、醋、味精、水淀粉、汤等兑成汁。

2.炒锅下植物油，烧至五成热，下鸡丁、荸荠块、姜粒、蒜粒、泡红辣椒同炒，翻色后，烹汁，下葱花，速炒几下，即可起锅入盘。

酸辣豆腐瘦肉羹

【食材】豆腐500克，猪瘦肉100克，冬笋、香菜、香菇各50克。

【调料】醋30克，辣椒粉20克，胡椒粉6克，盐5克，鸡精3克，香油15克，葱、姜、水淀粉、高汤各适量。

【做法】1.将豆腐切丝；猪瘦肉切成丝；香菇、冬笋、葱、姜洗净，切成丝；香菜洗净，切成末。

2.坐锅点火放入清水，水开后分别放入豆腐丝、香菇丝、冬笋丝、猪瘦肉丝焯一下，捞出放入盘中。

3.锅置火上，放入香油、高汤、盐、醋、辣椒粉、胡椒粉、鸡精，待锅开后倒入豆腐丝、冬笋丝、肉丝，水淀粉勾薄芡，撒上葱丝、姜丝、香菜末，即可出锅。

红白豆腐酸辣汤

【食材】豆腐100克，动物血块100克。

【调料】盐3克，辣椒粉18克，醋20克，味精0.5克，葱丝5克，姜丝1克，蒜片2克，植物油40克，水淀粉20克，香菜10克。

【做法】1.将豆腐块、动物血块分别切成丝；香菜洗净，切成末。

2.将锅置火上，倒入植物油，烧热后放葱丝煸炒出香味，倒入清水(鸡汤或肉汤更佳)，然后将豆腐丝、动物血块丝倒入汤内煮沸，再将葱丝、姜丝、蒜片、盐、味精、醋、辣椒粉下入

Tips

巧手洗、泡木耳 1.在温水中放入木耳，然后再加入盐，浸泡半个小时，然后用手轻轻搅动，待水变浑，即可用清水淘洗，这样很容易洗净泥沙，并且也可以让木耳快速变软。2.温水中放入木耳，然后再加入两勺淀粉，之后再进行搅拌。用这种方法可以去除木耳上细小的杂质和残留的沙粒。3. 用凉水发木耳，脆嫩爽口；若用烧开的米汤发木耳，则能使木耳肥大、松软、味道鲜美。

厨房小窍门

汤中稍煮1分钟，用水淀粉勾成稀芡，撒香菜末即可出锅。

酸辣鸭血豆腐汤

【食材】鲜豆腐200克，熟鸭血100克，熟火腿30克，丝瓜100克。

【调料】姜12克，葱白20克，鲫鱼汤600克，醋7克，胡椒粉2克，盐5克，湿淀粉20克，红油30克，虾油10克，味精3克。

【做法】1.鲜豆腐放在菜墩上切成粗丝，放入沸水锅内汆一下捞出。

2.熟鸭血用刀片去除去面上的蜂窝眼部分，切成同豆腐丝一样粗细的丝；熟火腿切细丝。

3.丝瓜刮去粗皮洗净，切成粗丝；葱白切段；姜切片。

4.炒锅置火上，加入鲫鱼汤、姜片、葱白段煮出味，打尽料渣，放入豆腐丝、鸭血丝、丝瓜丝、熟火腿丝、盐、胡椒粉煮入味，加湿淀粉勾芡推匀，加入红油、虾油、味精、醋起锅，舀入汤碗内即成。

酸辣豆腐汤

【食材】豆腐500克，木耳10克。

【调料】香菜少许，植物油10克，红油30克，酱油5克，盐5克，醋适量，淀粉、胡椒粉、味精各少许。

【做法】1.将豆腐洗净切成细条，木耳用热水泡发后，去根洗净；香菜去根洗净，切碎备用；淀粉调成糊状备用。

2.锅上火，倒入植物油待油热倒入清水适量，煮沸后将豆腐条、木耳放入汤内，再把适量酱油、盐、红油倒入豆腐汤内一起煮开，将熟时，先放进醋，搅两下，再把淀粉糊均匀下入汤内，慢慢搅匀，最后将香菜撒在汤面上，离火后再加胡椒粉和味精翻匀，即可食用。

酸辣豆腐

【食材】嫩豆腐400克。

【调料】西红柿酱35克，鸡清汤150克，盐4克，葱白25克，辣椒粉30克，味精3克，特鲜酱油10克，虾油20克，蛋清淀粉70克，湿淀粉适量，植物油600克。

【做法】1.将嫩豆腐切成厚片，放入盘内，撒上盐抹匀；葱白切段。

2.炒锅置火上，加植物油烧至六成热，将豆腐用蛋清淀粉粘裹均匀，逐片放入油锅内

切辣椒或葱防止刺眼妙法 相信你有过这样的体会，在切辣椒或葱的时候，常会被辣椒或葱的刺鼻辛辣味呛得眼泪直流。这里教你一招：如果将辣椒、葱放在冰箱里冻一下或者先将菜刀在凉水中浸一下再切，也可在菜板旁边放置一盆凉水，一边切一边蘸水，这些都可有效地减轻辣味的散发。

厨房小窍门

Tips

炸至色黄时捞出。

3.炒锅内加植物油少许，烧至五成热，放入葱白段炒香，捞出不用，加入西红柿酱略炒，放入盐，加入鸡清汤、辣椒粉、炸豆腐、特鲜酱油，待烧入味时下虾油，加湿淀粉勾芡推匀，放味精，起锅入盘。

咸烧白煎豆腐

【食材】嫩豆腐400克，熟咸烧白肉250克。

【调料】蒜苗70克，盐3克，生抽10克，味精3克，姜12克，高汤200克，湿淀粉20克，醋5克，老干妈香辣酱20克，虾油20克，花椒粉1克，植物油80克。

【做法】1.熟咸烧白肉放在菜墩上，从中切成两段；嫩豆腐切成厚片；蒜苗洗净，切成马耳片；姜切粒。

2.炒锅置火上，加少许植物油炙好锅，将豆腐逐块摆入锅内，煎至两面呈金黄色，加入咸烧白肉略煎后，离火待用。

3.炒锅内加植物油烧至六成热，放入姜粒、老干妈香辣酱略炒，加高汤、蒜苗片、盐、煎豆腐、咸烧白肉、生抽、虾油焖入味，加湿淀粉勾芡，推匀，放醋、花椒粉、味精起锅装盘。

菜豆腐

【食材】黄豆500克，肉末250克，大头菜50克，大米125克，小白菜500克。

【调料】辣椒粉20克，醋50克，植物油150克，豆粉50克，酱油25克，石膏15克，盐25克，碎馓子400克，料酒10克，味精3克，葱花50克，花椒粉10克。

【做法】1.将黄豆、大米淘洗干净，用水浸泡，泡涨后，混合磨浆，备用。

2.石膏置火上，至不明亮时，用丝罗筛出细粉，加少量水与豆粉混合调匀，备用。

3.倒浆入锅，烧开后撇去浮沫，搅动，煮浆至无生豆味为止。加入小白菜，沸一两沸，加盐，加石膏豆粉液，搅拌均匀，即可离火，此即“菜豆腐”。

4.锅置旺火上，烧热注植物油后，加入肉末煸炒，水去油吐，加入大头菜、葱花、辣椒粉、花椒粉、酱油、醋等调料，烹料酒，加味精少许起锅装碗。

5.碗盛菜豆腐，另碗盛炒好的馅料，平盘盛碎馓子，一并上桌。

鱼香豆腐条

【食材】南豆腐1块，洋葱、胡萝卜各15克。

【调料】泡辣椒20克，辣豆瓣酱15克，酱油5克，白糖10克，醋8克，料酒6克，花椒水、葱、姜、蒜、湿淀粉、味精适量，清汤120克，植物油1000克。

【做法】1.将豆腐沥去余浆汁，切成条状；洋葱切抹刀片；胡萝卜切菱形薄片；葱、姜、蒜切末；泡辣椒切末；豆瓣酱捣碎。

2.锅中加植物油烧至七八成热时，将豆腐

豆腐的贮藏 豆腐保存不善很容易坏掉，下面就教你一招保存豆腐的小窍门：将食盐化水煮沸，冷却后将豆腐浸入，以全部浸没为准。这样即使在夏天，豆腐也能保存较长时间。不过，在烹食时，就不要加或少加盐了。

厨房小窍门

条放入油锅中炸至浅黄色时捞出，沥去余油。

3.另起锅，放底油烧热，放入泡辣椒，炒出红油，再放入葱末、姜末、蒜末炝锅，放入洋葱片、胡萝卜片煸炒几下，下入豆瓣酱炒香，加酱油、白糖、醋、料酒、花椒水、清汤，烧开后用湿淀粉勾芡，投入豆腐条，迅速翻动，见芡汁包裹主料后，放味精，淋少许熟植物油，出锅装盘即成。

醋熘双色豆腐

【食材】豆腐、猪血各400克，韭黄100克。

【调料】辣椒18克，盐3克，醋20克，白糖15克，白酒、淀粉各适量。

【做法】1.豆腐切片，入滚水中汆烫一下，取出。

2.猪血切片，入滚水中煮3分钟，捞出。

3.韭黄、辣椒各切粒。

4.锅中水烧开，放入豆腐、猪血煮5分钟，加醋、盐、白糖、白酒，再以淀粉勾芡，撒上韭黄粒、辣椒粒，盛盘。

酸辣干丝

【食材】豆腐干150克，熟牛肉100克。

【调料】葱白20克，盐3克，特鲜酱油20克，醋15克，味精3克，香油3克，红油35克，花椒油2克，鱼露16克。

【做法】1.选用豆腐干，放入沸水锅内煮，除去豆腥味，捞出晾凉，用刀切成粗细均匀的细丝；熟牛肉切成同豆腐干一样粗细的丝；葱白洗净，切成葱花。

2.碗内加入盐、特鲜酱油、醋、味精、香油、红油、花椒油、鱼露兑成味汁。

3.炒锅内加清水烧沸，盆内放入豆腐干丝，淋沸水浸烫三次（沸水淹过干丝），至干丝柔软，再放入沸水锅内煮一下捞出，沥尽水，晾凉加入熟牛肉丝，装入盘内，浇入味汁，撒上葱花上桌即可。

Tips

巧烹豆腐 爆炒豆腐易碎的主要原因是其本身松软、鲜嫩、水分大，旺火水焯可防破碎。做法是：用旺火将水烧开，把切好的豆腐丁放入开水中，稍焯片刻即捞出。豆腐经开水焯一下，因其遇热，内部水分排出，外皮收缩而硬挺，就不易碎而保持其外形整齐，而且能够除去豆腥味儿。但是温度不宜太高，大约90℃左右就可以了，温度太高，会使豆腐表面成蜂巢状，失去了滑嫩的口感。

厨房小窍门

酸辣五丝汤

【食材】豆腐800克，熟鸡血100克，猪瘦肉50克，香菇25克，鸡蛋70克。

【调料】高汤500克，植物油50克，葱段15克，醋10克，胡椒粉5克，盐10克，湿淀粉20克，味精5克，红辣椒10克，花椒粒10克，鸡油8克，猪油15克。

【做法】1.将豆腐、熟鸡血分别切成5厘米长的细条，猪瘦肉、香菇分别切成3厘米长细丝，鸡蛋打散。

Tips

豆腐配海带营养更健康 豆腐及其他大豆制品，营养丰富，能补充人体需要的优质蛋白质、卵磷脂、亚油酸、维生素B1、维生素E、钙、铁等。豆腐中还含有多种皂角甙，能阻止过氧化脂质的产生，抑制脂肪吸收，促进脂肪分解；但皂角甙又可促进碘的排泄，容易引起碘缺乏。所以经常吃豆腐者，应该适当增加碘的摄入，海带含碘丰富，将豆腐与海带一起吃，是个十分合理的搭配。

厨房小窍门

2.将红辣椒洗净，去籽，切粒。

3.将植物油烧热放花椒粒、葱段少许，炒出香味再放红辣椒粒炒片刻铲出，加高汤，开锅后放入豆腐丝、鸡血丝、猪瘦肉丝、香菇丝，烧开后撇去浮沫，接着放盐，湿淀粉，待汤汁收浓后，将打散的鸡蛋淋入，放猪油、葱段、胡椒粉、醋、味精、鸡油，盛大汤碗内即可。

酸辣干丝汤

【食材】豆腐干150克，水发木耳15克，菠菜60克。

【调料】盐4克，酱油15克，醋25克，辣椒粉25克，葱15克，姜8克，湿淀粉40克，香油10克，清汤800克。

【做法】1.先洗净豆腐干，片成薄片再改刀切成细丝；水发木耳也切成丝；菠菜洗净切成段。

2.炒锅上火，添入清汤，放入切丝豆腐干、水发木耳丝、菠菜段，然后放入盐、酱油、醋、辣椒粉、葱、姜调味，汤开时撇去浮沫，湿淀粉勾薄芡，淋入香油即可。

糖醋干张

【食材】千千张300克。

【调料】红油20克，酱油30克，花椒油5克，醋20克，味精1克，白糖10克，姜汁2克，香油15克，植物油200克，盐2克。

【做法】1.将干千张用温水浸泡涨发，洗净后控干水分，用斜刀切成片。

2.锅洗净后，置旺火上，下植物油烧热，放入千张片炸至金黄色，质酥脆时舀出多余植物油，然后加适量水，放入盐、酱油、姜汁、白糖、红油，煮沸后改用中小火炙一段时间，待汁浓稠时，加入花椒油、味精、醋和香油，用小火煨片刻，即可起锅。

雪里蕻拌豆干

【食材】豆腐干600克，雪里蕻100克。

【调料】盐3克，白糖10克，醋15克，香油15克，植物油60克，红辣椒40克。

【做法】1.雪里蕻洗净，放入滚水中汆烫，捞出挤干水分，切成细末；豆腐干洗净，切丁；红辣椒洗净，去蒂，切末。

2.锅中倒植物油烧热，爆香红辣椒末，放入雪里蕻末、豆腐干丁，加入盐、白糖、醋和少许水翻炒均匀，即可盛起，食用前淋上香油即可。

青红椒拌豆干

【食材】豆干600克，青椒、红辣椒各30克。

【调料】酱油8克，白糖10克，醋15克，香油15克，大蒜各适量。

【做法】1.青椒洗净，切丝，放入滚水中汆烫，捞出，浸入凉开水中，待凉捞出；红辣椒洗净，去蒂，切丝；大蒜去皮，切末。

2.豆干洗净，放入滚水中煮熟，捞出切片，装在碗中加酱油、白糖、醋和蒜末搅拌，再加入青椒丝和红辣椒丝拌匀，食用时淋上香油即可。

炒肉拌豆干

【食材】干豆腐200克，猪瘦肉200克。

【调料】酱油20克，醋15克，味精1克，大蒜20克，香油5克，红油25克，盐7克，植物油20克。

【做法】1.将猪瘦肉切成粗丝；干豆腐同样切成粗丝；将大蒜砸成蒜泥。

2.将锅置火上，注入植物油，将肉丝炒熟，装盘待用；干豆腐丝放入沸水锅中焯一遍，而后投入凉水中过凉，沥干水分装盘。

3.将醋、酱油、味精、红油、蒜泥、香油、盐放入碗中调拌匀。

4.将干豆腐丝码在盘底，再将肉丝放在上面，将兑好的味汁浇淋在上面即可。

蔬　菜

酸辣扁豆

【食材】扁豆700克。

【调料】香油8克，酱油20克，白糖15克，醋30克，红油10克。

【做法】1.洗净扁豆，用刀斜切成丝，在开水中焯一下，清除其毒素和豆腥味，焯后要立即投入冷水中浸泡一下，以保持其碧绿的色泽和脆嫩的口味。

2.加入香油、红油、酱油、白糖、醋拌匀即可。

酸辣豇豆

【食材】泡酸豇豆300克。

【调料】味精3克，红油25克，白糖2克，香油3克，花椒油2克，沙茶酱14克。

【做法】1.泡豇豆放在菜墩上，用刀切成4厘米长的段，装入圆盘中摆成馒头形。

焯煮出美味的豆腐丝 先在水中放入少量的碱，再放入豆腐丝来焯，这样制出的豆腐丝冷却后不会黏结成一体，易于造型和切配；而且能使其质地细嫩、柔软而有嚼劲，再经过炸、炖等烹调后，味道更加鲜美。但一定要注意，加碱不宜过多，否则，会破坏豆腐丝的营养素，还会产生涩味。

厨房小窍门

2.碗内加入味精、红油、白糖、香油、花椒油、沙茶酱调成味汁，浇在盘内豇豆上，拌匀即成。

酸辣土豆丝

【食材】土豆300克。

【调料】盐4克，白糖10克，花椒粒20克，干辣椒15克，醋30克，葱段、姜丝各适量，植物油50克。

【做法】1.干辣椒切丝，土豆切成丝后用清水浸泡，葱切寸段。

2.炒锅上火加植物油，油热后，放入花椒粒、干辣椒丝、姜丝炝锅，再放入土豆丝，大火翻炒，根据自己喜好控制土豆软硬，加入盐、白糖、醋翻炒，起锅时加入葱段即可。

酸辣萝卜

【食材】白萝卜300克，玉兰片100克，冬菇40克。

【调料】酱油20克，醋25克，味精2.5克，辣椒10克，姜、湿淀粉适量，植物油5克，香油少许。

【做法】1.将萝卜洗净去皮，切成滚刀块。

2.温水泡发冬菇后，择洗干净，去掉杂质，切片，玉兰片洗净，切片；姜切末，待用。

3.锅内放水烧开，下白萝卜块焯至断生时捞入清水内，浸泡1小时，捞出后控干水分，装在盘内，待用。

4.炒锅置火上，放植物油，烧热，下姜末炝锅，放入辣椒，煸炒出香味后下冬菇片、玉兰片、白萝卜块，煸炒几下，烹酱油、醋，添水少许，烧开后用小火煨一下，再加味精，用湿淀粉勾芡，淋入香油炒匀，装盘即可。

蓑衣萝卜

【食材】白萝卜750克。

【调料】醋75克，白糖100克，辣椒粉50克，盐75克。

【做法】1.将白萝卜去皮、头、尾，大的切长条4块，小的切长条2块，然后改刀成条，在面上刻斜刀，翻面在底面上刻横刀，深度约至原料的2/3左右，然后拉成蓑衣形待用。

2.将白萝卜块放入小盆中，加盐腌十分钟左右，再用冷开水洗净，捏干水分，加辣椒粉、白糖、醋再腌三小时左右，捞出，装盘即成。

酸辣萝卜丝

【食材】白萝卜300克。

Tips

巧手煮海带 1.先将海带干放到锅里蒸半小时左右，然后用清水泡一夜，就会变得又脆又嫩，用来烧、炒、凉拌均可。2.在烹制海带时，可放适量菠菜，能使海带烂得快。3.如果在锅里加几滴醋，海带也能很快煮烂。

厨房小窍门

Tips

安全食用四季豆 四季豆中含有胰蛋白酶抑制剂、血球凝集素和皂素等成分，食用未熟的四季豆后人会引起中毒反应。应该将四季豆充分加热，彻底烹熟后食用。烹熟的判断方法为：四季豆由硬挺转至软蔫，颜色由鲜绿色变为暗绿，吃起来没有豆腥味。最好先用沸水把四季豆焯烫至完全变色，这样更能确保安全。

厨房小窍门

【调料】香菜15克，红油30克，香油4克，酱油10克，醋20克，白糖15克，味精1克，姜10克，青蒜25克，盐少许。

【做法】1.将白萝卜洗净，去皮，切成细丝，加入少许盐拌匀，腌5分钟，挤干水分；青蒜择洗干净，切成粗丝；姜去皮洗净，切成细丝；香菜洗净，切段。

2.将白萝卜丝、姜丝、青蒜丝、香菜段放入盆内，加入盐、酱油、白糖、醋、味精、香油、红油拌匀，盛入盘内即成。

酸辣青椒

【食材】嫩青辣椒300克。

【调料】豉油皇12克，盐4克，味精3克，醋30克，白糖3克，葱汁油30克，香油3克，葱白20克。

【做法】1.嫩青辣椒去蒂，洗净，放入烤箱内，烤3分钟至熟，取出晾凉，在菜墩上切成块。葱白切花。

2.碗内加入豉油皇、盐、味精、醋、白糖、葱汁油、香油、葱白花，调成味汁待用。

3.圆盘内放入青辣椒块，摆成馒头形，将碗内调好的味汁浇在青辣椒块上，拌匀即成。

酸辣苦瓜

【食材】青色苦瓜250克。

【调料】葱白25克，泡野山椒25克，盐3克，豉油皇10克，醋6克，生抽8克，味精3克，姜汁油16克，香油4克，植物油25克。

【做法】1.青色苦瓜除尽瓤、籽，洗净，斜片成月牙片。葱白切片，泡野山椒切成粒。

2.炒锅置火上，加清水烧沸，放入苦瓜片煮至刚熟即捞出，沥尽水分。

3.碗内加入泡野山椒粒、盐、豉油皇、醋、生抽、味精、姜汁油、香油、植物油调成味汁待用。

4.圆盘内放入葱白片、苦瓜片，摆成鱼鳞形，将碗内味汁调匀后，浇上即成。

酸辣瓜片

【食材】冬瓜500克，鲜红辣椒10克。

【调料】醋30克，花椒油、盐、植物油各适量。

【做法】1.先将鲜红辣椒洗净、去瓤、籽，切成丝。

2.将冬瓜洗净、去皮、瓤，切成片。

3.将炒锅置于火上，放入植物油，热后投入冬瓜片、鲜红辣椒丝、醋、花椒油、盐，翻炒至冬瓜变色即成。

鱼香茄子

【食材】嫩茄子500克，鲜猪瘦肉100克。

【调料】姜12克，葱白25克，青辣椒40克，盐4克，特鲜酱油12克，鸡清汤160克，醋10克，永川豆豉10克，料酒10克，花椒1克，湿淀粉18克，植物油80克。

【做法】1.嫩茄子洗净，切成一字条；鲜猪瘦肉切成指甲片；姜切末；葱白切段；青辣椒去蒂、籽，切成滚刀块。

2.炒锅置火上，加植物油少许，放入青辣椒块煸炒断生，起锅待用。

3.锅内加植物油烧至六成热，放入猪肉片翻炒亮油，加入姜末、永川豆豉、花椒炒香，加鸡清汤、茄子条、葱白段、盐、青辣椒、特鲜酱油、料酒烧入味，至熟，加湿淀粉勾芡，放醋推匀，起锅装盘上桌。

鱼香茄饼

【食材】茄子400克，猪肉末100克。

【调料】郫县豆瓣8克，白糖8克，醋8克，酱油15克，料酒15克，盐10克，味精5克，湿淀粉8克，葱8克，姜5克，蒜10克，鸡蛋20克，玉米粉100克，植物油400克。

【做法】1.将茄子去皮，洗净，切圆形片，每片再从中间用刀片开，但不要切断。

2.将肉末用盐、味精调好，填进每个茄饼里。

3.将鸡蛋打散，与玉米粉和在一起，调成蛋糊；将葱、姜、蒜洗净，切末；将白糖、醋、酱油、料酒、盐、味精、湿淀粉调成汁；将郫县豆瓣剁细。

4.将炒锅放入植物油烧热，将茄饼放入蛋糊内沾一下，再放油锅内炸金黄色捞出，码放在碟上。

5.锅留底油烧热，把郫县豆瓣、葱末、姜末、蒜末下锅煸炒，炒出香味后，烹入调好的汁勾芡，淋在茄饼上即可。

脆皮茄子

【食材】嫩茄子500克。

【调料】姜丝10克，植物油500克，水豆粉10克，干豆粉75克，蒜泥10克，葱丝50克，鸡蛋50克，泡辣椒丝50克，藿香叶10克，白酱油25克，盐5克，白糖20克，高汤50克，白醋15克。

【做法】1.将茄子洗净，去蒂、皮切成两片，皮面斜切十字花刀；藿香叶洗净切细丝；鸡蛋、盐、干豆粉搅成蛋豆粉；白酱油、白醋、白糖、高汤、水豆粉配成味汁。

2.植物油入锅，置中火上，烧至六成热，将

Tips

贮存茶叶妙法 很多人都爱喝茶，但茶叶保存当，很快会变质，失去其原有的味道。茶叶最好放在锡制的罐中，尽量不用铁制或木制茶罐。若用不锈钢容器装茶叶，不妨用火在容器外边烤一下。若用纸罐装茶叶，应先放少量茶叶吸收罐内气味。茶叶罐要放于通风处，并应避免阳光直接照射。另外，如果用低温储存，温度应保持在5℃最佳。

厨房小窍门

茄子抹上蛋豆粉，逐一放入锅中，炸至呈金黄色，待皮酥捞于盘中。

3.锅内留适量底油，放入姜丝、蒜泥、泡辣椒丝，炒出香味，烹入味汁搅匀，沸后淋于茄子上，再撒上葱丝、藿香叶丝即成。

酸辣洋葱

【食材】洋葱400克，鲜辣椒20克。

【调料】盐6克，味精2克，白糖35克，白醋15克，黑醋少许，植物油50克。

【做法】1.将洋葱剥去老皮，洗净后切成菱角形小丁；鲜辣椒洗后也切成菱角丁。

2.炒锅下植物油烧热后，将辣椒倒入炒香，再放入洋葱丁炒片刻，放入盐、白糖、味精，最后烹入白醋、黑醋，翻炒均匀即可出锅。

糖醋蚕豆

【食材】蚕豆500克。

【调料】植物油50克，红糖100克，姜末25克，蒜末25克，泡辣椒50克，葱花50克，花椒粉少许，醋75克，酱油50克，盐适量。

【做法】1.将姜末、蒜末、泡辣椒、花椒粉、醋、红糖、酱油和盐同放碗内，加入温开水调匀。

2.蚕豆用沸水煮，待蚕豆陆续浮于水面，即陆续捞出，沥干水分。

3.炒锅置火上，注入植物油，烧热后放入蚕豆，待炒成金黄色时，铲入调料碗内，翻拌，加盖，腌浸渍15分钟，再翻拌一次，并继续腌渍15分钟，再搅匀，撒上葱花即成。

糖醋辣白菜

【食材】嫩白菜心750克。

【调料】白糖15克，醋15克，盐5克，味精5克，葱50克，植物油15克，红辣椒25克。

【做法】1.将嫩白菜心洗净，控干水分，用刀在中间切开，用开水焯至七八成熟，平放在盘中。

2.将红辣椒、葱洗净，控干水分，切细丝。

3.将植物油烧热，红辣椒丝下锅(用微火)炒至深红色，下入白菜心翻炒几下，将葱丝下锅稍炒，将水、白糖、盐、味精放入稍煮，倒入醋搅匀，浇在白菜心上，腌两小时，白菜心即可切丝上碟。

糖醋圆白菜

【食材】圆白菜300克。

【调料】盐3克，白糖10克，醋30克，干辣椒35克，蒜蓉、姜末各少许，猪油50克。

巧手贮藏蜂蜜 蜂蜜营养丰富，但不易久存，如果用1000克蜂蜜加生姜两片的比例，将蜂蜜兑配好生姜片，然后密封放阴凉处，即可使蜂蜜久存。若蜂蜜中有像白砂糖一样的沉积物时，可把蜂蜜连瓶子一起放在凉水锅中，徐徐加热，当水温达70℃~80℃时，沉淀物就化掉了，并且不倒再出现沉积物。

厨房小窍门

【做法】1.圆白菜切开，掰散叶子；干辣椒切碎。

2.炒锅中下猪油，用小火将干辣椒炒香，然后下蒜蓉，姜末，煸出香味，转中火，把圆白菜放进锅中快速煸炒至变色，撒少许清水，加盖焖三分钟，然后开盖，下盐、白糖调味炒匀，然后烹醋翻炒，待闻到醋香，关火盛出即可。

油辣包菜卷

【食材】卷心菜750克。

【调料】姜25克，盐25克，醋15克，香油50克，花椒粒15克，鲜红辣椒50克，味精1.5克，白糖15克。

【做法】1.先将卷心菜叶的老边叶去掉，再逐步将菜叶掰下来，用清水洗净，把菜叶平放在墩子上，用刀把叶子中间的硬梗片薄，以便卷筒时好成形。

2.把加工好的卷心菜叶放入沸水锅中汆一下捞出，迅速放入冷水盆中，再捞出沥干水分，放入大盘中散开，同时放入盐、醋、白糖、味精与菜拌匀浸好，待用。

3.香油放热锅中，油沸时下花椒粒，炸至快黑时捞出不要，把姜切成丝，放在卷心菜上，用热花椒油浇在卷心菜上拌匀，浸10分钟。

4.把鲜红辣椒切成丝，取腌好的卷心菜，把红辣椒丝放在卷心菜的头端，从头开始卷成筒形，菜全部卷好后，码整齐，将两边不齐部分去掉。

5.上桌时，把卷心菜卷切成4厘米长的段，均匀码入盘中即成。

醋熘土豆丝

【食材】土豆450克。

【调料】干辣椒段20克，醋50克，盐10克，生抽10克，味精8克，植物油50克。

【做法】1.将土豆洗净，切成丝，浸入水中。

2.炒锅下植物油烧热，放入干辣椒段翻炒几下，再放入控过水的土豆丝翻炒，加醋、盐、生抽和味精，炒几下即可。

醋椒土豆丝

【食材】土豆600克，鲜青、红尖椒30克。

【调料】盐10克，鸡精20克，白醋10克，植物油50克。

【做法】1.土豆切丝；青、红尖椒切丝；土豆焯水后沥干。

Tips

巧手煮鲜牛奶 向锅里倒牛奶时要慢慢倒入，不要沾锅边沿。煮牛奶时先用小火，锅热后改用旺火，奶沸腾（起气泡）时再搅动，改用小火；这时锅边虽已沾满奶汁也不糊锅，而且易刷锅。如果不小心把牛奶煮出糊味了，立刻放点盐，冷却后味道会好一点。

厨房小窍门

2.锅内放少许植物油，加入原料煸炒，加盐、鸡精，略炒，最后加白醋，翻炒均匀即成。

醋熘白菜

【食材】卷心白菜400克。

【调料】干辣椒16克，花椒2克，大蒜10克，醋20克，白糖6克，味精3克，高汤25克，生抽10克，湿淀粉16克，鱼露12克，葱白20克，植物油80克，盐适量。

【做法】1.卷心白菜洗净，从中切成四瓣，沥尽水分；干辣椒切段；大蒜切片；葱白切段。

2.碗内放入醋、白糖、味精、高汤、生抽、湿淀粉、鱼露兑成味汁待用。

3.炒锅内加植物油烧至六成熟，放入蒜片、干辣椒段、花椒炸呈棕红色，加入卷心白菜翻炒，加盐、葱白段炒至熟，烹入味汁推匀，翻炒均匀，起锅装盘即成。

醋溜黄瓜

【食材】嫩黄瓜300克。

【调料】白糖6克，醋7.5克，葱、姜各4克，盐4克，香油40克，干辣椒段、酱油、湿菱粉各20克，花椒粒10克。

【做法】1.将黄瓜挖去心，切成梳子薄片，放少许盐调拌后，挤去汁水。

2.炒锅下植物油，烧到滚热后，将花椒粒、干辣椒段放入炒红，再放黄瓜片，随即将葱、姜、醋、酱油、白糖、湿菱粉调好倒入，炒几下即好。

Tips

自制牛奶嫩肤清洁露 原料:香皂和奶粉。选择普通香皂和一般的奶粉即可。需要注意的是一般皮肤的人应该选用脱脂奶粉，而干性皮肤的人应该用全脂奶粉。做法：将25克香皂剁碎，越细越好；然后将200毫升的水加热，倒入刚刚剁碎的香皂，一边煮一边搅拌；等到香皂完全溶解后再加入2汤勺奶粉，等到奶粉全部搅拌均匀后，关火，冷却；这样具有清洁、嫩白作用的牛奶嫩肤清洁露就完成了。这里虽然添加了碱性的香皂，但是因为奶粉有中和的作用，因此这款自制的清洁露不会对皮肤造成刺激。

厨房小窍门

肉末酸豆角

【食材】泡豆角250克，五花肉末150克，鲜红辣椒25克。

【调料】花椒水5克，味精2克，姜、葱各10克，植物油100克，香油2克。

【做法】1.泡豆角切粒；姜、葱剁末；红辣椒切粒。

2.炒锅下植物油，烧五成热放葱末、姜末和肉末，炒出香味，瘦肉变色，放泡豆角粒、红辣椒粒翻炒，再放花椒水、味精，淋香油即可出锅。

红油豇豆丁

【食材】嫩豇豆500克。

【调料】红油30克，芝麻酱15克，醋10克，白糖5克，酱油10克，香油15克，盐3克，蒜泥适量。

Tips

微波炉加热牛奶有选择 没有注明“可用微波炉加热”样的牛奶，不适宜直接放入微波炉中加热；即使注明可以的，也不宜加热时间过长，时间过长会使牛奶中的蛋白质变性，维生素C流失。在微波炉高档下牛奶加热1分钟左右即可。

厨房小窍门

【做法】1.将嫩豇豆洗净，切成丁，入沸水中焯熟，捞入凉水，控干水分，放盘中。

2.备一小碗，将所有调料倒入混匀，倒豇豆上拌匀即可。

拌合菜

【食材】绿豆芽100克，猪瘦肉丝100克，粉丝100克，菠菜30克，韭菜30克，黄瓜30克，木耳30克。

【调料】植物油50克，盐7克，味精1克，酱油15克，醋15克，红油30克，蒜泥15克，香油10克。

【做法】1.将绿豆芽、黄瓜、韭菜、菠菜、木耳分别择洗干净待用；粉丝发好。

2.将黄瓜切丝；菠菜、韭菜切3.5厘米长的段；粉丝切成10厘米长段待用。

3.将绿豆芽、菠菜段、韭菜段、木耳分别用开水氽熟，捞出过凉水，沥干水分装入容器中待用。

4.将锅置火上，注入植物油烧热，下入猪瘦肉丝煸炒，放少许酱油炒熟盛出。

5.将熟猪瘦肉丝、黄瓜丝、粉丝、菠菜段、韭菜段、绿豆芽、木耳放在一起，再加入盐、味精、醋、蒜泥、红油、香油调拌即可装盘供食。

香辣黑豆芽

【食材】黑豆芽200克，胡萝卜、木耳各50克，粉丝、熟芝麻适量。

【调料】盐3克，鸡精1克，醋15克，白糖5克，红油20克。

【做法】1.将黑豆芽去根，去掉黑豆皮洗净；胡萝卜去皮洗净切成丝；木耳泡发，洗净，切成丝；粉丝用温水泡发好待用。

2.坐锅点火放入清水，水开后将黑豆芽、木耳丝、胡萝卜丝、粉丝放到锅中焯透，捞出过凉，控干水分。

3.将黑豆芽、胡萝卜丝、木耳丝、粉丝放到盆里加入盐、鸡精、醋、白糖、熟芝麻、红油拌匀装入盘中即可食用。

凉拌黄豆芽

【食材】黄豆芽500克。

【调料】盐3克，红油30克，姜汁1克，酱油30克，花椒油2克，香油10克，葱丝2克，醋25克，味精1克。

【做法】1.将鲜嫩的黄豆芽洗净，去根。

2.放沸水锅内煮1分钟，待豆芽刚熟时，即可捞起。

3.待晾凉后，加入盐，拌均匀后盛入大盘内，淋上用酱油、红油、香油、味精、姜汁、花椒油调好的调料，撒上切好的葱丝，上桌时放入醋即成。

熘豆芽

【食材】黄豆芽250克。

【调料】干辣椒丝20克，盐2克，味精2克，醋30克，料酒20克，葱丝、植物油各适量。

【做法】锅放火上，下入植物油，烧热后下干辣椒丝和葱丝爆香，下入黄豆芽，烹入料酒，下盐、味精、醋，翻炒至熟即可。

酸辣黄瓜

【食材】黄瓜300克。

【调料】白糖5克，红油15克，花椒油3克，酱油15克，香油5克，盐2克，味精0.5克，醋15克，蒜汁2克。

【做法】1.将黄瓜洗净，去皮后切成薄片，码上盐，拌匀，置箣箕内，控出多余水分，装入盘内。

2.将酱油、醋、盐、白糖、红油、花椒油、味精、香油、蒜汁混合调匀，淋入盘内即可食用。

翠玉黄瓜

【食材】小黄瓜400克，海米50克。

【调料】大蒜10克，红辣椒20克，盐4克，酱油15克，白醋45克，香油10克，植物油50克。

【做法】1.大蒜去皮、切末；红辣椒去蒂及籽后切丝；海米冲净，沥干水分；小黄瓜洗净，去头尾，切3厘米长的段，分别以刀沿黄瓜表面边削边转，削下一圈外皮，去除中间的瓜籽，放入碗中备用。

2.炒锅下植物油烧热，爆香大蒜末、红辣椒丝及海米，熄火，放入小黄瓜及盐、酱油、白醋拌匀，立刻熄火，淋上香油盛起，放置2小时，待入味即可上桌。

尖椒黄瓜条

【食材】黄瓜350克，红尖椒150克。

【调料】盐4克，白糖3克，鸡精2克，白醋15克，葱、姜、高汤、水淀粉、香油、植物油各适量。

【做法】1.将黄瓜洗净，去籽，切成5厘米长的条，放入适量盐，腌制3分钟。

香油的药用 如果你的“便秘”非常严重，且久治无效，那么，每天早晚都喝一小口香油，很快这种痛苦便会离你远去。另外，香油还对口腔溃疡、牙周炎、牙龈出血、咽喉发炎均有很好的改善作用。此外，酒后喝一口香油还可以解酒，且效果很快。

厨房小窍门

2.红尖椒去籽、蒂，洗净切成丝；葱、姜洗净切成丝。

3.坐锅点火放植物油，油温四成热时倒入葱丝、姜丝、红尖椒丝，炒出香味后放入黄瓜条爆炒，再加入白糖、高汤、鸡精、白醋，用水淀粉勾薄芡，淋入香油，出锅即可。

油吃黄瓜

【食材】嫩黄瓜500克，西红柿250克。

【调料】白糖100克，白醋30克，葱10克，干辣椒10克，姜10克，花椒粒1克，盐15克，香油50克。

【做法】1.将嫩黄瓜整条剖成两半，由背面刻梳子花刀，盛入容器内，均匀地撒上盐腌1小时，放在干净消毒的筛子内控去水分，再用净布轻轻地压去水分，盛入容器内；同时将葱、姜、辣椒均切成细丝，西红柿用开水烫后撕去皮，切成三棱块，去籽；把葱、姜放在黄瓜上，西红柿放在最上面。

2.烧沸香油，先把花椒粒炸糊捞出，再下入干辣椒丝炸成紫黑色时，加进白糖、白醋熬化，浇在黄瓜上焖2小时。食用时捞出黄瓜切成段盛入盘中，摆上西红柿、葱丝、姜丝，浇上汁即可。

蛇皮辣黄瓜

【食材】黄瓜1000克。

【调料】盐50克，香油50克，味精5克，干辣椒丝50克，姜丝50克，葱丝50克，白醋100克，白糖200克。

【做法】1.将黄瓜洗净，切成蓑衣刀；将干辣椒丝放入碗中，倒入开水，泡软待用。

2.炒锅上火，下入香油，烧热后投入泡好的辣椒丝、姜丝、葱丝，稍煸，倒入清水、白糖、盐和味精，烧开后取下，冷却后倒入白醋，搅拌均匀成味汁。

3.将切好的黄瓜放入盆中，倒入煮好的味汁，放入冰箱，腌泡1~2小时即可取出，码盘时将红辣椒丝中间切一刀至五分之四处，插入黄瓜尾部中间，即是蛇头，将腌好的黄瓜，由外向里盘着码放在盘内，中间的蛇头立起即成。

五丝黄瓜卷

【食材】黄瓜500克，白萝卜25克，冬笋25克，青椒25克，水发冬菇25克，胡萝卜25克。

Tips

不要空腹喝牛奶 空腹饮牛奶会使肠蠕动增加，牛奶在胃内停留时间缩短，营养素不能被充分吸收利用。因此，喝牛奶最好与馒头、面包、玉米粥、豆类等同食，以延长其在消化系统内停留的时间。有的人还可能因空腹饮牛奶出现腹痛、腹泻，这是因为他们体内生成的乳糖酶少或极少，空腹饮用大量的牛奶，奶中的乳糖不能被及时消化，被肠道内的细菌分解而产生大量的气体、酸液，刺激肠道收缩，出现不适症状。

厨房小窍门

Tips

袋装牛奶加热有讲究 1. 采用85℃左右的巴氏灭菌法消毒的牛奶，没有高温瞬间灭菌彻底，袋奶中残留有细菌，饮用时必须煮开了再喝。2.袋装牛奶不宜长时间浸泡在热水中加热，这样会破坏牛奶中的营养成分；而且在高温下，塑料袋中的一些化学成分易分解产生对人体有害的物质。

厨房小窍门

【调料】盐15克，白糖10克，姜丝5克，干辣椒20克，醋20克，植物油15克。

【做法】1.将黄瓜洗净，切成6厘米长的段，用适量盐腌上10分钟，再用滚刀法将黄瓜皮片下来备用。

2.干辣椒洗净切成丝。

3.将冬笋、青椒、水发冬菇、胡萝卜、白萝卜洗净，切成丝，再用开水略焯，捞出晾凉，用黄瓜皮卷起，放入盘中摆好。

4.炒锅上火，注入植物油，放入姜丝、干辣椒丝、白糖、清水，熬成浓汁，加入盐、醋、调好味，晾凉，浇在卷好的黄瓜卷上即成。

鱼香番茄过江

【食材】番茄600克，油菜200克，鸡蛋80克，泡红辣椒丝30克。

【调料】干淀粉8克，盐15克，酱油8克，白糖15克，醋15克，蒜末8克，葱花8克，植物油200克，清汤适量，水淀粉8克。

【做法】1.将大小均匀的番茄用开水烫后去皮、去籽，各切成4片。

2.用鸡蛋、干淀粉调成糊。

3.将酱油、白糖、醋、味精、清汤、水淀粉调成鱼香汁。

4.将锅内植物油烧六成热，将番茄逐片蘸匀蛋糊，放入锅内稍炸捞出；待油温上升，再全部倒入炸成黄色，至皮酥捞出装盘。

5.锅留底油，下泡辣椒丝，炒出红色，放葱花、蒜末炒出香味，烹入鱼香汁收浓，装两个小碗。

6.炒锅内再下植物油烧热下盐，将油菜炒熟，装饰在炸番茄的盘子边上，和鱼香汁一同上桌即成。

清炒芦蒿

【食材】芦蒿400克。

【调料】鲜红辣椒20克，盐5克，鸡精2克，白醋10克，植物油20克，葱、姜各适量。

【做法】1.将芦蒿洗净切段；红辣椒切丝；葱、姜切末。

2.烧锅下油，放入姜末、葱末炒香。

3.然后加入芦蒿段、红辣椒丝、盐翻炒，滴白醋、植物油，放入鸡精翻炒均匀即可。

掸炝黄花菜

【食材】鲜黄花菜400克，冬笋丝10克。

【调料】葱丝5克，姜丝5克，木耳丝10克，花椒粒5克，辣椒丝25克，酱油35克，香油50克，白糖35克，盐2克，醋25克，味精2克，料酒15克。

【做法】1.鲜黄花菜掐把、抽心，用开水氽一次，捞出晾凉，用盐浸泡一下，稍挤出些水分，放在碗里备用。

2.锅内下入香油烧热，投入花椒粒炸出香味，捞出不用，把黄花菜及冬笋丝入锅炒熟装盘。剩余所有调料放入锅内炒熟，浇在菜上拌匀，凉后即可食用。

沙锅酸辣浓汤

【食材】熟笋50克，绿叶菜50克，水发冬菇50克，蘑菇50克，湿粉丝100克。

【调料】胡椒粉适量，辣椒粉10克，植物油40克，醋50克，酱油15克，盐3克，香油15克，高汤1000克，味精3克，湿淀粉10克。

【做法】1.将冬菇、蘑菇、熟笋洗净，均切成指甲片；绿叶菜洗净，切成段；湿粉丝切成5厘米长的条。

2.炒锅中下植物油，烧至八成热，倒入高汤，加入冬菇片、蘑菇片、熟笋片、绿叶菜段、湿粉丝条，再加盐、酱油、味精调味，烧至汤汁开始沸时倒入沙锅，放入辣椒粉、醋，用湿淀粉勾薄芡，淋上香油，小火焖烧5分钟后撒上胡椒粉即成。

鱼香茭白

【食材】茭白750克，鲜辣椒50克。

【调料】盐4克，酱油15克，郫县豆瓣15克，醋30克，料酒20克，味精2克，胡椒粉1克，白糖15克，淀粉、香油、红油、奶汤、葱、姜各少许，植物油750克。

【做法】1.将茭白去皮，去老壳，切成稍厚一点的片；辣椒洗净，切成小段；葱、姜、郫县豆瓣均剁成碎末。

2.将酱油、奶汤、盐、料酒、醋、红油、白糖、胡椒粉、味精、淀粉同放碗内兑成鱼香汁。

3.炒锅放入植物油，六七成热时下入茭白片浸炸一下，捞出沥油。

4.锅内留底油烧热，下入葱、姜末和郫县豆瓣稍煸炒，再下入辣椒煸炒一下，随即倒入茭白片，倒入鱼香汁翻炒均匀，再淋入香油，即可出锅。

酿红豆

【食材】熟红刀豆400克。

【调料】料酒2克，猪肉末50克，甜酱油10克，酸腌菜末20克，咸酱油10克，青蒜苗40克，香油5克，干辣椒段15克，熟猪油1000克，盐3克，味精2克。

【做法】1.炒锅置旺火，注入熟猪油，烧至七成热，下红刀豆爆炸1分钟；锅离火口，炸2分钟；复上旺火，炸至豆漂浮在油面上时，起锅捞出沥油。

2.炒锅留底油烧热，下辣椒炸焦，下肉末

柠檬的妙用 把柠檬汁加入肉类中，可以消除腥味，亦可促使肉类早些入味。如在洋葱等强烈气味的蔬菜中，加入少许柠檬汁，可以减少异味。患有肾脏病或高血压的人应少吃盐，此时，如果在新鲜蔬菜或肉里滴几滴柠檬汁，便可使淡然无味的食物成为风味极佳的菜肴。

厨房小窍门

炒至八成熟，下青蒜苗煸炒至熟，下红刀豆、酸腌菜末，加入甜、咸酱油和盐，拌炒均匀，放入味精、料酒，淋上香油，翻炒均匀起锅装盘。

爆炒黄赖头

【食材】黄赖头(菌类)400克。

【调料】湿淀粉10克，青辣椒80克，味精3克，腌卷心菜50克，熟猪油1000克，蒜30克，盐10克。

【做法】1.将黄赖头用小刀刮净外皮，用洁净湿布抹干净，切成0.2厘米的厚片；青辣椒、腌卷心菜、蒜分别切成小块。

2.炒锅置旺火，注入猪油，烧至六成热，下黄赖头爆炒，起锅倒入漏勺沥油。

3.锅留底油烧热，下蒜块炒香，再下辣椒块煸炒至熟，下黄赖头、盐、味精，用湿淀粉勾芡，下腌卷心菜，颠锅翻匀，淋上少许熟猪油，装盘。

其他酸辣类

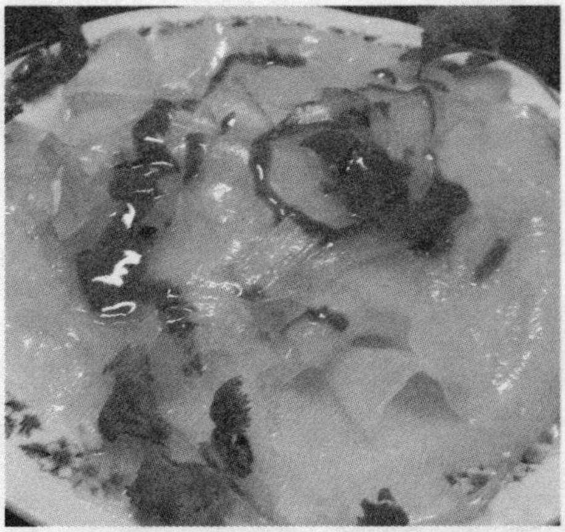

凉拌汝州粉皮

【食材】汝州干粉皮50克。

【调料】醋20克，红油15克，盐5克。

【做法】1.将汝州干粉皮洗净，用温水泡软，切成丝条状，装盘中备用。

2.将醋、红油、盐调成汁浇在粉皮上，食用时拌匀即可。

鱼香锅魁

【食材】白面锅魁250克。

【调料】郫县豆瓣酱15克，葱花8克，白糖8克，蒜末20克，白酱油8克，姜末20克，香菜末5克，红酱油15克，胡椒粉5克，醋8克，高汤200克，味精5克，植物油160克，水淀粉8克。

【做法】1.将锅魁切成菱形块；郫县豆瓣酱剁细。

Tips

鲜芦荟治晒伤 芦荟中含有丰富的脂肪酸和维生素E，是人体表皮细胞所必需的营养成分，可以及时修护晒后受损的肌肤。如果外出忘记采取防晒措施而把皮肤晒红或晒伤，那么当天用芦荟进行护理，可以收到很好的效果。剪下一小段芦荟，剪去两边的小刺，并从中间用刀片开，将芦荟中的胶状物质涂在发热的皮肤上，保留一晚，使芦荟成分充分渗透，第二天早晨，皮肤发红发热的现象就会消失。但需要注意的一点是，易过敏者不宜使用。

厨房小窍门

2.将红白酱油、醋、白糖、胡椒粉、味精、水淀粉、高汤调成味汁。

3.炒锅下植物油烧至六成热放入锅魁，炸至呈黄色起锅上碟。

4.锅内留底油，加姜末、蒜末、豆瓣酱炒香，烹味汁勾芡，收汁亮油下葱花起锅，将汁淋于锅魁上，再撒上香菜末即成。

酸辣蛙腿

【食材】鲜牛蛙腿200克，青辣椒100克。

【调料】大蒜25克，姜14克，料酒14克，醋7克，生抽10克，鸡精3克，盐4克，高汤40克，香油3克，湿淀粉30克，葱白25克，虾油20克，植物油100克。

【做法】1.鲜牛蛙腿斩除足爪洗净，斩成1.7厘米的丁，放入盆内加盐、料酒、湿淀粉抓匀；青辣椒去蒂、籽，切成丁；大蒜、姜分别切成粒；葱白切粒。

2.锅内加少许植物油，烧至五成热，放入青辣椒丁炒断生，起锅。

3.碗内加料酒、醋、生抽、鸡精、盐、高汤、湿淀粉兑成味汁待用。

4.炒锅置火上，加植物油烧至七成热，放入牛蛙腿丁炒散，加入姜粒、大蒜粒炒香，放入青辣椒丁翻炒几下，烹入味汁、虾油推匀，放入葱白粒、香油，起锅装盘。

Tips

烹调时加糖的窍门 烹制菜肴时，一次将糖加足会使原料质地变硬，甚至粘糊锅底。正确的方法应该是分两次加糖。第一次加少许糖，可使调味品深入到原料内部。第二次加糖可使卤汁迅速变浓，口味醇正而适口，汁稠油亮，色泽美观。

厨房小窍门

甜辣菜

甜辣味型。一般以辣椒、盐、白糖、醋、胡椒粉、味精调制。特点是咸鲜酸甜，白糖醋味浓，入喉甘甜，辣的后劲很足。如甜辣脆皮鱼、甜辣鱼唇、红油杂拌、荷包青椒等。

甜辣菜

猪 肉

甜辣肉丝

【食材】猪肥瘦肉300克，红辣椒100克，青蒜苗50克。

【调料】嫩姜20克，水豆粉50克，盐3克，料酒20克，酱油10克，味精1克，高汤25克，植物油50克，甜酱20克。

【做法】1.猪肉切成粗丝，入碗加水豆粉、盐、料酒拌匀；红辣椒去蒂、籽，切成粗丝；嫩姜切细丝；青蒜苗切段。

2.酱油、料酒、水豆粉、味精、高汤装碗内调匀成芡汁。

3.炒锅置火上，下少许植物油烧热，放入红辣椒丝炒断生起锅。

4.炒锅洗净置旺火上，下植物油烧至八成热，放肉丝炒散，加甜酱炒香，下红辣椒丝、姜丝、青蒜苗段合炒，烹入芡汁，炒匀起锅装盘即成。

枇杷肉圆

【食材】猪里脊肉150克。

【调料】味精、水淀粉、香油适量，盐6克，鸡蛋黄80克，料酒10克，葱姜汁40克，芹菜梗适量，猪油1000克，小苏打5克，花椒粒10克，干辣椒段10克，葱段、姜丝、白糖各10克。

【做法】1.猪里脊去筋衣，切成薄片，放清水中漂1小时。

2.将猪里脊肉放菜墩上，用刀背捶成细泥，放小盆内，用葱姜汁润开，加入盐、小苏打、鸡蛋黄，顺一个方向搅至均匀时，加入猪油，继续搅拌均匀，即为肉糊。

3.芹菜梗切成段。

Tips

小苏打的妙用 1.买回来的新鲜水果，用1%的小苏打水浸泡2~3分钟，会易于保存。2.用小苏打水擦拭玻璃和陶器可有效去除污渍。3.烧水壶中加些小苏打煮一下可去除水垢。4.花蕾含苞欲放时，用万分之一的小苏打水浇花，花会开得更鲜艳。

厨房小窍门

4.炒锅上火烧热后，放猪油烧热，左手舀肉糊挤成丸子形，右手用调羹沾水把丸子摘入油锅中，炸熟，倒入漏勺内，然后用筷子在每个丸子上截一个孔，再分别插上芹菜段。

5.炒锅上火，加入猪油，放入葱段、姜丝、干辣椒段、花椒粒，小火炸出香味以后，把葱段、姜丝、干辣椒段、花椒粒取出。

6.锅内留底油，加入少量水及盐、料酒、白糖、味精，放入肉丸，略用水淀粉勾芡，淋入香油，出锅即可。

咕咾肉

【食材】去皮猪肥瘦肉400克，熟鲜笋150克，辣椒300克。

【调料】蒜泥5克，鸡蛋液25克，葱段30克，白糖150克，醋50克，盐15克，湿淀粉40克，香油5克，料酒7.5克，干淀粉75克，植物油适量。

【做法】1.将猪肉切片，在上面用斜刀轻轻刻上横竖花纹，然后切成条，再斜切成菱形块；笋和辣椒也都切成同样大小的菱形块。

2.肉块用盐、料酒拌匀，腌后加入鸡蛋液和湿淀粉拌匀，再沾上干淀粉。

3.用中火烧热锅，下植物油烧热，把肉块逐渐放入，炸3分钟，端离火口，再炸浸2分钟捞起。

4.炒锅放回炉上，烧至五成热，将已炸过的肉块和笋块一起下锅，再炸3分钟呈金黄色时，倒入漏勺沥去油。

5.炒锅放回炉上，投入蒜泥、辣椒块，爆出香味，加葱段、白糖、醋烧至微沸，用湿淀粉调稀勾芡，随即倒入肉块和笋块拌炒，淋香油和熟植物油，即可出锅。

脆皮炸大肠

【食材】猪大肠头500克。

【调料】香油5克，盐8克，葱末5克，蒜末5克，白糖10克，醋8克，白糖浆30克，湿淀粉10克，植物油400克，白卤水1000克，辣椒碎30克。

【做法】1.将大肠头洗干净，翻出内壁，用盐揉搓，清除黏液和污物，用清水漂洗干净。

2.将洗净的大肠头放入开水中焯一下后捞出，倒入沙锅中，放入白卤水，用中火煲1小时，至软烂后取出，放入微沸的白卤水中，端离火口浸泡15分钟，捞出后用糖浆涂均匀，穿在叉烧环上，晾2小时至干。

3.将炒锅用旺火烧热，放植物油烧至四成

Tips

自制蜂蜜保湿水 做法：将1茶勺蜂蜜、10毫升甘油、100毫升水混合，搅拌均匀即可。每天早晚洁面后，将蜂蜜保湿水倒在化妆棉上，轻轻拍打脸部，直到保湿水被肌肤完全吸收。因为蜂蜜可以维持肌肤水分和油分平衡，而保湿效果超强的甘油可以将水分和营养成分牢牢锁在肌肤里，使水分不易流失，这款保湿水适用于中性或中性偏干肤质，可以使肌肤柔软有弹性，给肌肤24小时的全面呵护。

厨房小窍门

热，放入肠头边炸边翻动，炸至呈大红色，用漏勺捞出沥油。

4.炒锅留底油，放入盐、蒜末、葱末、辣椒后爆出香味，加入盐、白糖、醋做成的糖醋汁，烧沸后用湿淀粉勾芡，淋入香油，分盛两小碟。

5.将已炸好的大肠头斜切成长3厘米的块，盛在碟中，以糖醋佐食。

牛 肉

沙茶牛肉

【食材】牛后腿肉350克，净生菜100克。

【调料】淡二汤750克，精盐6克，沙茶酱150克，白糖粉30克，味精3克，红油20克，芝麻酱50克，猪油100克。

【做法】1.将牛肉洗净去筋，按肉纹横切薄片，每片长10厘米，盛于盘中。把生菜分成两盘。

2.将沙茶酱、猪油、红油、白糖粉拌匀成酱料，分盛两碗。把其中一碟以二汤50克和匀，也分成两碗。

3.餐桌上置一碳炉，放上沙锅，下二汤、精盐、味精和酱料一碗，上盖。汤沸后，将牛肉片和生菜分批放入，边涮边食，食时蘸酱为佐。

陈皮牛肉

【食材】瘦牛肉500克。

【调料】干陈皮50克，花椒5克，姜8克，葱20克，干辣椒20克，白糖15克，料酒15克，盐5克，味精3克，植物油500克，酱油15克，高汤适量。

【做法】1.将牛肉斜切5厘米见方的薄片；葱、姜洗净切段；陈皮洗净，控干水分；干辣椒洗净，控干水分，切小段。

2.将植物油烧热，牛肉片依次下锅，炸成深红色捞出。

3.锅留底油，将花椒、干辣椒下锅稍炒，待

剩牛奶有妙用 1.喝剩的牛奶可以拿来洗脸，或者用布蘸牛奶擦拭铜器，铜器立刻晶亮。2. 洗花色鲜艳的衣服，可以在最后一次冲洗时加入半杯左右的奶，洗后的衣物不但免除褪色危机，还会格外鲜艳。3.衣服不小心沾到口红怎么办？别担心，快拿湿布蘸点牛奶，轻轻地擦拭几下，立刻恢复洁净。

厨房小窍门

出香味，烹入料酒、酱油，加高汤，将炸好的牛肉片放入，再放葱段、姜段、陈皮、白糖、盐、味精，烧开锅，改用微火烧，待牛肉片烧透后再改大火烧，待汁收浓即可出锅。

兔 肉

甜辣兔肉

【食材】净兔肉200克。

【调料】姜片10克，植物油200克，陈皮10克，盐4克，白糖10克，酱油18克，料酒15克，干辣椒15克，花椒3克，高汤100克，味精2克，红油10克，香油10克，醋6克，葱段10克。

【做法】1.将兔肉洗净，切成2厘米见方的丁，放入碗中，加适量植物油、盐、料酒、葱段、姜片拌匀，腌半小时；干辣椒去籽后切成段；陈皮用温水浸泡几分钟，切成小方块。

2.味精、白糖、酱油、高汤入碗内配成味汁。

3.炒锅置旺火上，下植物油至七成熟，放入干辣椒，炸成棕色时，下兔肉丁炒散至白，加陈皮块、花椒、葱段继续炒至兔丁干酥，烹入味汁和醋，放红油，待味汁收干，呈深棕红色时，即可起锅入盘，淋上香油，入冰箱冷冻，随食随取。

禽肉、蛋

油泼仔鸡

【食材】仔母鸡450克。

【调料】料酒25克，胡椒粉2克，红辣椒25克，姜末25克，葱段25克，味精1克，盐3克，湿淀粉50克，酱油75克，熟猪油250克，甜酱25克，白糖25克。

【做法】1.将鸡洗净，切成2厘米见方的块盛入碗内，下盐、酱油、料酒腌渍15分钟；红辣椒切成小方块。

2.炒锅置旺火上，倒入熟猪油烧至七成热，放入鸡块边煎边将锅中的油淋于鸡块上，煎到刚熟呈金黄色时滗出锅中的油，再置火上将鸡块翻面，如上法继续煎至成熟，起锅沥油。

3.炒锅置旺火上，下猪油烧热，加入红辣椒块、葱段、姜末稍煸，再下鸡块、料酒，盐，酱

Tips

巧手分离炖鸡的骨与肉 1.炖制的鸡块，鸡肉与鸡骨很难分离。如果在炖制鸡块时放入两个咸梅干，食用时鸡骨和鸡肉就会迅速分离。2.炖制的整鸡，食用时也不易脱骨。如果在炖制前先将鸡的胸骨、腿骨用刀背敲断，食用时脱骨就十分顺利了。

厨房小窍门

油、甜酱、白糖、味精翻炒，再用湿淀粉勾芡，将锅颠炒几下，淋入少许熟猪油起锅盛盘，撒上胡椒粉即成。

菠萝鸡片

【食材】 鸡脯肉250克，净菠萝150克。

【调料】 泡红辣椒30克，鸡蛋清120克，白菜40克，湿淀粉20克，红灯笼椒40克，熟猪油100克，盐5克，味精1克，香油少许。

【做法】 1.净菠萝切成厚片；红灯笼椒去籽，切片；白菜洗净，入沸水锅焯后取出；鸡脯肉切成长薄片，用鸡蛋清、湿淀粉上浆；泡红辣椒切片。

2.炒锅置旺火，注入猪油，烧至四五成热，下鸡脯肉片滑油，断生后取出沥油。

3.锅中留底油，将菠萝片、泡红辣椒片、鸡脯肉片倒入，放入盐、味精，翻炒几下，淋入香油，出锅装盘，盘边用白菜、灯笼椒片点缀。

炒辣子鸭块

【食材】 鸭腿250克，尖椒150克。

【调料】 盐5克，酱油25克，料酒5克，白糖10克，植物油100克。

【做法】 1. 将鸭腿洗净后剁成块；尖椒去蒂、籽，切成块。

2.炒锅放旺火上，加植物油，烧至七成热时，加鸭块煸炒，八成热时放酱油、白糖、盐、料酒搅拌均匀，再放尖椒块，与鸭块混合，翻炒均匀出锅即成。

菠萝炒鸭片

【食材】 鸭片300克，菠萝与酸仔姜共200克。

【调料】 蒜蓉2克，盐2克，葱段、辣椒各50克，白糖10克，醋、蛋白、料酒各15克，湿淀粉25克，胡椒粉、香油少许，猪油750克。

【做法】 1.菠萝切成片；酸仔姜挤去酸醋；鸭片用蛋白加湿淀粉拌匀。

2.适量湿淀粉中加入盐、白糖、醋、香油、胡椒粉调成芡汁。

3.武火烧锅，倒入猪油，下鸭片炸熟捞出。

4.炒锅留底油烧热，下辣椒、蒜蓉、葱段、酸仔姜和鸭片，滴入料酒、芡汁，下菠萝片炒匀上碟。

酸奶盖子上不沾酸奶的技巧 吃酸奶时，盖子上经常沾有酸奶，很是浪费，如果把酸奶放入电冰箱内冷冻30分钟后取出，盖子上就不会沾有酸奶。酸奶表面虽有点冻，但中间不会冻，别有味道。如果是大盒酸奶，要把时间增加到35分，严守时间是关键。窍门原理：酸奶的容器是纸，盖子是铝制的膜。铝制的膜要比纸导热快，30分钟时，接近膜的地方冻住，但酸奶内部不会冻住，这就是秘密所在。

厨房小窍门

水产

油焖鳊鱼

【食材】活鳊鱼350克，猪肥膘肉50克，水发玉兰片50克。

【调料】味精2.5克，白糖25克，料酒15克，酱油50克，猪油75克，红辣椒25克，植物油1000克，小葱25克，姜末15克，盐2.5克，清汤100克。

【做法】1.将鱼粗加工以后，在鱼身两面剖斜十字，用酱油涂抹鱼身，腌渍5分钟。

2.猪肥膘肉、红辣椒、小葱、玉兰片分别切成3厘米长的丝。

3.旺火上锅，下植物油，烧至八成热，下鱼，用铲翻动，待炸至两面淡黄时捞出。

4.锅留底油，仍置火上，放入肥膘肉丝、红辣椒丝、小葱丝、玉兰片丝等煸炒，待出香味后，将炸好的鱼下锅内，下入料酒、姜末、酱油、白糖、味精、盐、清汤等焖烧3分钟，待鱼汁渐浓时，改小火加盖焖烧至透味汤浓时，端锅到旺火上。下猪油继续焖2分钟，即可起锅盛盘。

Tips

巧手煮豆浆 1.生豆浆加热到80℃~90℃的时候，会出现大量的白色泡沫，很多人误以为此时豆浆已经煮熟，但实际上这是一种“假沸”现象，此时的温度不能破坏豆浆中的皂甙物质。正确的煮豆浆方法应该是，在出现“假沸”现象后继续加热3~5分钟，使泡沫完全消失。2.有些人为了保险起见，将豆浆反复煮好几遍，这样虽然去除了豆浆中的有害物质，同时也造成了营养物质流失，因此，煮豆浆要恰到好处，控制好加热时间，千万不能反复煮。

厨房小窍门

甜辣脆皮鱼

【食材】鲜鲤鱼350克。

【调料】醋50克，干辣椒10克，泡红辣椒丝30克，味精1克，葱丝8克，香油8克，香菜10克，料酒10克，姜末10克，湿淀粉150克，蒜末20克，肉汤500克，盐8克，植物油1500克，白糖75克。

【做法】1.将鱼身的两面各剞五六刀，刀距相等，鱼头顶额砍一小口，放入盐、料酒调匀，码味浸渍10分钟。

2.锅置火上，放植物油烧热，将鱼用湿淀粉挂糊，手提鱼尾，先将鲤鱼头下锅稍炸一下定型，再慢慢将鱼放入油锅炸至色金黄。皮酥肉嫩时，捞出装入鱼盘内放置，用铲将鱼拍压一下。

3.将盐、湿淀粉、白糖、肉汤入碗中兑成糖醋味汁。

4.锅置火上，放植物油烧至五成热，下姜末、蒜末、干辣椒炒香，烹入糖醋味汁推匀，待汁收浓时，放味精、醋、香油，起锅浇在鱼身上，再撒上泡红辣椒丝、葱丝、香菜即成。

粉皮炒鱼

【食材】净鱼肉350克，粉皮150克。

【调料】干辣椒粉3克，青尖辣椒50克，花椒粉6克，盐5克，豆豉10克，料酒15克，湿淀粉20克，味精3克，胡椒粉3克，香油20克，白糖20克，生抽酱油8克，植物油1000克。

【做法】1.净鱼肉洗净，用刀切成厚片，用料酒、辣椒粉、胡椒粉、盐3克拌匀，腌渍入味，加湿淀粉拌好，投入七成热的油锅内炸熟，待其外硬时捞出备用。

2.粉皮切成菱形片；青尖辣椒去蒂，洗净，切成长片，待用。

3.锅内放植物油烧至四成热，下青尖辣椒片、豆豉煸香，加粉皮片、鱼片、白糖炒匀，下味精、盐，生抽酱油，淋香油，撒花椒粉炒匀，起锅入盘即成。

糍粑鱼

【食材】净鲤鱼肉350克。

【调料】姜片5克，盐5克，姜末5克，酱油35克，白糖20克，醋5克，干辣椒末25克，料酒5克，味精2克，葱白段10克，植物油150克，香油适量。

【做法】1.净鲤鱼肉剁成块置小盆中，加盐、姜片、葱白段拌匀腌制12小时，取出晾干。

2.炒锅置旺火上，放入植物油烧热，再将鱼块逐块下入锅内煎至金黄色，加盐、酱油、白糖、姜末、料酒、干辣椒末、味精、醋、清水250克一起烹烧至卤汁浓稠时，淋入香油，撒上葱白段装盘即成。

甜辣鱼唇

【食材】水发鱼唇400克。

【调料】白糖15克，玉兰片15克，味精5克，油菜10克，淀粉30克，红油30克，葱10克，料酒15克，姜10克，酱油15克，高汤200克，植物油100克。

【做法】1.将发好的鱼唇整理干净，切成条，放

科学泡茶 在泡茶时水温要讲究科学，茶叶中的维生素C、维生素P在水温超过80℃时，就会被破坏，还会分解出过多的鞣酸和芳香物质，使茶水带有苦涩味，大大减低茶的滋养保健效果。因此，泡茶的水温一般应掌握在70℃~80℃，以茶叶刚能泡开为宜。茶叶更不能煮着喝。

厨房小窍门

Tips

花椒盐水巧治脚气 大锅水烧开，用花椒和盐煮水。用时拿个小盆，先接些凉水，将煮开了的花椒盐水适量地加入盆中，水不烫时就可以用来泡脚了。盐能杀菌，而花椒能够除湿、很好地收敛皮肤。花椒盐水泡脚，每天一次，一次20分钟，坚持一周，一般的脚气都能被治好。不过在这里提醒你，脚气比较严重、疮面溃烂的患者不适合此种方法的治疗。

厨房小窍门

入开水中烫透捞出；玉兰片、油菜分别洗净，切排骨块。

2.炒锅放植物油烧热，下入葱、姜炸一下，放入酱油、料酒、白糖、高汤，然后把鱼唇和玉兰片、油菜放入锅中烧开后，移至小火煨至熟烂入味，拣出葱、姜，再加入味精后，用淀粉勾芡，淋入红油出锅即可。

红油杂拌

【食材】净虾肉100克，水发海参100克，油发鱼肚50克，熟鸡肉100克，蛋糕100克，冬笋1条，香菇50克，青、红柿子椒各150克。

【调料】红油25克，盐15克，葱丝8克，椒油15克，蒜末8克，白糖15克，味精适量。

【做法】1.海参、虾肉、鱼肚、熟鸡肉分别片成片，放入开水中氽透，捞出晾凉；蛋糕切片；将冬笋切成片；香菇一破两开；将青、红柿子椒切成三角形的块，然后一起放入开水中氽透，捞出晾凉。

2.把蛋糕片、海参片、虾肉片、鱼肚片、熟鸡肉片、冬笋片、香菇、青、红柿子椒块一起放在盆里，加入盐、味精、葱丝、红油、椒油、白糖、蒜末拌匀即成。

芹黄鱼丝

【食材】鲜活鲤鱼400克，芹黄200克。

【调料】泡红辣椒30克，盐3克，白糖20克，味精5克，酱油、醋各10克，香油10克，蛋清25克，干豆粉30克，料酒10克，姜、蒜各10克，熟猪油150克，高汤30克。

【做法】1.鲤鱼洗净，对剖剔骨后，将鱼净肉切丝，加蛋清和干豆粉搅匀，再加料酒、盐拌匀；芹黄切段；泡红辣椒去籽后切成丝；姜、蒜切细粒。

2.酱油、白糖、醋、味精、香油、豆粉加高汤兑成芡汁。

3.炒锅置旺火上，下猪油烧热，下入码好味的鱼丝，随即将锅端离火口，用竹筷将鱼丝拨散，鱼丝变白后，沥去一部分油。

4.锅内留底油，再置火口上，鱼丝推至锅边，将锅稍倾斜，放入姜粒、蒜粒及泡红辣椒丝和芹黄段煸炒出香味后，与鱼丝炒匀，烹入芡汁，翻炒均匀，起锅装盘即成。

豆制品

红油拌粉皮

【食材】粉皮500克。

【调料】白糖10克，酱油8克，盐8克，味精5克，香油8克，红油25克。

【做法】1.将粉皮切成3厘米长的细丝，放碟上。

2.将红油、白糖、酱油、盐、味精、香油调匀，浇在粉皮上，拌匀即可。

糖醋豆腐丁

【食材】豆腐500克。

【调料】姜片5克，植物油500克，蒜片15克，葱粒100克，酱油25克，湿淀粉10克，泡辣椒25克，白糖25克，素高汤50克，味精5克，醋20克。

【做法】1.豆腐切丁；泡辣椒去蒂、去籽，切马耳朵形。

2.锅置旺火上，放植物油烧至八成热，倒入豆腐炸酥捞起，沥油。

3.泡辣椒、姜片、蒜片、酱油、白糖、醋、素高汤、湿淀粉入碗兑成味汁。

4.原锅留底油，烹入味汁搅匀，待汁浓时，起锅晾冷，放入豆腐丁、葱粒，加味精拌匀即成。

三味豆腐

【食材】豆腐800克。

【调料】大葱100克，盐8克，味精2克、白糖10克，西红柿酱50克，酱油5克，鸡蛋75克，辣椒粉、花椒粉各20克，葱、姜、蒜各10克，淀粉15克，鸡汤100克，香油10克，湿淀粉30克，植物油200克。

【做法】1.把豆腐分成3份：一份切成条；一份切成片；一份切成丁。

2.葱切成花；姜切成末；蒜拍烂；大葱洗净切条；鸡蛋在碗里搅散。

3.酱油、辣椒粉、香油、盐、味精、淀粉、葱

Tips

快速去掉鲜桃上的绒毛 鲜桃好吃但桃上的绒毛难去，有两个极简单的方法可轻松除去桃上的绒毛。方法一：在清水中放入少许食用碱，将鲜桃放入溶液中，浸泡3分钟，搅动几下，绒毛便会自动上浮，清洗几次毛就没了，很方便。方法二：在水中加盐，洗时轻搓，也可轻松去除。

厨房小窍门

Tips

妙法剥巨峰葡萄的皮 葡萄是许多人喜爱的水果。其中，巨峰的颜色好，个儿大，味儿好，是葡萄之王。但是，很多人觉得它的果皮很难剥。这里有简单利落剥去果皮的小技巧，就是从尖部剥，十分简单。让我们来看看巨峰的果皮秘密，巨峰的果皮秘密正是这个小技巧的关键。实际上，巨峰的果皮不止紫色的一层，还有好几层。从蒂柄处剥，就不能将里层的皮也剥掉；相反，从没有洞的顶尖处开始剥，就能将果皮剥净了。

厨房小窍门

花兑成味汁备用。

4.将豆腐条下锅氽后捞出；豆腐丁放入酱油拌匀，裹上淀粉，下油锅炸酥黄，倒入漏勺沥油；豆腐片裹上鸡蛋液，下油锅煎黄，放入葱花、姜末、西红柿酱、白糖、盐，用淀粉勾芡，装在长鱼盘中间。

5.锅放植物油烧热，把花椒粉、大葱条下锅煸，加鸡汤、盐、味精、豆腐条，用湿淀粉勾芡，装在盘的一端。

6.锅内再加植物油烧热，下姜末、蒜泥煸炒，倒入豆腐丁，下入兑好的汁，翻炒均匀，装在盘的另一端。

四川豆鱼

【食材】油皮150克，绿豆芽500克。

【调料】红油30克，芝麻酱50克，葱15克，花椒粉5克，酱油50克，鸡蛋清40克，醋5克，干淀粉30克，白糖15克，植物油150克，味精2克。

【做法】1.绿豆芽去根，开水烫熟，晾凉；葱切成末；鸡蛋清兑干淀粉调成稀糊。

2.油皮平铺案上，抹上蛋糊，在直的一面（向里）放上适量豆芽，卷成扁形条，即“豆鱼”。

3.用葱末、酱油、醋、白糖、芝麻酱、味精、花椒粉、红油兑成汁。

4.锅烧热，注入少量植物油，油沸时，将卷两面都煎成黄色取出，切成段，摆入盘中，浇上兑好的汁即可。

松花拌豆腐

【食材】豆腐800克，皮蛋180克，雪里蕻150克，海米50克。

【调料】红辣椒20克，生抽、老抽各23克，葱花10克，香油30克，白胡椒粉5克，白糖10克，盐、植物油适量。

【做法】1.将豆腐放滚水中煮2分钟，捞出控干水分，冷后切小丁放盘中；皮蛋去壳洗净，切小块放盘中。

2.海米浸软捞出，加白胡椒粉，蒸5分钟，待冷后放豆腐皮蛋上，淋上生抽、老抽、白糖。

3.雪里蕻洗净，用清水浸淡，水中加入少许盐，再洗一下控干水分，切碎，用少许植物油煸炒片刻，待冷后放在海米上，撒上葱花，淋上香油，食用时拌匀即可。

蔬 菜

甜辣藕片

【食材】嫩藕200克。

【调料】味精1克，面粉100克，盐7克，鲜红辣椒20克，白糖40克，木耳40克，酱油10克，醋5克，高汤50克，水淀粉10克，植物油1000克，发酵粉2克。

【做法】1.嫩藕洗净，去皮，切成菱形条状，加入适量盐拌匀，待藕出汤后控去水分；木耳和红辣椒洗净，切成方丁；面粉加入盐、味精、发酵粉，用清水调成面糊。

2.炒锅洗净置火上，倒入植物油烧至八成热，将藕片上面糊，然后逐块下入油中炸，炸至金黄时捞出，控干油，待用。

3.炒锅留底油，下入红辣椒丁煸炒后，下入木耳丁、酱油、白糖、高汤，烧沸后加入醋，用水淀粉勾芡，淋入熟油，再将炸好的藕块下入锅内，翻炒均匀，即可起锅装盘。

Tips

柿子脱涩 1.喷酒法：将涩柿子放在陶瓷盆里，喷上白酒(两次即可)，三四天后，涩味可清除。2.混装法：将涩柿子和熟梨、熟苹果等水果混装在容器里，密闭，一周后涩味消除。3.温水浸泡法：把涩柿子浸泡在50℃左右的水中，一天一夜，就可清除涩味。

厨房小窍门

拌马齿苋

【食材】马齿苋300克。

【调料】盐4克，酱油10克，醋10克，红油25克，辣椒24克，白糖10克，香油5克，味精1克。

【做法】1.将马齿苋的老根、老叶摘去，用清水洗净，用刀切成长段，放入沸水锅内氽至断生，色成碧绿即可捞出，放入凉水内过凉，待用。

2.取一只碗，放入盐、酱油、醋、红油、辣椒、白糖、香油、味精等各味调料调拌均匀，待用。

3.将过凉的马齿苋捞出，沥干水分，放人容器中加入兑好的调味汁，搅拌均匀即可装盘供食。

雪里蕻烧茭白

【食材】茭白400克，雪里蕻100克。

【调料】酱油15克，料酒15克，葱末3克，姜末2克，味精3克，白糖10克，湿淀粉5克，清汤25克，红油20克，植物油500克。

【做法】1.茭白去净外皮，切成块，用刀拍一下，放入开水氽过捞出；雪里蕻洗净后切成细末备用。

2.炒锅内放入植物油，中火烧至七成热时，放入茭白过一下油，马上捞出。

3.锅内留底油，放入葱末、姜末炸出香味后，放入雪里蕻末稍煸，加入酱油、料酒、清汤、白糖、茭白块，以小火煨烧，待汤将尽时，用湿淀粉勾芡，放味精，淋红油出锅即成。

清炒山药丝

【食材】山药250克，青红尖椒各15克。

【调料】盐3克，鸡精2克，白糖10克，白醋5克，葱、姜、鸡汤、植物油各适量。

【做法】1.将山药去皮洗净，切成丝；青红尖椒、葱、姜洗净，切成丝。

2.坐锅点火放入清水，待水开后倒入山药丝、青红尖椒丝焯一下捞出，过凉，控干水分。

3.将鸡汤、盐、鸡精、白糖、白醋、葱丝、姜丝放到锅中调成汁。

4.坐锅点火放植物油，油热后倒入山药丝、青红尖椒丝，倒入调好的汁翻炒均匀，出锅装入盘中即可食用。

拌侧耳根

【食材】侧耳根300克。

【调料】葱30克，盐2克，酱油20克，醋10克，白糖20克，味精2克，红油15克，辣椒30克，香油5克。

【做法】1.将侧耳根的老根及须掐去，留下嫩白根部及叶片，然后用清水洗2～3遍，除去泥沙，再用冷开水浸泡10分钟，捞出沥净水分备用；将葱剥好，清洗干净，切成葱花备用。

2.取一碗，放入盐、酱油、醋、白糖、味精调拌均匀，再加入红油、辣椒、香油和葱花搅拌成味汁，待用。

3.将洗好的侧耳根放入盆中，兑入调好的味汁搅拌均匀，即可装盘食用。

金壳红玉

【食材】胡萝卜250克，鸡蛋黄40克，青尖椒25克，山楂糕适量。

【调料】西红柿酱15克，盐4克，白糖10克，味精2克，白醋15克，辣酱油10克，蒜泥、植物油、干淀粉、香油各适量。

巧用果蔬去除衣物渍 1.除汗渍：用少量冬瓜汁搓洗，可除掉白衣服上的汗渍。2.除油渍：取一片萝卜擦拭油污处，然后再用热水洗净。3.除烟油渍：可用少量西瓜汁搓洗，效果明显。4.除铁锈渍：用柠檬汁和食盐调成的糊涂在铁锈处，搓一搓，再用水洗净。5.除煤油渍：用橘皮擦拭衣服上沾染的煤油渍，再用清水漂洗干净即可。

Tips

厨房小窍门

【做法】1.胡萝卜洗净去皮，切成3厘米长的条待用；青尖椒切长条形；山楂糕切成米粒状。

2.用盐将胡萝卜条拌腌半小时，压去水分，加入味精、鸡蛋黄拌匀，然后把胡萝卜条沾滚干淀粉。

3.锅中放植物油烧到六成热时，投入胡萝卜条，炸至金黄色，起脆壳，捞出沥油。

4.原锅中留少量油，下蒜泥炒出香味，下西红柿酱炒出红油，加适量水，放青尖椒条、白糖、白醋、盐、辣酱油及山楂糕粒，烧沸后勾芡，淋香油装盘。

荷包青椒

【食材】嫩青尖椒375克。

【调料】大蒜30克，酱油30克，醋5克，甜豆豉15克，植物油75克，盐8克，味精2克。

【做法】1.将青尖椒洗净，去蒂、籽，保持青尖椒完整不碎；大蒜去皮，用刀拍扁。

2.将锅放旺火上烧热，放入青尖椒，用铁勺将青尖椒压扁，翻烧至青尖椒表皮呈现许多黑点时，将锅端离火口，30秒钟后，再置火上，倒入植物油，加大蒜、甜豆豉、盐、酱油、味精，拌炒20秒钟，烹醋即成。

溜素桂鱼

【食材】山药500克，春笋丝35克。

【调料】醋100克，白糖150克，香菇丝35克，味精2.5克，姜末10克，豆腐皮50克，干淀粉100克，红辣椒丝50克，湿淀粉25克，香菜末5克，香油25克，芝麻屑15克，盐20克，植物油1000克。

【做法】1.将山药煮熟，去皮，碾成泥，放入碗中，再放入春笋丝、芝麻屑、味精、盐搅匀作馅。

2.豆腐皮用湿布盖上，软后平摊案上，将香菇剪成桂鱼的鳞、鳍、鳃、尾、眼等形状，放在豆腐皮中间，再放上馅，将豆腐皮包起，做成鱼形，蘸满干淀粉。

3.锅置旺火上，注植物油烧热后，下“桂鱼”炸8分钟，表皮呈金黄色时，用漏勺捞出，装有鳞、鳃形的一面朝上，放入长盘中待用。

4.锅内留油，置火上，放入姜末、红辣椒丝略炸，加适量水，再加白糖、醋、香菜末烧沸，用湿淀粉勾芡，淋入香油，浇在“桂鱼”上即成。

Tips

糖的妙用 去酸味：用酱油烧菜时，酱油中的糖分有些被分解，菜肴往往带有酸味，在炒菜时加点糖，酸味即可消除。煮火腿：煮火腿前，可先在火腿上涂些白糖，容易煮烂，并有提味的作用。泡发蘑菇：用温糖水浸泡干蘑菇，可使之更鲜美。防腐：食物加糖后，霉菌不易侵入，可以延缓变质。

厨房小窍门

其他甜辣类

甜辣白薯丝

【食材】白薯250克。

【调料】盐15克，味精少许，白糖30克，辣豆瓣酱15克，植物油45克。

【做法】1.白薯洗净去皮，切成3厘米长的细丝，泡在凉水中；豆瓣酱剁成细末，待用。

2.炒锅上火放入植物油，油热后，放入白薯丝、辣豆瓣酱末炸，炸出香味后将白薯丝捞出，沥水后放入锅中，迅速翻炒，加入盐炒匀，加锅盖焖2分钟，加入白糖，炒几下后，即加入味精炒匀，出锅装盘。

魔芋豆腐

【食材】魔芋豆腐750克。

【调料】蒜瓣15克，糍粑辣椒100克，盐5克，葱10克，白糖5克，姜5克，湿淀粉25克，甜酱10克，猪油200克，酱油15克，肉汤适量。

【做法】1.将魔芋豆腐切成1.5厘米见方的块，下开水锅汆一下，水内加少许盐，取出用肉汤煨好。

2.将葱切段，姜切末，蒜切片。

3.锅中注入猪油，烧热，将滗出肉汤的魔芋豆腐下锅炸，炸成金黄色，沥油待用。

4.锅中留底油，将糍粑辣椒煸成黄色，出香味，加入姜末、蒜片煸炒，放入甜酱稍炒，再将魔芋豆腐块、葱段、酱油、白糖、盐、肉汤加入，用小火焖5分钟，湿淀粉勾芡即成。

熘素鹅片

【食材】油面筋150克，水发香菇25克，春笋片25克。

【调料】香菜末2.5克，红辣椒25克，盐1.5克，白糖100克，香油15克，醋75克，植物油750克，姜末15克，湿淀粉15克。

【做法】1.油面筋切成两半，里面翻转朝外。

2.白糖、盐、醋、湿淀粉一起放入碗内，加入清水150克，兑成糖醋汁。

Tips

加醋要掌握好时间 醋是菜肴的最佳调料，它不仅能祛膻、除腥、解腻、增香，而且还可以避免高热对原料中维生素的破坏，以及软化蔬菜纤维的作用。做菜时，加醋的最佳时间是在两头，即原料入锅后马上加醋；菜肴临出锅前加醋。第一次应多些，第二次应少些。

厨房小窍门

3.炒锅置旺火，舀入植物油，烧至八成热，放入油面筋，炸至酥脆，呈棕黄色，用漏勺捞出装盘，浇上少许热植物油。

4.在炸面筋的同时，另用炒锅置旺火上，加入少许植物油，放入姜末略炸后，再放入水发香菇、春笋片、红辣椒、香菜末炒熟，倒入糖醋汁烧沸，淋入香油出锅，随即倒在面筋上即成。

怪味花仁

【食材】花生米500克。

【调料】炒盐200克，白糖200克，辣椒粉10克，泡辣椒15克，花椒粉2克，盐2克，白醋5克。

【做法】1.将花生米放入沸水锅内焯一下，捞出晾干；泡辣椒剁碎。

2.炒锅置旺火上，下入炒盐、花生米不断翻炒，见花生米外皮破裂时，即可倒出，过筛，将花生米倒在盘内，稍凉便可去外皮。

3.净锅置火上，注入沸水，下入白糖，用铲轻轻搅动，待白糖完全融化，撇去上面的浮沫。

4.见糖汁起大泡后，渐渐稠浓似呈鱼籽蛋时，先加入剁碎的泡辣椒煸几下。

5.再将辣椒粉、花椒粉、盐加进并快速搅匀，再加入白醋、花生米，用铲贴锅底不断翻炒，使花生米均匀粘满怪味糖液，至颗颗独立、互不粘连时，起锅冷却即可装盘食用。

煮保健干果粥 原料：雪梨、葡萄干、杏干、红枣、莲子、山楂糕、藕、青红丝、冰糖。作法：在锅中加适量的水，用大火将其烧开。打着火的同时，将梨片倒入锅中。等到锅开后，就可以把冰糖加到里面了。注意：干果全部下锅后要不时的来回搅动，以免糊锅。晾凉后食用开胃润喉，消食解腻，是理想的保健食品。

厨房小窍门

呛辣菜

呛辣菜咸鲜清淡，以姜汁、芥末或者蒜蓉等味浓的调料入味，香中带呛，呛里带辣，呛辣得食者顶上冒烟、难以吸气。

呛辣菜个性突出，营养丰富，具有开胃祛湿、止痛杀菌的功效。

呛辣菜

猪 肉

蒜泥白肉

【食材】肥瘦相连的猪腿肉500克。

【调料】红油15克，大蒜50克，盐5克，味精1克，酱油15克，香油10克，葱段15克，碎姜块15克。

【做法】1.将猪腿肉刮洗干净，放入下有葱段和碎姜块的汤锅中，煮至皮软、断生停火，在原汁中浸泡20分钟。

2.捞出浸泡的肉，擦干水分片成大薄片，零碎的片放盘底，整齐的肉片放在上面。

3.大蒜剁成蓉状，加盐、香油、酱油、红油、味精调匀，浇在肉片上即可供食。

芥末舌片

【食材】鲜猪舌500克。

【调料】芥末酱20克，花椒粒1克，特鲜酱油20克，味精3克，醋14克，盐4克，姜汁油30克，红油20克，姜片25克，葱白段30克。

【做法】1.鲜猪舌刮洗干净，放入沸水锅内氽除腥味，捞出放入清水盆内刮去粗皮。锅内加清水，下猪舌煮沸去浮沫，加适量姜片和葱白段，用小火煮熟透，捞出晾凉，切成薄片。

2.未用的葱白段洗净切片，另取少入场放在菜墩上加花椒切细，铡成末。碗内加入芥末酱、特鲜酱油、葱白末、花椒末、味精、醋、盐、姜汁油、红油调成味汁待用。

3.盘内放入剩余的葱白片、猪舌片，摆成桥梁形，将碗内味汁搅匀，浇在上面即成。

Tips

鸡蛋壳的妙用 1.止胃痛：将鸡蛋壳洗净打碎，放入铁锅内用文火炒至黄色（不能炒焦），然后碾成粉，越细越好，每天服一个鸡蛋壳的量，分2~3次在饭前或饭后用温水送服。2.消炎止痛：用鸡蛋壳碾成末外敷，有治疗创伤和消炎的功效。3.治烫伤：当皮肤被烫伤后，可轻轻磕打一只鸡蛋，揭下鸡蛋壳里面那一层薄膜敷在伤口上，10天左右，伤口就会愈合。

厨房小窍门

芥末肚丝

【食材】熟猪肚200克，粉皮50克。

【调料】盐10克，味精8克，芥末粉30克，醋20克，蒜20克，香油8克。

【做法】1.将猪肚切成粗丝；粉皮切成粗丝，放入开水锅内汆烫一下捞起，用冷开水过凉，沥去水，加香油拌匀；蒜去衣，剁成蒜泥。

2.取碗一只，放入芥末粉、温开水、盐、味精、醋、香油和蒜泥，调成糊状，盖好放阴凉处，待晾凉后即可使用。

3.先把粉皮丝放入盘中堆好，再把肚丝铺放在粉皮丝上面，浇上调好的芥末糊即成。

牛 肉

咖喱牛肉

【食材】急冻牛柳500克，椰汁300克。

【调料】糖5克，盐5克，淀粉少许，碎葱15克，蒜蓉8克，咖喱粉23克，植物油30克。

【做法】1.将牛柳放滚水中煮5分钟，取出洗净，切成方块。

2.炒锅下植物油，慢火爆香葱、蒜蓉，下咖喱粉爆片刻，加牛柳又爆片刻，下糖、盐、淀粉拌匀，放入煲内，加椰汁200克烧滚，当牛柳炖好后，把另100克椰汁加入锅内再煲片刻，汁将干盛出，冷热吃均可。

咖喱牛肉干

【食材】牛肉300克。

【调料】盐6克，胡椒粉3克，白糖5克，干辣椒20克，咖喱粉20克，辣酱油15克，料酒20克，植物油、姜、洋葱、蒜、香叶各适量。

【做法】1.将牛肉洗净后切成稍厚的片，用六成热的油温将牛肉片炸干水分捞出沥干油待用；洋葱切成丁；蒜切片；姜切末。

2.坐锅点火，锅内留底油，油温五成热时放干辣椒、香叶煸香，放入洋葱丁、蒜片、姜末略炒，再放入料酒、咖喱粉、辣酱油、胡椒粉、盐、白糖调味，加入清水，放入牛肉片，汁收干后取出，晾凉即可食用。

妙招去除牙齿的"烟垢" 长期吸烟的人，在牙齿上会结有一层黑黄色的牙垢，普通的牙膏一般很难将其彻底去除。可先取适量红糖放入口中含几分钟后，直接用被唾液溶化的红糖刷牙2分钟，然后用清水漱口，再用盐碱水（一杯清水掺入50克盐、50克碱）刷牙2分钟，最后再用清水漱口。每日2次，1周后烟垢可脱落。

厨房小窍门

禽肉

芥末鸡丝

【食材】鸡脯300克，鸡蛋白2个。

【调料】芥末200克，酱油20克，盐10克，醋10克，味精8克，猪油100克，香油6克，菱粉10克。

【做法】1.将鸡脯去皮、筋，切成细丝，放入用鸡蛋白、菱粉调和的糊浆中搅拌。

2.用坐锅，放入猪油烧热，再将鸡丝放入，慢慢地滑熟。

3.鸡丝滑熟后，即倒入漏勺，滤去油，推在盘里。

4.将酱油、盐、醋、香油、味精和芥末调成味汁，浇在鸡丝上面即成。

蒜泥凤爪

【食材】鸡爪750克。

【调料】蒜20克，葱段10克，姜片10克，料酒15克，盐8克，胡椒粉20克，味精5克，植物油60克。

【做法】1.鸡爪去趾尖，洗净；蒜剥皮，剁成细泥；葱段切花；姜切末。

2.鸡爪焯水捞出，另起锅加水，投入鸡爪及葱段、姜片、料酒、盐烧沸后改小火煮，入味后出锅。

3.炒锅下植物油烧热，煸葱花、姜末出香味后，倒入适量原汤，加味精、胡椒粉，烧开成卤，再把鸡爪投入锅内浸制，锅离火，待其自然冷却，捞出放入蒜泥即可食用。

芥末鸭掌

【食材】鸭掌150克，生菜心100克。

【调料】醋15克，香油3克，芥末20克，盐2克，酱油10克，味精3克，白糖8克，高汤30克。

【做法】1.把鸭掌洗净，剥去外皮，然后用滚烫的开水煮熟，脱骨，之后去掉掌筋，把鸭掌的腕部切下，掌部再竖切两半，码在盘内。

2.生菜去根，洗净，切成块，码在盘的周围。

3.将芥末调好，晾凉后加入盐、味精、香油、白糖、醋、高汤、酱油拌匀，浇在鸭掌上即成。

蛋白的妙用 做菜时如果不小心，很容易被刀割伤，造成血流不止。其实这时你大可不必慌张，可以用烹调时常用的蛋白来止血。因为蛋白的某些成分具有凝固血液的作用，只要马上把蛋白涂抹在纱布上，再将纱布敷在伤口就行了。如果一时找不到纱布，也可以先直接将蛋白涂在伤口上，再去找其他透气的、干净的布包上伤口。

厨房小窍门

水　产

辣子鱼块

【食材】鲜鱼肉500克。

【调料】姜片5片，蒜片10克，葱段10克，酱油8克，醋8克，白糖8克，盐15克，味精5克，料酒8克，高汤400克，泡红辣椒50克，植物油适量。

【做法】1.将鱼肉洗净切成3厘米见方的块，加料酒、盐腌1小时。

2.将锅内的植物油烧七成热，放入泡红辣椒，炒出红色，加姜片、葱段、蒜片，炒出香味，烹入料酒，加酱油、盐、白糖，倒入鱼块、高汤，烧开锅后改用小火烧，待汁收干时，加醋、味精，起锅晾凉后装碟即成。

蒜泥蒸虾

【食材】鲜虾500克。

【调料】味精3克，蒜泥50克，香油10克，干辣椒丝25克，花生油25克，盐5克。

【做法】1.将鲜虾剪去须、爪，洗干净，控去水分，放上所有调料拌匀，上盘摊平。

2.用旺火蒸熟便成。

蒜蓉鱿鱼

【食材】鱿鱼500克。

【调料】蒜蓉8克，姜5克，葱8克，大料6克，盐10克，香菜5克，醋60克，高汤、日本青芥适量。

【做法】1.将鱿鱼洗净，撕去外衣，放落滚水中煮1分钟捞出，用清水洗一下，控干水分。

2.将姜、葱、大料、香菜、盐、高汤做成的调味汁烧开，放鱿鱼煮5分钟，捞出，冷后放在碟上，将鱿鱼须排好，蘸蒜蓉、醋或日本青芥食用。

芥末鱿鱼

【食材】水发鱿鱼300克。

【调料】葱段100克，姜片10克，芥末酱20克，酱油30克，香油10克，白糖20克，醋10克，料酒适量。

【做法】1.先将鱿鱼直切成3长条，每条在内侧面切交叉刀口；在等距离刀口上切断成小块。

2.将半锅水烧开，加入葱段、姜片和料酒，再放入鱿鱼氽烫，见其卷曲时捞出。

3.将所有调味料调匀，将葱切成丝，一同与鱿鱼拌匀，然后盛入盘内即可食用。

芥末海带沙司

【食材】水发海带500克。

【调料】人造奶油50克，红辣椒粉20克，芥末粉15克，柠檬汁10克，白醋25克，牛奶200毫升，白糖15克。

【做法】1. 水发海带上蒸锅干蒸半小时取出，切片待用。

2.芥末粉用凉开水调开，放柠檬汁、人造奶油、红辣椒粉、白糖、白醋、牛奶搅拌均匀，加清水煮沸，成芥末沙司。

3.将水发海带片放入芥末沙司中调匀即可。

葱辣鲜虾

【食材】鲜虾250克。

【调料】葱100克，干辣椒40克，红油15克，盐4克，鸡精2克，白糖3克，料酒15克，姜、鸡汤、植物油各适量。

【做法】1.将大虾去头、皮、沙肠洗净，控干水分，放到锅中过油，然后捞出控净油；干辣椒用温水泡软，葱切段；姜切成片。

2.坐锅点火放植物油，油热放入葱段、姜片、干辣椒煸炒出香味，倒入鸡汤、盐、料酒、鸡精、白糖、虾肉、红油烧4分钟，把虾肉捞出放到盘中，再把原汤用旺火烧浓浇在虾肉上即可。

芥末扇贝

【食材】扇贝200克。

【调料】芥末100克，酱油8克，盐5克，醋15克，香油10克，白糖8克，姜片15克，葱段10克，味精5克。

【做法】1.扇贝片成片。

2.锅内水烧开，放姜片、葱段煮出香味，捞出姜、葱，将扇贝片放入烫熟，捞出，加少许盐、香油拌匀。

3.芥末加温水、醋、白糖拌匀，加盖焖30分钟。

4.扇贝片放碗内，倒入调好的芥末汁，再加酱油、味精、香油，拌匀上碟即成。

蔬 菜

芥末豇豆

【食材】嫩豇豆500克。

【调料】醋50克，植物油50克，盐15克，蒜泥10克，姜100克，味精1克，白酱油10克，芥末油15克，香油5克。

【做法】1.将豇豆洗净，除去头、足、筋，切成5厘米长的段。

2.将豇豆放入沸水锅中，在旺火上煮至刚断生，即可捞起，趁热撒上盐，和匀，晾凉，控去水分。

3.姜洗净后，去皮，捶成蓉，取其汁，备用。

4.食时将酱油、醋、香油、姜汁、蒜泥、植物油、芥末油、味精调匀，加入盛豇豆盘内，拌匀即成。

芥末拌黄瓜

【食材】嫩鲜黄瓜500克。

【调料】香油25克，白醋5克，芥末酱10克，胡椒粉10克，盐适量。

【做法】1.将黄瓜洗净，切成上厚下薄滚刀小块，加盐入味3分钟，再用凉开水漂洗一遍，挤干水分，盛盘内。

2.将香油、白醋、芥末酱、胡椒粉同放碗内调匀，浇在黄瓜块上拌匀即成。

蒜汁时蔬

【食材】鲜芦笋500克。

【调料】蒜蓉15克，生抽45克，白糖5克，高汤适量，味精5克，香油3克，植物油90克。

【做法】1.鲜芦笋切去老皮，切成长条或短条，放入沸水中氽至转绿捞出，用清水浸冷，取出控干水分。

2.将高汤烧滚，下适量植物油，放鲜芦笋条灼熟捞出，排放在盘上。

3.炒锅下植物油烧热，将糖煮溶，下生抽、味精、香油、味精拌匀，淋在鲜芦笋上。吃时撒上蒜蓉，冷热吃均可。

多味茄泥

【食材】茄子500克。

【调料】蒜20克，花椒粒8克，小葱6克，白糖15克，酱油8克，醋15克，香油8克，盐5克，味精5克，香菜8克。

【做法】1.茄子洗净、削皮，切成长条，撒上盐，放清水中泡去茄褐色，捞出控干水分，放蒸锅内旺火蒸熟，取出晾凉。

2.香菜、小葱洗净，分别切成碎末；花椒粒炒熟，碾碎成末；大蒜剥去蒜皮，剁成蒜泥。

3.酱油、醋、白糖、花椒末、葱末、香菜末、香油、蒜泥、盐和味精调匀成浓汁，均匀地浇在晾凉的茄条上面，拌匀即可供食。

蒜泥茄子

【食材】茄子750克。

【调料】大蒜15克，酱油10克，香油8克，盐10克，味精20克。

【做法】1.将茄子洗净削皮，切成块，放入蒸锅蒸大约15分钟，放盘中晾凉待用。

2.大蒜剥皮，剁成蓉，放入碗中，加入酱油、香油、盐、味精拌匀。

3.将调味汁倒在茄子块上即可。

虎皮辣椒

【食材】青辣椒200克。

【调料】豆豉50克，蒜末8克，红辣椒末15克，酱油10克，料酒10克，白糖10克，白胡椒粉5克，香油5克，红油5克，植物油500克。

【做法】1.青辣椒洗净除蒂，擦干；豆豉略切碎备用。

2.锅中入植物油烧热至中温，将青辣椒略炸一下，捞出沥油。

3.锅里留下少许油，爆香蒜末、红辣椒末、豆豉，再加入青辣椒及所有调味料，略焖入味即可。

蒜泥拌鱼腥草

【食材】鱼腥草（侧耳根）100克。

【调料】大蒜30克，白糖20克，醋10克，香油10克，酱油5克，盐5克。

动物油的妙用 动物油不但可用来烹调美味的菜肴，还有多种妙用。1.蒸馒头的发面里揉进一小块猪油，蒸出来的馒头膨松、洁白、香甜可口。2.煮陈米时，加点猪油和少许盐，煮出的饭松软、可口。3.铁锅洗净擦干，再涂点动物油抹匀，可防止生锈。3.不穿的皮鞋，擦上点动物油，置阴凉干燥处存放，可使皮鞋光洁柔软。

Tips

厨房小窍门

【做法】1.把大蒜去皮，捣成蒜泥；鱼腥草洗净，除去黄叶、老根。

2.把鱼腥草放盆内，加入大蒜泥、白糖、醋、香油、盐、酱油，拌匀即成。

芥末白菜墩

【食材】大白菜500克。

【调料】白糖10克，芥末100克，白醋5克，盐20克，香油10克。

【做法】1.先将大白菜择洗干净以后，再去掉白菜的尾部，将白菜根部切成4厘米长的墩，把它下入到开水中焯一下，控净水，待用。

2.将芥末放在碗中，用沸水冲开，并按一个方向搅动，同时加入醋、盐、白糖、香油。

3.将调好的芥末汁涂在白菜墩上，码在一个盘子里，上边再取一个盘扣上，置于屋内暖和的地方，第二天取出，码盘，即可食用。

芥末北风菌

【食材】鲜北风菌400克，猪脊肉100克。

【调料】姜10克，蒜15克，芥末糊50克，盐12克，葱10克，味精3克，白糖10克，香油20克，醋10克，鸡清汤45克。

【做法】1.将北风菌去根部泥土，洗净，放入鸡清汤中汆熟捞出，滤去水分，晾凉入盘。

2.猪脊肉去筋，切成细丝，放入沸汤中汆熟取出，晾凉后均匀地撒在菌上。

3.分别将葱、姜、蒜切成细末，入碗，加入盐、芥末糊、味精、醋、白糖、香油、鸡清汤调匀，兑成汁水，浇在菌上即可。

蒜泥菠菜

【食材】菠菜400克、水发银耳50克。

【调料】蒜50克，葱10克，姜10克，醋10克，盐10克，香油5克，味精8克。

【做法】1.将菠菜摘老叶，去根，洗净，切寸段；蒜去皮，捣成蒜泥；葱，姜切丝；醋、香油、盐、味精和蒜泥一同入碗拌匀，调成卤汁。

2.取锅烧开水放入菠菜段稍焯一下，捞出，过凉，用手挤去水分放盘内，加银耳、葱丝、姜丝，倒入调味卤汁，拌匀即成。

其他呛辣类

芥末拌粉皮

【食材】粉皮500克。

【调料】醋8克，盐5克，味精5克，香油15克，芥末粉25克。

【做法】1.将芥末粉放碗中，用开水调湿，用纸封住碗口，晾凉；粉皮切3厘米长细丝，盛盘。

2.芥末、醋、盐、味精、香油拌匀，淋在粉皮丝上，拌匀即可。

图书在版编目（CIP）数据

家常香辣1000样/中国烹饪协会美食营养专业委员会著.
—北京：北京出版社，2005
ISBN 7-200-06279-0

I.家… II.中… Ⅲ.菜谱 IV.TS972.12

中国版本图书馆CIP数据核字（2005）第135132号

□ **全案策划** 唐码书业（北京）有限公司
WWW.TANGMARK.COM
□ **责任编辑** 毛白鸽
□ **装帧设计** 刘 畅

家常香辣1000样
JIACHANG XIANGLA 1000YANG

中国烹饪协会美食营养专业委员会 著

出版 / 北京出版社出版集团
北京出版社
地址 / 北京·北三环中路6号
邮编 / 100011
网址 / www.bph.com.cn
发行 / 北京出版社出版集团
经销 / 新华书店
印制 / 北京市梨园彩印厂
版次 / 2006年1月第1版 2006年4月第2次印刷
开本 / 787×1092 1/16
印张 / 16
插页 / 4
字数 / 490千字
印数 / 20,001—40,000册
书号 / ISBN 7-200-06279-0 / TS·94

定价：19.80元

质量投诉电话 / 010—58572393